CHEFS-D'ŒUVRE SUISSES
Collection Christoph Blocher

Fondation Pierre Gianadda
Martigny Suisse

CHEFS-D'ŒUVRE SUISSES
Collection Christoph Blocher

Commissaire de l'exposition
Matthias Frehner

Du 6 décembre 2019 au 14 juin 2020
Tous les jours de 10 h à 18 h

Cette exposition est placée sous le haut patronage de

Monsieur Ueli Maurer
Président de la Confédération suisse

Partenaire principal de la Fondation Pierre Gianadda

A Silvia

Matthias Frehner, Christoph Blocher, Léonard Gianadda
Château de Rhäzüns

J'ai créé la Fondation Pierre Gianadda pour perpétuer le souvenir de mon frère Pierre, décédé tragiquement le 31 juillet 1976 en portant secours à ses camarades victimes d'un accident d'avion.

Depuis lors, la Fondation a accueilli plus de dix millions de visiteurs

Merci Christoph

François Gianadda, Silvia Blocher, Léonard Gianadda, Christoph Blocher à Herrliberg

Le 27 janvier 2017, invités par Christoph Blocher, Matthias Frehner et moi-même visitons son château de Rhäzüns surplombant le Rhin dans les Grisons, pour y découvrir une partie de ses nombreux trésors. Au cours de cette rencontre, il nous remit à chacun un fascicule accompagné d'un « Choisissez ce que vous voulez ! ». C'était le recueil de sa collection, reproduisant chaque œuvre avec références, vignettes, dimensions, année, technique…

Un moment de grâce.

C'est ainsi qu'aujourd'hui nous avons le privilège d'exposer cent vingt-sept toiles, la quintessence d'une collection unique.

* * *

Je me souviens de ma première rencontre avec Christoph Blocher. C'était dans la perspective d'un projet *Albert Anker*. Je lui avais demandé un rendez-vous aussitôt arrêté au lundi 25 mars 2002, à 10 heures. Avec Annette, nous nous sommes rendus dans sa villa d'Herrliberg, à Zurich, où nous avons découvert son ensemble d'œuvres.

Christoph Blocher collectionneur ?

Assurément, mais surtout fin connaisseur de l'art suisse, accompagnant chacune des pièces rassemblées de mille détails précis, pertinents. Ce qui m'a aussi frappé lors de cette entrevue est le fait que plus de deux heures durant, entièrement concentré sur les œuvres qu'il décrivait avec passion, il n'a répondu à aucun appel téléphonique, ni reçu qui que ce soit.

C'est sans hésiter qu'il accepta le projet d'une exposition à Martigny.

* * *

En 2017, pour notre exposition *Hodler, Monet, Munch*, en partenariat avec le musée Marmottan Monet de Paris, nous étions chargés du volet Hodler. Sur les vingt-six œuvres souhaitées par Philippe Dagen, commissaire de l'exposition, onze appartenaient à Christoph Blocher, toutes généreusement prêtées.

Aujourd'hui, j'aimerais lui exprimer, ainsi qu'à son épouse Silvia, toute ma reconnaissance pour la confiance fidèlement témoignée. Mes vifs remerciements s'adressent bien sûr également à mon ami Matthias Frehner, commissaire de l'exposition et membre de notre Conseil de Fondation. Avec compétence, Matthias s'est acquitté de sa tâche pour le plus grand plaisir de notre public qui, j'en suis convaincu, se plaira à découvrir cette exposition,

Léonard Gianadda
Président de la Fondation
Membre de l'Institut

7

Préface

Les occasions de marquer un temps d'arrêt et de se concentrer sur l'essentiel semblent se réduire comme peau de chagrin dans le tumulte de la vie quotidienne. C'est pourquoi nous-mêmes, ainsi que les générations futures avons besoin de personnes qui, par leur regard acéré, nous rappellent nos racines. L'exposition *Chefs-d'œuvre suisses – Collection Christoph Blocher* nous offre une possibilité unique à cet égard. Dans leur majorité, les œuvres présentées traitent de privation, de dur labeur et de foi presque inébranlable. En cela, elles racontent l'histoire de la Suisse et évoquent les valeurs sur lesquelles notre pays s'est construit et dont nous pouvons être fiers aujourd'hui. Il nous incombe désormais de prendre soin de notre héritage culturel avec le même dévouement que celui dont les artistes ont fait preuve dans leurs créations. Veillons dès lors à choyer ces œuvres intemporelles et notre patrimoine culturel et à nous en servir pour dessiner notre avenir!

Ueli Maurer
Président de la Confédération

Grusswort

Die raren Momente, um innezuhalten und uns aufs Wesentliche zu konzentrieren, scheinen im Tumult des Alltags immer mehr unterzugehen. Umso mehr braucht es Menschen, die uns und den kommenden Generationen mit geschärftem Blick aufzeigen, woher wir kommen. Die Ausstellung «Chefs-d'oeuvre suisse – Collection Christoph Blocher» bietet hierfür eine einzigartige Gelegenheit. Viele dieser Werke erzählen Geschichten von Entbehrungen, von harter Arbeit und schier unerschütterlicher Zuversicht. Es ist die Geschichte der Schweiz und der Wurzeln, aus denen das gewachsen ist, worauf wir heute stolz sein können. Mit der gleichen Hingabe, wie die Künstler ihre Szenen auf die Leinwand brachten, müssen wir unserem kulturellen Erbe Sorge tragen. Denn nur wenn wir achtsam mit den zeitlosen Werken und Errungenschaften unserer Kultur umgehen, können wir sie als Kraft beim Gestalten unserer Zukunft nutzen.

Ueli Maurer
Bundestpräsident

Remerciements

La Fondation Pierre Gianadda et les organisateurs de l'expositions expriment leur vive reconnaissance à Christoph et Silvia Blocher qui, grâce à leur grande générosité, ont accepté de se séparer d'œuvres majeures de leur collection et permis la réalisation de cette manifestation.

Leur gratitude vont également aux personnes qui, par leurs écrits, ont contribué à enrichir cet ouvrage :

Mmes   Therese Battacharya-Stettler
        Monika Brunner
        Martha Degiacomi
        Antoinette de Wolff

Leur reconnaissance s'adresse aussi à toutes les personnes qui ont apporté leur soutien à l'exposition :

Mmes   Therese Bhattacharya-Stettler   Anne-Marie Valet
        Irène Bisang   Paola Vial
        Sophia Cantinotti   Nicol Viaud
        Lorène Chevalley   Monique Zanfagna
        Catherine Dantan   Jennifer Zufferey
        Monika Eggenberger
        Christina Frehner-Bühler   MM   Frédéric Clad
        Florence Gay-des-Combes   Willy Darbellay
        Silvana Ghidoli, ProLitteris   Alessandro Gabrielli
        Mélanie Gury   Claudio Diotallevi
        Sabine Haehlen   Philippe Knecht
        Bettina Kubli, ProLitteris   Claude Margueret
        Marie-Christine Mattle   Jean-Henry Papilloud
        Véronique Mélis   Mario Rebord
        Monique Nicol   Daniel Thalmann
        Heidy Piller   François Torche

Fig. 1 Christoph Blocher devant *l'Écolier* d'Albert Anker,
œuvre peinte en 1875. | Christoph Blocher
vor Albert Ankers *Schulknabe* von 1875

Interview de Christoph Blocher à propos de ses tableaux

Matthias Frehner

Mit Christoph Blocher im Gespräch über seine Bilder

Matthias Frehner

« J'ai acheté des tableaux parce qu'ils me plaisaient. »

MF: La première exposition de votre collection a eu lieu il y a vingt ans. La Fondation Saner à Studen, près de Bienne, a présenté 97 œuvres d'Albert Anker de votre fonds au grand public. Quelles furent alors vos motivations ?

CB À cette époque, en 1999, je n'avais pas pris conscience que mes tableaux formaient une collection. Je les avais achetés parce qu'ils me plaisaient, et non dans le but de constituer un ensemble. J'ai d'abord hésité à exposer à Studen les œuvres d'Albert Anker que je détenais : retrouver dans un musée mes tableaux, qui sont chaque jour pour nous une source de joie quotidienne dans nos salons ? Était-ce d'ailleurs vraiment possible ? Ces peintures sont pour moi comme mes enfants. Chaque jour, je découvre quelque chose de nouveau en elles. *L'école en promenade* d'Albert Anker, par exemple, nous fait face depuis 25 ans lorsque nous sommes assis à la table à manger. Chaque jour apporte de nouvelles découvertes ! (Cat. 27). Confier de telles œuvres à des mains étrangères ? Beaucoup de gens aimeraient bien sûr, profiter eux également de toute cette splendeur. Alors, j'ai dit : « Tentons cette expérience » !

Comment s'est-elle déroulée ? La Fondation Saner, située dans un lieu isolé, est peu connue du grand public.

Un lieu isolé, mais proche du Seeland bernois, la région natale d'Albert Anker. Ce fut un grand succès. Après l'exposition, Gerhard Saner m'a dit que le petit musée avait été plein à craquer.

Cela semble avoir été une sorte d'expérience inaugurale. En 2015, le musée Oskar Reinhart à Winterthur a présenté de nombreuses œuvres de votre collection dans le cadre d'une exposition de grande envergure. Qu'est-ce qu'une collection pour vous, à présent ?

J'ignore toujours aujourd'hui à quel moment on peut parler d'une véritable collection. On dit couramment

«Ich erwarb Bilder, weil sie mir gefielen.»

MF: Vor zwanzig Jahren fand die erste Ausstellung Ihrer Sammlung statt. Die Fondation Saner in Studen bei Biel präsentierte damals 97 Werke von Albert Anker aus Ihrem Besitz. Was hat Sie damals bewogen, der Öffentlichkeit Einblick in Ihre Privatsammlung zu gewähren?

CB Damals – 1999 – war ich mir nicht bewusst, dass meine Bilder eine Sammlung sind. Ich erwarb Bilder, weil sie mir gefielen, nicht um eine Sammlung anzulegen. Ich zögerte anfänglich, meine Werke von Albert Anker in Studen bei Biel auszustellen. Meine Bilder, die uns täglich in unseren Wohnräumen viel Freude bereiten, in einem Museum? Geht das überhaupt? Die Bilder sind für mich wie eigene Kinder. Täglich entdecke ich Neues in ihnen. So hängt zum Beispiel Ankers *Schulspaziergang* seit 25 Jahren uns vis-à-vis am Esstisch. Jeden Tag neue Entdeckungen! (Kat. 27). Solche Bilder auswärts geben? Natürlich, viele Menschen möchten diese Pracht auch gerne sehen. Also, sagte ich, machen wir dieses Experiment!

Wie fiel denn dieses Experiment aus? Dieses Museum ist etwas abgelegen und zumindest nicht einer grossen Masse bekannt.

Einerseits etwas abgelegen, aber doch nahe dem Berner Seeland – der Heimat von Albert Anker. Es wurde zu einem grossen Erfolg. Wie mir Gerhard Saner nach der Ausstellung sagte, sei das kleine Museum aus allen Nähten geplatzt.

Dies scheint eine Art Schlüsselerlebnis gewesen zu sein. 2015 zeigte das Museum Oskar Reinhart in Winterthur in einer gross angelegten Ausstellung viele Werke aus Ihrer Sammlung. Was ist denn nun für Sie eine Sammlung?

Ich weiss heute noch nicht wirklich, ab wann man von einer eigentlichen Sammlung sprechen kann. Der

qu'une collection existe quand on a davantage de tableaux que de murs. « Bien que nous ayons pris soin dans notre maison d'avoir autant de murs que possible, et que certains de nos tableaux soient accrochés au château de Rhäzüns dans les Grisons, il n'y a pas suffisamment de murs pour accueillir toutes les œuvres. Donc, j'ai une collection ! Le catalogue de l'exposition de Winterthur, édité par Marc Fehlmann, alors directeur du Musée Reinhart, et Roger Fayet, directeur de l'Institut suisse pour l'étude de l'art à Zurich, m'a définitivement estampillé comme collectionneur.

« Je me suis rendu souvent au musée et j'ai même effectué en personne des visites guidées de l'exposition. »

Winterthur a aussi été un énorme succès. Quelle en est la raison ?

Présenter sous un même toit mes tableaux et les splendides œuvres suisses d'Oskar Reinhart revêtait naturellement un attrait particulier. Le désir des amateurs d'art de voir ma collection, que je ne peux bien sûr pas montrer au public dans ma maison privée, était devenu entre nous un sujet de conversation récurrent. Grâce à l'exposition de Winterthur, nous avons eu la possibilité de partager la joie que nous procurent nos œuvres d'art. C'est pourquoi je vais publier des annonces par voie de presse pour attirer l'attention des habitants de ma région sur l'exposition de Martigny.

L'exposition a fait la une des journaux et la foule était impressionnante. Quelle expérience en avez-vous retirée en tant que collectionneur ?

Fig. 2 Christoph Blocher en discussion avec Matthias Frehner. | Christoph Blocher im Gespräch mit Matthias Frehner

Volksmund sagt: «Von einer Sammlung kann man dann sprechen, wenn man mehr Bilder hat als Wände.» Obwohl wir in unserem Haus darauf achteten, möglichst viele Wände zu haben, und ein Teil unserer Bilder im Schloss Rhäzüns im Bündnerland hängt, reichen diese Wände nicht für alle Bilder. Folglich habe ich eine Sammlung. Auch der Katalog zur Ausstellung in Winterthur, den Marc Fehlmann, der damalige Direktor des Reinhart Museums, und Roger Fayet, der Direktor des Schweizerischen Institut für Kunstwissenschaft in Zürich, herausgegeben haben, stempelte mich wohl definitiv zum Sammler.

«Ich war häufig dort und habe auch selber durch die Ausstellung geführt.»

Winterthur wurde wiederum zum Grosserfolg. Wie kam das?

Meine Bilder unter einem Dach mit der grossartigen Schweizer Kunst von Oskar Reinhart zu zeigen, war natürlich von einem besonderen Reiz. Der Wunsch von Kunstbegeisterten, meine Sammlung, die ich ja in meinem privaten Wohnhaus nicht gut öffentlich zeigen kann, sehen zu können, wurde ein Dauerthema für uns. Mit der Ausstellung in Winterthur hatte sich nun die Möglichkeit geboten, die Freude an unseren Kunstwerken zu teilen. Deshalb werde ich die Bevölkerung meiner Wohnregion mit Zeitungsinseraten auch auf die Ausstellung in Martigny aufmerksam machen.

Die Ausstellung machte Schlagzeilen und der Besucherandrang war eindrücklich. Was für ein Erlebnis war es für Sie als Sammler?

Die Ausstellung im Dachgeschoss des Reinhart-Museums dauerte von Oktober 2015 bis Ende Januar 2016. Der Andrang war gross: Schon bald bildeten sich Warteschlangen vor dem Museum. Besucherinnen und Besucher mussten bereits am Morgen zwei bis drei Stunden Wartezeit in der winterlichen Kälte in Kauf nehmen. Laut Zeitungsberichten habe es zuvor in der Schweiz kaum je eine Kunstausstellung solchen Ausmasses gegeben. Ich war häufig dort und habe auch selber durch die Ausstellung geführt. Die Ausstellung konnte leider nicht verlängert werden.

Dass Künstler durch die Ausstellungen führen, kommt vor. Dass ein Sammler führt, ist selten!

Der Aussteller hat solche Führungen gewünscht, und sie waren immer sehr gut besucht. Es war eindrücklich zu sehen, wie viele Menschen von diesen Bildern, die

L'exposition au dernier étage du Musée Reinhart a duré d'octobre 2015 à fin janvier 2016. L'affluence a été grande : des files d'attente se sont rapidement formées devant le musée. Les visiteurs devaient patienter deux à trois heures dans le froid hivernal dès le matin. D'après certains articles de presse, une exposition d'art d'une telle ampleur n'avait pratiquement jamais eu lieu en Suisse auparavant. Je m'y suis rendu souvent et j'y ai aussi effectué en personne des visites guidées de l'exposition. Malheureusement, l'exposition n'a pas pu être prolongée.

Il arrive que des artistes effectuent des visites guidées de leurs expositions, mais de la part d'un collectionneur c'est plutôt rare!

C'était un souhait de l'exposant, et ces visites guidées ont toujours été très fréquentées. C'était impressionnant de voir que tant de gens étaient aussi touchés, enthousiasmés ou émus par ces tableaux, qui sont importants pour moi et me donnent de la force. Les nombreuses lettres de remerciement que j'ai reçues de la part d'inconnus étaient touchantes. L'exposition a laissé une impression durable. Aujourd'hui encore, trois ans plus tard, on m'en parle toujours.

Qu'a signifié ce succès pour le musée ?

Généralement, ces expositions se clôturent sur un déficit en raison des frais de transport et d'assurances qui ont énormément augmenté, et même si le nombre d'entrées réalisées est important, m'a-t-on dit. Mais les choses se sont passées différemment : avec plus de 60 000 visiteurs, c'est devenu l'exposition la plus visitée de tous les temps à Winterthur. Elle s'est donc achevée avec un excédent de 550 000 francs. Ce bénéfice a permis au Musée Oskar Reinhart, qui avait alors épuisé toutes ses réserves et était dans le rouge, de poursuivre sa programmation.

« L'art procurait presque plus de plaisir que la théologie à mon père, qui était pasteur. »

L'exposition de Winterthur a clairement montré que vous êtes l'un des plus grands collectionneurs d'art suisse. Qu'est-ce qui vous a conduit à vous intéresser à l'art ? Votre famille ne comptait aucun artiste ou collectionneur qui aurait pu vous inspirer.

Qui sait à qui et à quelle expérience on doit d'avoir telle ou telle inclination ? Les artistes n'étaient pas complètement absents de notre famille. Mon frère aîné, Martin, était peintre, germaniste et professeur de

mir wichtig sind und mir Kraft geben, ebenfalls ergriffen und begeistert oder bewegt waren. Rührend waren die zahlreichen Dankesschreiben von mir nicht bekannten Personen. Die Ausstellung hinterliess einen bleibenden Eindruck. Noch heute, drei Jahre später, werde ich auf diese Ausstellung angesprochen.

Wie war der Erfolg für das Museum?

Normalerweise schliessen solche Ausstellungen mit einem Defizit. Da die Kosten für Transport und Versicherung enorm gestiegen sind, seien Kunstausstellungen in einem Museum auch bei vielen verkauften Eintritten immer ein defizitäres Geschäft, sagte man mir. Es kam aber anders: Mit über 60'000 Besucherinnen und Besuchern wurde sie in Winterthur zur am besten besuchten Ausstellung überhaupt. So konnte die Ausstellung dann sogar mit einem Überschuss von 550'000 Franken abschliessen. Dem Museum Oskar Reinhart, das bis zu diesem Zeitpunkt alle seine Reserven aufgebraucht hatte und rote Zahlen schrieb, ermöglichte dieser Gewinn die Weiterführung des künstlerischen Programms.

«Mein Vater, ein Pfarrer, hatte fast mehr Freude an der Kunst als an der Theologie.»

Die Ausstellung in Winterthur hat klar gemacht, dass Sie einer der grossen Kunstsammler der Schweiz sind. Wie kamen Sie zur Kunst? In Ihrer Familie gab es keine Künstler und auch keine Kunstsammler, die Ihnen als Anregung hätten dienen können.

Fig. 3 Christoph Blocher contemplant une peinture de son frère, Martin Blocher. | Christoph Blocher betrachtet ein Gemälde seines Bruders Martin Blocher

Fig. 4 Martin Blocher en train de peindre, Crète vers 1964. | Martin Blocher beim Malen, Kreta um 1964.

dessin, ce que l'on ne sait guère. Malheureusement, il est décédé très prématurément de la jaunisse. C'était un personnage tragique, et j'ai gardé quelques-uns de ses tableaux non signés par respect.

Y avait-il des objets d'art dans la maison de vos parents ?

L'art procurait presque plus de plaisir que la théologie à mon père, qui était pasteur. Mais il n'avait pas l'argent nécessaire à l'achat d'une œuvre originale. Il s'est intéressé aux reproductions, principalement celles des œuvres de Ludwig Richter. Par piété filiale, j'ai prêté à ma mère un dessin lavis de Richter en mémoire de son défunt mari, notre père. Dans le grand presbytère de Laufen, près des chutes du Rhin, il y avait en revanche de nombreuses reproductions de tableaux, dont une d'un des merveilleux et vastes paysages lémaniques peints par Hodler était accrochée dans la plus belle pièce, au-dessus du piano. Nous étions aussi entourés de nombreuses reproductions d'Anker. Il s'agissait, je pense, de photos de couverture du magazine *Der Beobachter*. Mon père les a découpées, mises dans un cadre en bois et accrochées.

Avez-vous été influencé par ces tableaux que votre père affectionnait ?

Je les aimais beaucoup et je me souviens aujourd'hui encore de chacun d'eux, ceux d'Anker, de Hodler, de Zünd – et bien sûr de Ludwig Richter. Certains originaux de cette décoration murale de la maison de mes parents figurent aujourd'hui dans ma collection. Dommage que mes parents ne puissent plus les voir. Ce n'est que récemment que j'ai pu acheter une nouvelle fois l'original d'un de mes tableaux de jeunesse, à savoir *Le chemin d'Emmaüs* de Robert Zünd, dont un grand tirage était accroché dans la classe de mon père. (Cat. 7)

D'autres expériences esthétiques vous ont-elles marqué ?

Je ne sais pas si elles m'ont marqué. Mais je me souviens très bien de l'époque où, à l'école primaire, on discutait des images ornant les murs. J'ai gardé en mémoire celle du *Hochzeitsabend* d'Albert Welti, qui représente des jeunes mariés et des invités dansant sur un pont. J'ai pris conscience de la richesse des couleurs de ce tableau et de la complexité de sa composition. Plus tard, j'ai revu dans la salle du Conseil des États ce peintre fascinant, qui n'a pas pu terminer lui-même la fresque *Die Landsgemeinde* car il est mort trop tôt. Je possède deux magnifiques portraits au crayon de Welti. Ils sont accrochés au-dessus de nos lits dans le château de Rhäzüns. Et puis Picasso fait aussi partie de nos premières expériences artistiques.

Wer weiss schon, von wem und dank welchem Erlebnis man welche Eigenschaft hat? Ganz ohne Künstler war unsere Familie nicht. Mein ältester Bruder Martin war, was kaum bekannt ist, Kunstmaler, Germanist und Zeichnungslehrer. Er verstarb leider sehr früh an Gelbsucht. Er war eine tragische Gestalt und ein paar seiner nicht signierten Bilder habe ich aus Respekt aufbewahrt.

Und Ihr Elternhaus, gab es dort Kunst?

Mein Vater, ein Pfarrer, hatte fast mehr Freude an der Kunst als an der Theologie. Doch um ein Original zu kaufen, fehlte ihm das Geld. Er beschäftigte sich mit Reproduktionen – in erster Linie von Ludwig Richter. Eine lavierte Zeichnung von Richter schenkte ich aus Pietät dann meiner Mutter als Leihgabe – im Andenken an ihren verstorbenen Mann, unseren Vater. Im grossen Pfarrhaus in Laufen am Rheinfall hingen viele Gemäldereproduktionen. Im «guten Zimmer» hing über dem Klavier der Druck einer der wunderbaren grossen Genfersee-Landschaften von Hodler. Auch viele Reproduktionen von Anker umgaben uns. Es waren – glaube ich – Titelbilder der Zeitschrift *Der Beobachter*. Mein Vater hat sie ausgeschnitten, in ein Holzrähmchen bringen lassen und aufgehängt.

Wurden Sie von diesen Lieblingsbildern Ihres Vaters beeinflusst?

Ich liebte sie jedenfalls und erinnere mich noch heute an jedes Einzelne, so an Anker, Hodler, Zünd – und natürlich an Ludwig Richter. Einige der Originale von diesem Wandschmuck meines Elternhauses befinden sich heute in meiner Sammlung. Schade, dass meine Eltern das nicht mehr erleben konnten. Erst vor kurzem konnte ich wieder eines meiner Jugendbilder im Original erwerben, nämlich Robert Zünds Gemälde *Der Gang nach Emmaus*, von dem ein grosser Druck im Unterrichtszimmer meines Vaters hing. (Kat. 7)

Gab es weitere Kunsterlebnisse, die Sie geprägt haben?

Ob sie mich geprägt haben, weiss ich nicht. Aber ich erinnere mich lebhaft an meine Primarschulzeit, in der Schulwandbilder besprochen wurden. So ist mir Albert Weltis Bild *Hochzeitsabend*, das ein tanzendes Brautpaar mit vielen Gästen auf einer Brücke wiedergibt, in Erinnerung geblieben. Der Reichtum der Farben auf diesem Bild und die komplizierte Komposition wurden mir bewusst. Später bin ich diesem faszinierenden Maler im Ständeratssaal wiederbegegnet, dessen Fresko *Die Landsgemeinde* der frühverstorbene Welti nicht mehr selber vollenden konnte. Von Welti besitze ich zwei schöne Bleistift-Porträts. Sie hängen über unse-

Après notre mariage, ma femme a décoré les murs de notre premier appartement avec des reproductions de ses périodes bleue et rose.

« Parce que, en matière d'art, je prends toujours des décisions instinctives. »

Quand avez-vous acheté votre première œuvre originale ?

Lorsque, dans les années 1970, après ma thèse de doctorat, j'ai commencé à gagner de l'argent chez Emser Werke, je me suis offert mes premiers originaux – des œuvres modestes, des croquis, des dessins au crayon et au fusain d'Anker, que j'ai payé chacun quelques centaines de francs.

Votre voisin de l'époque à Feldmeilen, Jürg Wille, le légendaire connaisseur des anciennes collections familiales zurichoises, a alors fondé à l'époque la succursale zurichoise de Sotheby's et a commencé à vendre aux enchères de l'art suisse. Lors de sa deuxième vente, en novembre 1979, vous avez acquis votre première œuvre significative. Qu'est-ce qui vous a motivé à faire cet achat ?

C'était le dessin au fusain d'Albert Anker *Garçon au pain et au panier*. Cette émouvante représentation d'un enfant est devenue plus tard l'épicentre de mon enthousiasme pour Anker. Jürg Wille m'a ensuite donné quelques impulsions importantes, par exemple en attirant mon attention sur Benjamin Vautier, un peintre que je ne connaissais pas à l'époque et qui reprenait souvent les mêmes thèmes qu'Anker. Aujourd'hui, je possède deux belles œuvres de lui. Cependant, plusieurs années se sont écoulées avant que je puisse acheter mes premières peintures à l'huile d'Anker, pour des raisons financières.

Quelles ont été vos premières peintures à l'huile originales ?

Dans la peinture à l'huile *Le fils prodigue*, une œuvre ambitieuse d'Anker. L'artiste, qui avait abandonné ses études théologiques pour la peinture, s'attaquait encore à un sujet biblique. Puis il a changé de direction, il a complètement renoncé aux thèmes chrétiens. Toute manifestation de piété lui était absolument odieuse. Il a montré que l'expression de Dieu résidait dans l'essence de la création. Telle était sa conviction religieuse.

De quelle manière avez-vous continué à collectionner des œuvres d'art ?

Je n'ai jamais collectionné des œuvres d'art. L'achat de mes tableaux n'a jamais reposé sur un raisonnement

ren Betten im Schloss Rhäzüns. Und dann gehört auch Picasso zu unseren frühen Kunsterlebnissen. Nach unserer Hochzeit schmückte meine Frau die Wände unserer ersten Wohnung mit Reproduktionen aus Picassos Blauer und Rosa Periode.

«Weil ich in Sachen Kunst eigentlich immer Bauchentscheide treffe.»

Wann kauften Sie Ihr erstes Original?

Als ich in den siebziger Jahren – nach meiner Doktorarbeit – das erste Geld in den Emser-Werken verdiente, leistete ich mir erste Originale – bescheidene Werke, Skizzen-, Bleistift- und Kohlezeichnungen von Anker, für die ich je ein paar hundert Franken bezahlte.

Ihr damaliger Nachbar in Feldmeilen, Jürg Wille, der legendäre Kenner der alten Zürcher Familiensammlungen, gründete damals die Zürcher Niederlassung von Sotheby's und begann, Schweizer Kunst zu auktionieren. An dessen zweiter Auktion im November 1979 haben Sie Ihr erstes wichtiges Werk erworben. Was hat Sie dazu motiviert?

Es war Ankers Kohlezeichnung *Knabe mit Brot und Korb*. Diese anrührende Kinderdarstellung wurde – wie sich dann später herausstellte – zum Nukleus meiner späteren Anker-Begeisterung. Und Jürg Wille hat mir später einige wichtige Impulse gegeben; beispielsweise hat er mich auf Benjamin Vautier, den ich damals noch nicht kannte, aufmerksam gemacht, ein Maler, der oft gleiche Themen wie Anker aufgegriffen hat. Von ihm besitze ich heute zwei schöne Werke. Bis ich dann erste Ölgemälde von Anker kaufen konnte, vergingen jedoch – aus finanziellen Gründen – noch mehrere Jahre.

Welches waren Ihre ersten Ölgemälde?

Im Ölgemälde *Der verlorene Sohn*, ein ambitiöses Frühwerk von Anker, ringt der Künstler, der sein theologisches Studium zugunsten der malenden Kunst abgebrochen hat, noch mit einem biblischen Thema. Dann stellte er die Weichen anders. Anker hat ganz auf christliche Themen verzichtet. Jede Frömmelei war ihm absolut zuwider. Gottes Ausdruck zeigte er im Wesen der Schöpfung. Das war seine religiöse Überzeugung.

Wie haben Sie dann weitergesammelt?

Gesammelt habe ich nie. Und der Kauf der Bilder

rationnel. C'est l'inconscient qui en était le moteur, comme pour tant d'autres choses dans la vie. La beauté en était le ressort essentiel, la beauté intérieure ou extérieure. C'est pourquoi rien n'est ici systématique. Je réagis aux offres ou bien je cherche un certain tableau. Comme je prends toujours des décisions instinctives quand il s'agit d'art, j'ai été surpris que des historiens de l'art et des experts aient trouvé que ma collection était digne d'intérêt. Mon « manque de rationalité » a soudain été invariablement apprécié.

« Dans la plupart des cas j'oublie le prix d'achat. »

Pour acheter de l'art, il faut de l'argent. D'où venait cet argent ?

Sans argent, ce n'est pas possible. A l'origine, ma situation financière était médiocre. J'étais un étudiant qui travaillait. Il n'existait alors pas de bourses d'études comme aujourd'hui. Ma femme rappelle sans cesse que tous mes biens domestiques pouvaient tenir dans une petite valise bleue lorsqu'elle m'a rencontré. Mais les choses ont changé assez rapidement : après ma licence, j'ai rédigé un mémoire et j'ai été embauché à temps partiel dans l'entreprise Emser Werke. Je n'ai en réalité jamais eu l'intention d'y rester, mais le virus de l'industrie s'est emparé de moi. Je n'ai pas tardé à travailler à plein temps et je n'ai plus rédigé ma thèse que durant les fins de semaine. J'ai été nommé très tôt à des postes de management. L'entreprise était dans une mauvaise passe à l'époque. Les crises pétrolière et textile des années 70 l'avaient durement frappée. Elle a subi des pertes considérables. A la mort du fondateur et propriétaire principal, aucun de ses enfants n'a voulu reprendre « une entreprise en faillite ». Avant que celle-ci ne tombe entre les mains d'une compagnie américaine qui voulait la liquider mais acquérir les brevets, je suis intervenu en tant qu'acheteur. Cela m'a obligé à m'endetter très lourdement et à vendre ma maison ainsi tout mon patrimoine artistique d'alors (encore modeste).

Vous avez donc dû repartir de zéro comme collectionneur ?

Oui, et j'ai eu du mal à me séparer de mes tableaux. Mais, des années plus tard, j'ai pu, grâce à l'essor d'EMS Chemie, racheter une partie de ces œuvres perdues, quoique bien plus cher.

L'art est-il pour vous un investissement semblable à l'achat d'actions ? Revendez-vous aussi des œuvres d'art ?

Non. La valeur monétaire ou la valeur spéculative ne sont pas des critères pour moi. J'aime ce que j'acquiers

---

beruhte nicht auf rationalen Konzepten, das Motiv stammte aus dem Unbewussten, wie so vieles im Leben. Schönheit war dabei das Zentrale, innere oder äussere Schönheit. Darum gibt es hier keine Systematik. Ich reagiere auf Angebote oder suche ein bestimmtes Bild. Weil ich in Sachen Kunst eigentlich immer Bauchentscheide treffe, überraschte es mich auch, als Kunsthistoriker, überhaupt Fachleute, meine Sammlung für gut befanden. Mein «Durcheinander» wurde plötzlich systematisch gewürdigt.

«In den allermeisten Fällen vergesse ich den Kaufpreis.»

Wer Kunst kauft, braucht Geld. Woher kam das Geld?

Ohne Geld geht es nicht. Ich komme aus finanziell schlechten Verhältnissen. Ich war Werkstudent, es gab damals keine Stipendien wie heute. Meine Frau erwähnt stets, dass mein ganzer Hausrat in einem blauen Köfferchen Platz gehabt habe, als sie mich kennengelernt hat. Doch das änderte sich dann relativ rasch: Nach meinem Lizentiat schrieb ich eine Dissertation und arbeitete halbtags in den damaligen Emser Werken AG. Obwohl ich eigentlich nie bleiben wollte, packte mich die industrielle Tätigkeit. Bald arbeitete ich ganztags und schrieb an der Dissertation nur noch übers Wochenende. Früh wurde ich in leitende Funktionen berufen. Der Firma ging es damals schlecht. Die Erdöl- und Textilkrise der siebziger Jahre traf die Firma hart. Sie erlitt erhebliche Verluste. Als der Gründer und Haupteigentümer starb, wollte keines seiner Kinder «eine bankrotte Firma» übernehmen. Bevor die Firma an ein amerikanisches Unternehmen gehen sollte, die das Unternehmen liquidieren, aber die Patente erwerben wollte, sprang ich als Käufer ein. Dafür musste ich mich sehr stark verschulden und mein Haus und meinen ganzen damaligen (noch bescheidenen) Kunstbesitz veräussern.

Sie haben als Sammler also nochmals von vorne beginnen müssen?

Ja, und die Trennung von meinen Bildern war mir schwergefallen. Aber Jahre später konnte ich dank der nun florierenden EMS-Chemie einen Teil der verlorenen Kunst ein zweites Mal kaufen, wenn auch um einiges teurer.

Ist Kunst für Sie auch eine Wertanlage wie ein Aktienkauf? Verkaufen Sie Kunstwerke auch wieder?

Nein. Der Geldwert oder der spekulative Wert sind für mich keine Argumente. Was ich gekauft habe, hat mir

19

et je n'ai rien vendu vendu à ce jour. Dans la plupart des cas, j'oublie le prix d'achat. Il n'existe pas non plus de prix du marché dans ce domaine. Si aucune autre partie n'est intéressée, l'achat est avantageux. Si quelqu'un d'autre veut l'œuvre « à tout prix », c'est très cher. Mais je dois dire que ma collection comporte des pièces que je pourrais vendre, car j'en ai acquises de meilleures depuis. Jusqu'à présent, je ne l'ai pas fait ; je ne fais rien de manière systématique dans ce domaine.

« Ma femme m'a laissé faire. »

Quel rôle joue votre femme dans l'acquisition d'œuvres d'art ?

Ma femme m'a laissé faire. Mais lorsqu'elle n'aimait pas quelque chose, je me suis abstenu d'acheter. Comme je l'ai déjà dit, elle a un lien encore plus fort que le mien avec Hodler, non seulement pour ses paysages, mais aussi pour ses peintures de personnages, qui me sont plutôt étrangères.

Comment vos enfants ont-ils réagi à vos achats ?

Deux de mes enfants s'intéressent également à l'art, mais pas avec la même passion que moi. Pour les personnes étrangères à ce sentiment, les collectionneurs sont toujours un peu « toqués ». C'est ce que pensait aussi ma famille – bien qu'affectueusement. Notre fille Rahel détient aussi des œuvres d'art chez elle. Notre fils a sept enfants très remuants et préfère donc ne pas accrocher

Fig. 5 Christoph Blocher expliquant *Le secrétaire de commune* d'Albert Anker, œuvre peinte en 1874 (Cat.17). Christoph Blocher erläutert Albert Ankers *Gemeindeschreiber* von 1874 (Kat.17)

gefallen und das habe ich bis heute behalten. In den allermeisten Fällen vergesse ich den Kaufpreis. Für solche Werke gib es auch keine Marktpreise. Wenn kein weiterer Interessent da ist, ist der Kauf günstig. Wenn jemand anders das Bild «um jeden Preis» haben will, ist es sehr teuer. Aber es gibt auch Bilder in meiner Sammlung, von denen ich sagen muss, dass ich sie verkaufen könnte, weil ich unterdessen bessere habe. Bis jetzt habe ich das nicht gemacht; ich mache auf diesem Gebiet nichts systematisch.

«Meine Frau hat mich gewähren lassen.»

Welche Rolle spielt Ihre Frau beim Erwerb von Kunst?

Meine Frau hat mich gewähren lassen. Wenn ihr aber etwas nicht gefiel, habe ich es nicht gekauft. Sie hat einen noch stärkeren Bezug zu Hodler als ich. Und zwar nicht nur zu den Landschaften, sondern auch zu den mir eher fremden Figurenbildern.

Wie haben Ihre Kinder auf Ihre Kunstkäufe reagiert?

Zwei der Kinder interessieren sich ebenfalls für Kunst, aber nicht mit dieser Leidenschaft wie ich. Doch für Aussenstehende «spinnen» Sammler immer ein bisschen. Das fand auch – wenn auch liebevoll – meine Familie. Unsere Tochter Rahel hat auch Werke bei sich zuhause. Unser Sohn hat sieben sehr lebendige Kinder und verzichtet deshalb auf das Aufhängen von Kunstwerken in seinem Haus. Die Gefahr, dass etwas in Brüche ginge, ist einfach noch zu gross.

«Begonnen habe ich mit Anker. Dann kam Hodler.»

In der Künstlerauswahl haben Sie klare Prioritäten gesetzt. Alles begann mit Anker. Wie ging es weiter?

Begonnen habe ich mit Anker. Dann kam Hodler, zu dem mir vor allem meine Frau Mut gemacht hat. Auf diese beiden beschränkte ich mich grundsätzlich. Bei Hodler stehen die Landschaften im Mittelpunkt. Zu den grossen symbolistischen Gemälden und zu den Figurenbildern finde ich persönlich kaum einen Zugang.

Bei Hodler interessieren Sie sich primär für die Landschaft. Wie steht es bei Anker?

An Anker fasziniert mich in erster Linie das Porträt, die Einzelfigur, vor allem seine Darstellung von Kin-

d'œuvres dans sa maison, craignant à juste titre qu'elles ne subissent quelque dommage.

« J'ai commencé avec Anker. Puis Hodler est arrivé. »

Vous avez établi des priorités claires dans la sélection des artistes. Tout a débuté avec Anker. Que s'est-il passé ensuite ?

J'ai commencé avec Anker. Puis Hodler est arrivé. C'est avant tout ma femme qui m'y a sensibilisé. Je me suis limité à ces deux-là. Chez Hodler, l'accent est mis sur les paysages. Je ne parviens pas à éveiller en moi un intérêt pour les grandes toiles symbolistes et les peintures de personnages.

Si, chez Hodler, vous vous intéressez avant tout aux paysages, qu'en est-il d'Anker ?

Ce qui me fascine avant tout chez Anker, c'est le portrait, la figure individuelle, en particulier sa représentation des enfants et des personnes âgées. Mais les portraits commandés ne m'intéressent pas. Anker se serait renseigné auprès du client : « Plutôt beau ou authentique? » Un portrait artistique n'est pas une photo d'identité en couleurs. Albert Anker montre ce qu'il y a de purement vrai, humain, naturel et typique chez une personne, comme une « pars pro toto » de l'humanité. Ces œuvres en principe sans nom sont alors dénommées : *Knabe nach rechts schauend, Mädchen mit Halsbinde, Der Bibelleser…*

Vous intéressez-vous donc moins au réalisme lui-même qu'au réalisme classique et pérenne d'Anker ?

Les historiens de l'art, qui se posent volontiers en personnes cosmopolites, ont déploré qu'Anker n'ait peint que des gens du Seeland bernois. Et alors ? Il était Seelandais, c'est là qu'il habitait et vivait principalement. Il a représenté les enfants de son village, qui faisaient partie de son quotidien. Il les connaissait bien. S'il avait été à Londres, il aurait probablement campé des enfants londoniens ou à Milan de petits italiens. Le reproche stupide fait à Hodler, qui n'aurait peint que les Alpes suisses, est tout aussi absurde. Pour Hodler, c'est d'ailleurs inexact car depuis le lac Léman on voit principalement les Alpes françaises. Mais rien de tout cela n'a d'importance pour ces artistes. Ce qui compte pour eux deux, c'est l'universalité qui régit leurs peintures. Anker montre la beauté des gens dans la vie de tous les jours. La beauté du « devenir, de l'être et de la disparition » chez l'Homme. De la même manière, Hodler recherchait l'éternel, la beauté éternelle du monde dans ses tableaux de montagnes et de paysages – ce quelque

dern und Alten. Nur an den Auftragsporträts habe ich kein Interesse. Anker soll sich jeweils beim Auftraggeber erkundigt haben: «Weit ehr's schön oder ächt?» Ein künstlerisches Porträt ist eben etwas anderes als ein farbiges Passbild. Das einzig Gültige, Menschliche, Naturgegebene und Typische einer Person als ein «pars pro toto» der Menschheit zeigt Albert Anker in seinen in der Regel unbenannten Darstellungen. Sie heissen dann: *Knabe nach rechts schauend, Mädchen mit Halsbinde, Der Bibelleser…*

Sie interessieren sich also weniger für den Realismus an sich, sondern eher für das Klassische, Überdauernde in Ankers Realismus?

Sich gerne weltmännisch aufspielende Kunsthistoriker haben bemängelt, Anker habe ja nur die Menschen aus dem Berner Seeland gemalt. Ja und? Er war eben ein Seeländer, dort wohnte und lebte er hauptsächlich. Er malte die Kinder aus seinem Dorf. Sie gehörten in seinen Alltag. Mit ihnen war er vertraut. Wäre er in London gewesen, er hätte wohl Londoner Kinder gemalt oder in Mailand italienische. Der blöde Vorwurf, Hodler habe bloss Schweizer Alpen gemalt, ist der gleiche Unsinn. Bei Hodler stimmt das ja nicht einmal, denn vom Genfersee aus sieht man ja vor allem französische Alpen. Aber all das spielt bei den Künstlern keine Rolle. Es zählt bei beiden das Allgemeingültige, das sich darin verbirgt. Anker zeigt die Schönheit des Menschen im Alltag. Die Schönheit des «Werdens, des Seins und des Vergehens» am Menschen. Genauso suchte Hodler in seinen Berg- und Landschaftsbildern das Ewiggültige, die ewige Weltschönheit – etwas, was eine Fotografie nicht wiedergeben kann. Anker fand es in den Men-

Fig. 6 Christoph Blocher lors de l'accrochage d'un tableau. | Christoph Blocher beim Bilderhängen

chose qu'une photographie ne peut pas restituer. Anker l'a trouvé chez les habitants d'Ins, Hodler dans les Alpes savoyardes ainsi que dans l'Oberland bernois, en Engadine, en Valais.

« Ayant appris le métier de paysan, j'ai moi-même fauché les champs.»

Le Bûcheron et Le Faucheur de Hodler ne sont pourtant pas des gens qui s'inscrivent dans des scènes de genre, mais des personnages particuliers exprimant la force. Quelle importance revêtent ces œuvres dans votre collection?

Alors qu'Anker montre la grandeur des gens ordinaires, les personnages de Hodler sont plutôt des héros. De formidables héros, certes de la vie quotidienne mais qui occupent toujours une place très spécifique. Je ne voulais pas cacher cela. C'est pourquoi *Le Bûcheron* (seulement un petit) et trois *Faucheur* font partie de ma collection. Mais aussi des *guerriers de Marignan*, des *Jurés* et *L'Orateur*. (Cat. 72, 75) Représenter *Le bûcheron* et *Le faucheur* au moment culminant – celui précisément du plus grand effort – est typique de Hodler. (Cat. 72-73) Cela fait de l'homme simple un héros. Ayant appris le métier de paysan, j'ai moi-même fauché les champs et je sais à quel moment précis il faut prendre de l'élan et abattre la faux pour couper l'herbe. Et le bûcheronnage ne m'est pas non plus étranger. Hodler a su rendre ce sujet de manière géniale. Cependant, ses paysages, avec son travail sur les forces élémentaires de la nature, me touchent davantage. Notamment parce qu'il y a omis tout ce qui est civilisateur. On n'y voit ni chemins de fer ni ponts modernes, et les maisons y sont souvent absentes. Contrairement à Anker, Hodler n'était pas un réaliste. Il a, par exemple, exclu de ses paysages l'ère industrielle, qui émergeait à l'époque.

Anker a documenté celle-ci dans certains tableaux, du moins discrètement.

Oui, Anker était – contrairement à Hodler – un réaliste consciencieux. Il n'occultait pas les changements du temps présent. Il a notamment choisi le géomètre qui mesurait le terrain de la nouvelle ligne de chemin de fer à Ins comme sujet d'un tableau, que je ne possède malheureusement pas. Il a même transformé le nouveau pont de Kirchenfeld, qui a radicalement modifié la physionomie historique de la ville de Berne, en une scène de vie universelle dans un célèbre tableau qui appartient à la Fondation Gottfried Keller. Les jeunes enfants accompagnés par une diaconesse, tous vêtus pauvrement, sont saisis dans leur nature enfantine de

schen von Ins, Hodler in den Savoyer Alpen so wie im Berner Oberland, im Engadin, im Wallis.

«Als gelernter Bauer habe ich ja selber gemäht.»

Der Holzfäller und Der Mäher von Hodler sind aber keine eingebundenen Menschen, sondern isolierte Kraftgestalten. Welche Bedeutung haben Sie in Ihrer Sammlung?

Während Anker die Aufgehobenheit des alltäglichen Menschen zeigt, sind Hodlers Menschen eher Helden. Grossartige Helden, zwar auch des Alltags. Stets aber in besonderer Stellung. Das wollte ich nicht ausblenden. Darum sind *Der Holzfäller* (zwar nur ein kleiner) und drei *Der Mäher* in meiner Sammlung. Aber auch *Marignano-Krieger*, *Schwörende* und der *Redner*. (Kat. 72, 75) Für Hodler ist typisch, dass der *Holzfäller* und der *Mäher* im Höhepunkt – genau im Moment der grössten Kraftanstrengung – wiedergegeben sind. (Kat. 72, 73) Das macht den einfachen Menschen zum Helden. Als gelernter Bauer habe ich ja selber gemäht und kenne den Moment, in dem man richtig ausholen muss und die Sense richtig sausen lassen muss, damit das Gras fällt. Und auch das Holzfällen ist mir nicht fremd. Hodler hat es einfach genial getroffen. Trotzdem: Hodlers Landschaften, in denen er die elementaren Grundkräfte der Natur herausarbeitete, berühren mich noch mehr. Dies erreichte er auch dadurch, dass er alles Zivilisatorische wegliess. Es gibt keine Eisenbahnen und modernen Brücken, oft lässt er die Häuser weg. Hodler war im Gegensatz zu Anker kein Realist. Er hat zum Beispiel das damals aufkommende industrielle Zeitalter in seinen Landschaften ausgeschlossen.

Das hat Anker, zumindest zurückhaltend, in einigen Bildern dokumentiert.

Ja. Anker war – im Gegensatz zu Hodler – ein gewissenhafter Realist, er hat die Veränderungen seiner Gegenwart nicht ausgeblendet. So hat er beispielsweise den Geometer, der in Ins das Terrain für die neue Eisenbahnlinie ausmass, zum Thema eines Bildes gemacht, das ich leider nicht besitze. Und ja, er hat sogar die neue Kirchenfeldbrücke, die das historische Stadtbild von Bern radikal veränderte, im berühmten Bild, das der Gottfried Keller-Stiftung gehört, zur allgemeingültigen Lebensbühne gemacht. Die von einer Diakonisse betreuten Kleinkinder, alle ärmlich gekleidet, sind in ihrem kindlichen Wesen so erfasst, dass das Allgemeinmenschliche zum Ausdruck kommt wie Freude, Neugier, Zurückhaltung, Erstaunen. Und dies auf einer – für damalige Verhältnisse – modernen Brücke!

telle manière que l'humanité universelle s'exprime à travers la joie, la curiosité, la retenue, l'étonnement. Et ce, sur un pont très moderne pour l'époque!

« Je suis devenu plus difficile. »

Aujourd'hui, votre collection comprend non seulement des œuvres d'Anker et de Hodler, mais presque tout le spectre de l'art suisse, d'Alexandre Calame, de Rudolf Koller et de Robert Zünd à Félix Vallotton, Giovanni Giacometti, Cuno Amiet et Adolf Dietrich. Comment avez-vous procédé ?

La concentration sur Anker et Hodler sont demeurés le point d'ancrage et ils ont pris de l'expansion avec l'amélioration de ma situation financière. Grâce à la dispersion d'importantes collections suisses pour raison de partage successoral, j'ai pu acquérir des œuvres clés. C'est ainsi que je me suis procuré – après avoir acheté précédemment *L'École en promenade* – *La Leçon de Gymnastique*, *La Fête des Vignerons* et *La vente aux enchères* d'Anker (cat. 27, 29, 13, 26). De Hodler, il y a eu plusieurs paysages de sommets. Mais chaque artiste étant aussi le fruit de son époque, il faut donc considérer ce que cette époque, il a à nous offrir. C'est ainsi que l'on tombe, par exemple, sur les artistes que vous avez cités, dont je possède certaines œuvres.

Avez-vous changé en tant que collectionneur ?

Je suis devenu plus difficile. Et – comme je l'ai dit – j'ai enrichi ma collection d'artistes contemporains d'Anker et de Hodler. Aussi me suis-je intéressé aux grands artistes grisons, comme la dynastie des Giacometti. Je possède un fonds significatif d'œuvres de Giovanni Giacometti, deux tableaux d'Augusto Giacometti et, depuis peu, un paysage du lac de Sils d'Alberto Giacometti, dans lequel le fils affronte le père en tant que peintre. (Cat. 104) Ce que je ne collectionne pas, ce sont les sculptures. Même pour Alberto Giacometti, je m'en tiens à ses premières œuvres de peinture.

Et qu'en est-il de Giovanni Segantini ?

Ce grand maître fait naturellement aussi partie de ma collection. Giovanni Segantini fut le professeur de Giovanni Giacometti, et je suis ravi d'avoir pu acquérir son magnifique tableau *Repos à l'ombre*. (Cat. 97) Les grandes œuvres de Segantini sont aujourd'hui exposées dans les musées. Mais j'ai pu acheter aux enchères une importante peinture d'hiver du fils de Segantini. Un tableau dans lequel le fils se libère de l'ombre imposante de son père. J'ai quelques belles œuvres d'Ernst Geiger, un

«Ich bin heikler geworden.»

Heute umfasst Ihre Sammlung nicht nur Werke von Anker und Hodler, sondern beinahe das ganze Spektrum der Schweizer Kunst von Calame, Koller und Zünd bis hin zu Félix Vallotton, Giovanni Giacometti, Cuno Amiet und Adolf Dietrich. Wie sind Sie vorgegangen?

Die Konzentration auf Anker und Hodler ist geblieben. Darum erfolgte bei beiden ein Ausbau, was mir meine bessere finanzielle Situation erlaubte. Dank wichtiger schweizerischer Sammlungen, die infolge Erbteilung aufgelöst wurden, konnte ich bedeutende Schlüsselwerke von Anker und Hodler erwerben. So kamen – nachdem ich früher bereits den *Schulspaziergang* erwerben konnte – von Anker die *Turnstunde*, das *Winzerfest* und der *Geltstag* dazu (Kat. 27, 29, 13, 26). Von Hodler waren es mehrere Spitzenlandschaften. Aber jeder Künstler ist ja auch das Kind seiner Zeit. Und darum schaut man sich in dieser Zeit um. Und dann stösst man beispielsweise auf die von Ihnen genannten Künstler, von denen ich einzelne Werke besitze.

Haben Sie sich als Sammler gewandelt?

Ich bin heikler geworden. Und – wie gesagt – ich habe meine Sammlung mit Zeitgenossen von Anker und Hodler ausgeweitet. So kam ich auf die grossen Bündner, etwa die Giacometti-Dynastie. Darum besitze ich bedeutende Werke von Giovanni Giacometti, zwei Gemälde von Augusto Giacometti, neuerdings eine Silsersee-Landschaft von Alberto Giacometti, in welcher der Sohn seinem Vater als Maler die Stirn bietet. (Kat. 104) Was ich nicht sammle, sind Skulpturen. So bleibt es auch bei Alberto Giacometti bei seinem malerischen Frühwerk.

Und wie steht es mit Giovanni Segantini?

Natürlich gehört dieser Meister dazu. Giovanni Segantini, war der Lehrer von Giovanni Giacometti, und ich bin überglücklich, dass ich Segantinis wunderbares Bild *Ruhe im Schatten* erwerben konnte. (Kat. 97) Die grossen Werke Segantinis hängen heute in Museen. Dafür konnte ich ein grosses und wichtiges Winterbild von Segantinis Sohn ersteigern. Ein Bild, in dem der Sohn aus dem Schatten des grossen Vaters hinauswächst. Neu sind für mich einige schöne Arbeiten von Ernst Geiger. Schon früh faszinierte mich Max Buri. Fast zu neuen Schwerpunkten wurden inzwischen Adolf Dietrich und Félix Vallotton, die wie Hodler die Landschaften neu komponierten und visionär veränderten, um das überzeitlich Gülti-

contemporain de Giovanni Segantini, ce qui est une nouveauté pour moi. Très tôt, j'ai été fasciné par Max Buri. Adolf Dietrich et Félix Vallotton, qui, à l'instar de Hodler, ont réinventé la composition des paysages et l'on modifié avec un art visionnaire pour faire apparaître ce qu'ils ont d'intemporel, sont devenus pour moi de nouveaux centres d'intérêt majeurs. En revanche, j'ai toujours eu du mal avec Cuno Amiet. Il est néanmoins présent avec quelques premières œuvres.

Avec cette sélection d'artistes, nous voilà de retour chez Oskar Reinhart, dans fondation duquel vous avez précédemment exposé vos œuvres la dernière fois. Reinhart a fait à Amiet le même reproche que vous et n'a donc collectionné de cet artiste que des travaux datant de ses débuts. Voyez-vous les choses de la même façon que lui ?

On le dirait bien. Lors de mon exposition à la Fondation Oskar Reinhart, j'ai eu l'occasion m'intéresser en profondeur à ce collectionneur. J'ai été frappé par le fait que nous avons une vision similaire à bien des égards. Mais Reinhart a constitué sa collection de manière bien plus large que moi. Il ne s'est en fait fixé aucune limite.

Fig 7 Albert Anker, *Le secrétaire de Commune | Der Gemeindeschrieber I*, 1874, huile sur toile, Öl auf Leinwand

ge sichtbar machen zu können. Mit Cuno Amiet hatte ich dagegen immer schon Mühe. Trotzdem gehört er mit ein paar Frühwerken dazu.

Mit dieser Künstlerauswahl wären wir wieder bei Oskar Reinhart, in dessen Stiftung Sie ihre Werke das letzte Mal gezeigt haben. Reinhart hat Amiet den gleichen Vorwurf gemacht wie Sie. Deshalb hat er nur Frühwerke dieses Künstlers gesammelt. Haben Sie die gleiche Sicht wie Reinhart?

Es scheint tatsächlich so. Ich hatte anlässlich meiner Ausstellung in der Stiftung Oskar Reinhart die Gelegenheit, mich mit diesem Sammler intensiv zu befassen. Dabei ist mir aufgefallen, dass ich in Vielem eine ähnliche Auffassung habe. Aber Reinhart sammelte natürlich viel breiter als ich. Er unterzog sich eigentlich keiner Begrenzung.

«Keine Regel ohne Ausnahme.»

Sie sind dafür bekannt, dass sie ausschliesslich Schweizer Kunst sammeln. Ist das wirklich wahr?

«Keine Regel ohne Ausnahme.» Darum bin ich etwas ausgeschert, nur weiss dies noch niemand. Ich habe nämlich vor kurzem tatsächlich zwei Arbeiten auf Papier von Vincent van Gogh erworben, nachdem ich erfahren habe, dass sich van Gogh und Albert Anker offenbar gekannt und gegenseitig geschätzt haben. (Abb. S. 40, 41)

Das ist mir neu. Wie kommen Sie zu dieser Behauptung?

Das weiss ich von einem jungen Kunsthistoriker, der sich mit noch nicht veröffentlichten Briefen im Anker-Haus in Ins befasst hat. Aus dieser Korrespondenz soll hervorgehen, dass van Gogh Ankers Menschendarstellungen verehrte und Anker seinerseits van Goghs Landschaftsmalerei bewunderte. Anker soll van Gogh die Schönheit der Provence-Landschaften nahegelegt haben, bevor van Gogh nach Arles zog.

Van Goghs Bruder Theo von Gogh war Kunsthändler und Geschäftsführer in der Galerie Goupil, Paris, die auch Werke von Albert Anker im Angebot hatte. Dass Anker Vincent van Gogh in seiner Pariser Zeit kennengelernt habe könnte, tönt zumindest plausibel. Dass Sie als Sammler selber Verbindungen zwischen Ihren Werken herstellen und daraus ihren Künstlerradius auf van Gogh erweitert haben, ist eine neue Strategie, die an Oskar Reinhart denken lässt. Ich bin gespannt wie das weitergeht.

« Il n'y a pas de règles sans exceptions. »

Vous êtes connu pour ne collectionner que des œuvres suisses. Est-ce vraiment le cas ?

L'exception confirme la règle, selon l'adage. J'ai donc fait un écart, mais personne ne le sait encore. J'ai récemment acheté deux œuvres sur papier de Vincent van Gogh, après avoir appris que van Gogh et Albert Anker se connaissaient et s'appréciaient manifestement. (Fig. 9)

Je l'ignorais. Qu'est-ce qui vous fait affirmer cela ?

Je le sais grâce à un jeune historien de l'art qui a étudié des lettres inédites dans la maison d'Anker à Anet. Il semble ressortir de cette correspondance que van Gogh vénérait les représentations de personnes d'Anker et que Anker admirait les paysages peints par van Gogh. Anker aurait vanté à van Gogh la beauté des paysages de Provence avant que celui-ci ne déménage à Arles.

Theo von Gogh, le frère de Vincent van Gogh, était marchand d'art et directeur de la Galerie Goupil à Paris, qui proposait également des œuvres d'Albert Anker. Il semble pour le moins plausible qu'Anker ait pu rencontrer Vincent van Gogh durant son séjour à Paris. En tant que collectionneur, vous avez vous-même établi des liens entre leurs œuvres, ce qui vous a amené à étendre votre rayon artistique à van Gogh. Il s'agit là d'une nouvelle stratégie qui fait penser à Oskar Reinhart. Je suis curieux de voir quelles suites il en résultera.

Je suis ouvert, mais je dois m'assurer de ne pas me perdre. Reinhart est allé plus loin: ses peintures de paysages de Caspar David Friedrich, auxquelles je me suis beaucoup intéressé au musée Reinhart, sont très impressionnantes.

Votre collection est-elle terminée ou que vous manque-t-il encore si ce n'est pas le cas ? Avez-vous une liste de souhaits?

Une extension n'est pas nécessaire, mais il y a encore quelques œuvres que j'aimerais bien acheter.

Je suppose que vous gardez cela pour vous !

Oui, pour des raisons compréhensibles.

« Le moment où la Suisse d'avant est rattrapée par la bureaucratie. »

Revenons une nouvelle fois à Oskar Reinhart. Il a présenté sa propre vision de l'art au public lors de visites

Ich bin offen, muss aber aufpassen, dass ich mich nicht verliere. Reinhart ging aber weiter: Sehr beeindruckend sind seine Landschaftsgemälde von Caspar David Friedrich, mit denen ich mich im Reinhart-Museum intensiv beschäftigt habe.

Ist Ihre Sammlung inzwischen abgeschlossen, oder, falls nicht, was fehlt noch? Haben Sie eine Wunschliste?

Ein Ausbau ist nicht nötig, aber es gibt einige Werke, die ich gerne noch erwerben würde.

Ich nehme an, diese Geheimliste behalten Sie für sich!

Ja, aus plausiblen Gründen.

«Der Zusammenschluss des ursprünglichen Lebens mit den Anfängen der Bürokratie.»

Nochmals zu Oskar Reinhart. Auch er hat dem Publikum seine Sicht der Kunst in Führungen persönlich dargelegt. Können Sie mir ein Beispiel nennen, wie Sie Ihre Bilder erklären?

Natürlich ist es meine Sicht der Dinge – Erklärungen eines Laien, aber eines Liebhabers. Als Beispiel eines Bildes, das ich in meinen Führungen immer wieder herausgegriffen habe, fällt mir spontan Ankers *Gemeindeschreiber* ein, von dem ich auch vorbereitende Kohle- und Bleistiftzeichnungen besitze. (Kat. 17) Das

Fig. 8 Christoph Blocher expliquant *La Petite Amie* d'Albert Anker, œuvre peinte en1862 (cat. 12). | Christoph Blocher erklärt Albert Ankers *Die kleine Freundin* von 1862 (kat. 12)

Fig.9 Christoph Blocher devant l'œuvre de Vincent van Gogh *La semeuse* , peinte en 1881. | Christoph Blocher vor Vincent van Goghs *Säende* von 1881.

Fig. 10 Christoph Blocher en discussion avec Matthias Frehner. | Christoph Blocher im Gespräch mit Matthias Frehner.

guidées. Pouvez-vous me donner un exemple de la façon dont vous analysez vos peintures ?

Il s'agit bien sûr de ma vision personnelle des choses – les explications d'un profane, mais aussi d'un passionné. Je pense spontanément au *Secrétaire de commune* d'Anker, dont j'ai également des esquisses au fusain et au crayon, comme exemple d'une peinture que j'ai choisie à plusieurs reprises lors de mes visites guidées. (Cat. 17) Le tableau montre un secrétaire communal à l'apparence paysanne et archaïque à l'époque de la création de l'Etat fédéral helvétique, lorsque l'on est passé à une administration communale bien organisée. En exagérant un peu : le moment où la Suisse d'avant est rattrapée par la bureaucratie. Sur le croquis, Anker a représenté le désordre régnant sur le bureau et sur les étagères. Par contraste avec les liasses de dossiers, le secrétaire municipal semble être un homme d'un autre monde. Ce n'est certainement pas un bureaucrate, mais un agriculteur qui revient tout juste de ses travaux agrestes et qui se consacre alors à sa charge publique. Ce n'est pas qu'il aime ça, mais cela doit être fait. Il n'est pas rasé, ses joues sont couvertes d'une barbe naissante, ses ongles sont sales, les poignées des manches de sa veste de travail, loin d'être propre, sont élimés. L'homme est totalement concentré sur sa tâche. On le voit réfléchir. Une telle personne sait où elle se situe ; c'est le type d'individu qui précisément convainc et impressionne en cas de différend.

Le Secrétaire de commune *est un portrait réaliste qui révèle, au-delà du moment qu'il représente, le caractère en soi immuable d'une personne. De tels portraits sont*

Bild zeigt den bäuerlichen, archaisch anmutenden *Gemeindeschreiber* in der Frühzeit des schweizerischen Bundesstaates, als man zu den geordneten Gemeindeverwaltungstätigkeiten überging. Etwas überspitzt: Der Zusammenschluss des ursprünglichen Lebens mit den Anfängen der Bürokratie. Auf den Skizzen hat Anker die Unordnung auf dem Schreibtisch und auf den Gestellen dargestellt. Und als Gegensatz zu den Aktenbündeln wirkt der Gemeindeschreiber wie ein Mann aus einer anderen Welt. Sicher ist er kein Bürokrat, sondern ein Bauer, der gerade von seiner Feldarbeit kommt und nun sein öffentliches Amt versieht. Nicht weil es ihm gefällt, sondern weil es sein muss. Er ist nicht rasiert, seine Wangen sind stoppelig, seine Fingernägel schwarz gerändert, die Ärmel seiner nicht mehr sauberen Arbeitsjacke unordentlich zurückgeschlagen. Er ist ganz auf seine Arbeit konzentriert. Man sieht ihn denken. Ein solcher Mensch weiss, wo er steht; das ist ein Typ Mensch, der gerade im Gegensatz überzeugt und beeindruckt.

Der Gemeindeschreiber *ist ein realistisches Porträt, das über den wiedergegebenen Augenblick hinaus den an sich unveränderlichen Charakter eines Menschen offenlegt. Solche Charakterporträts sind für mich ein Merkmal Ihrer Sammlung. Geben Sie doch bitte noch ein Beispiel wie sie ihre Mehrfigurenbilder erklären.*

Anker tat dies bei all seinen Gemälden. Jede Person und jedes Bild zeigen das Wesen des Menschen. Oder wenn Sie so wollen – die Gnade Gottes. Das ist die grosse Fähigkeit Ankers. So hat er zum Beispiel Bauern beim Zeitunglesen dargestellt oder den Schuhmacher Feissli in verschiedenen Lebensaltern. In all diesen Porträts legt er schon im Gesicht den Charakter eines Menschen offen, unterstrichen durch einen raffinierten Lichteinfall. In den Mehrfigurenbildern ging es Anker um die Beziehung zwischen Menschen. Aber auch hier weist er auf die typischen Wesensmerkmale des einzelnen Menschen hin. Ein schönes Beispiel ist das wunderbare Bild *Die kleine Freundin*. (Kat. 12)

Die kleine Freundin muss ebenfalls zu Ihren Lieblingsbildern gehören. Was ist das Besondere an diesem Bild?

Die kleine Freundin ist wirklich eines meiner Lieblingsbilder von Anker. Die traurige, aber rührende Szene stellt einen Trauerbesuch dar. Wir sehen zwei Mädchen. Das grössere in einem schwarzen Röckchen hat einen Angehörigen verloren. Es sei seine jüngere Schwester gewesen, die es durch eine Blutvergiftung verloren habe. Das schwarz gekleidete Mädchen stellt völlig unbedeckt, ohne Kenntnis aller

pour moi une caractéristique de votre collection. Donnez-moi un autre exemple de la façon dont vous expliquez vos tableaux à plusieurs personnages.

Anker a procédé de la sorte dans tous ses tableaux. Chaque personne, chaque tableau montre l'essence de l'homme. Ou, si vous voulez, la grâce divine. C'est le grand pouvoir d'Anker. Il a notamment représenté des fermiers lisant le journal ou le cordonnier Feissli à différents âges de la vie. Dans chacun de ces portraits, le caractère se lit sur le visage, souligné par un éclairage savant. Dans les tableaux à plusieurs personnages, Anker met au jour la relation entre les gens. Mais, là encore, il insiste sur ce qui fonde les caractéristiques typiques de l'être humain. Le merveilleux tableau *La Petite Amie* en est un excellent exemple. (Cat. 12)

La Petite Amie *doit sûrement faire partie de vos tableaux d'élection. En quoi est-il particulier ?*

La Petite Amie est vraiment l'une de mes peintures préférées d'Anker. La scène triste mais touchante représente une visite de deuil. On y voit deux jeunes filles. La plus grande, en jupe noire, a perdu un parent, plus précisément sa sœur cadette, des suites d'un empoisonnement du sang. Elle exprime son chagrin sans retenue, faisant fi des conventions. L'autre personnage, plus jeune, présente ses condoléances à son amie endeuillée – en laissant parler elle aussi ses sentiments, car elle ne sait pas comment se comporter dans une telle situation. Elle fait ce qui lui semble juste, et nous, en tant qu'observateurs, participons à la sincérité de ces condoléances. La compassion se manifeste dans le simple fait de se tenir la main, dans le visage baissé et dans le bottillon de foin, en guise de bouquet de deuil. On est profondément émus, mais sans sentimentalité car ce simple geste de commisération est crédible. Ce n'est pas un hasard si Anker a accordé une telle importance aux portraits d'enfants.

En vous écoutant, on pourrait qualifier ce tableau d'Anker de peinture d'un sermon. Car Anker n'est devenu artiste peintre qu'après avoir abandonné ses études théologiques.

Un sermon délivre un message. Probablement que tout bon artiste transmet un tel message. Dans l'atelier d'Anker se trouvait à sa mort une règle sur laquelle il avait inscrit dès son jeune âge : « Voyez, le monde n'est pas maudit. » Il avait écrit à un ami que c'était sa préoccupation, son message. Celui-ci semble effectivement biblique, ne serait-ce que parce qu'il commence par « Voyez ! ». Mais ce message n'apparaît pas ainsi dans la Bible. Et pourtant c'est celui qu'Anker a peint. Il a

Konventionen seine Trauer dar. Das zweite noch jüngere Kind drückt der Trauernden sein Beileid aus – ebenfalls ganz aus seinen eigenen Gefühlen, denn es weiss gar nicht, wie man sich in einer solchen Situation benimmt. Es tut das von sich aus Richtige, und wir als Betrachter nehmen an diesem aufrichtigen Beileid teil. Das Mitgefühl kommt im einfachen Händehalten, dem gesenkten Gesicht und im Ährenbündel – als Trauerstrauss – zum Ausdruck. Man ist tief ergriffen, aber jede Sentimentalität fehlt, denn diese so einfache Mitleidsgeste ist glaubwürdig. Es ist kein Zufall, dass Anker den Kinderbildnissen eine so grosse Bedeutung zugestanden hat.

Man könnte, wenn man Ihnen zuhört, Ankers Bild Die kleine Freundin *als gemalte Predigt bezeichnen. Denn ein Kunstmaler wurde er erst, nachdem er sein Theologiestudium abgebrochen hatte.*

Eine Predigt verkündet eine Botschaft. Wohl jeder gute Künstler übermittelt eine solche. In seinem Atelier lag bei seinem Tod ein Massstab, auf den Anker in jungen Jahren geschrieben hatte: «Siehe, die Welt ist nicht verdammt.» Einem Freund hatte er geschrieben, das sei sein Anliegen, seine Botschaft. Diese tönt tatsächlich biblisch, schon weil sie mit «Siehe!» beginnt. Aber sie kommt in der Bibel so nicht vor. Und doch ist dies die Botschaft, die Anker gemalt hat. Er hat die Wunderbarkeit der Schöpfung gezeigt, wie sie tatsächlich in der Heiligen Schrift zum Ausdruck kommt.

«Ich fand Die *Kleine Freundin* das bedeutendere Werk.»

Das Bild Die kleine Freundin *hat eine einmalige Erwerbsgeschichte. Sie haben es eingetauscht gegen ein anders. Wie kam das?*

Es war im Besitz des Winterthurer Sammlers Bruno Stefanini. Stefanini wusste, dass ich eines der berühmtesten *Erdbeermareili* besass und hat mir immer wieder geklagt, wie wichtig ihm gerade dieses Werk *Erdbeermareili* wäre, denn ohne dieses Bild mache ihm seine Anker-Sammlung keine Freude. So kam es zu einem Tausch: Er gab mir *Die Kleine Freundin*, und er erhielt das *Erdbeermareili*. Ich fand *Die Kleine Freundin* das bedeutendere Werk. Der Zufall wollte es, dass ich später noch eine andere Darstellung des *Erdbeermareili* erwerben konnte.

War Bruno Stefanini als Sammler ihr Konkurrent?

Bruno Stefanini hat viel früher als ich zu sammeln be-

montré le miracle de la création telle qu'il est exprimé dans les Saintes Écritures.

« J'ai trouvé que La Petite Amie était l'œuvre la plus importante. »

L'histoire de l'acquisition de ce tableau est unique. Vous l'avez échangé contre un autre. Comment est-ce arrivé ?

Il appartenait au collectionneur de Winterthur Bruno Stefanini. Ce dernier savait que je possédais le célèbre *La mariette aux fraises* et il me disait sans cesse, en s'en désolant, à quel point cette œuvre était importante pour lui, car sa collection d'Anker ne lui procurait aucun plaisir sans ce tableau. C'est ainsi qu'un échange a eu lieu : il m'a donné *La Petite Amie* et il a reçu *La mariette aux fraises*. J'ai trouvé que *La Petite Amie* était l'œuvre la plus importante. Le hasard fit que j'ai pu acquérir plus tard une autre représentation *La mariette aux fraises*.

Bruno Stefanini était-il votre concurrent comme collectionneur ?

Bruno Stefanini a commencé à constituer des collections bien plus tôt que moi, sauf qu'il rassemblait non seulement de l'art mais aussi des biens culturels et historiques. Il m'a montré des objets de Napoléon, du général Guisan et de Kennedy. Ou encore des chars russes qui rouillaient tranquillement dans une gravière. En matière d'art, il nous est arrivé de convoiter les mêmes œuvres. Il ne m'a devancé qu'une seule fois. Le marchand d'art Kurt Meissner m'avait proposé la merveilleuse peinture d'Anker *Jeune fille se coiffant*, mais je partais pour la Chine. Meissner était pressé ; quand je suis revenu, il l'avait vendue à Stefanini. Pas de chance. On en a ri plus tard. Deux fois, , nous nous sommes retrouvés sur le même achat. Cette situation a aussi été rectifiée plus tard par un échange.

« Les gens pourront ainsi profiter de mes peintures sans que le public doive plus tard en payer le prix. »

Après Winterthur, votre collection fera de nouveau l'objet d'une exposition à Martigny. Qu'est-ce qui vous a motivé à vous séparer une fois encore, durant un long laps de temps, d'œuvres qui vous occupent chaque jour ?

Lorsque Léonard Gianadda m'a proposé de planifier une exposition à plus grande échelle, j'ai accepté. Un nombre plus élevé de personnes pourront ainsi avoir accès à une bonne partie de mes peintures à l'huile

Fig. 11 Christoph Blocher parlant d'Albert Anker. | Christoph Blocher spricht über Albert Anker.

gonnen, aber er sammelte nicht nur Kunst, sondern auch Güter aus Kultur und Geschichte. Er zeigte mir Gegenstände von Napoleon, General Guisan und Kennedy. Oder russische Panzer, die in einer Kiesgrube still vor sich hinrosteten. Im Bereich der Kunst überschnitten wir uns. Ein einziges Mal kam er mir zuvor. Der Kunsthändler Kurt Meissner hatte mir das wunderbare Anker-Bild *Mädchen, die Haare flechtend* angeboten. Ich befand mich aber gerade auf der Abreise nach China. Doch Meissner hatte es eilig; als ich zurückkam, hatte er es an Stefanini verkauft. Sammlerpech. Wir haben später darüber gelacht. Zweimal kauften wir etwas gemeinsam. Später wurde auch dies durch Abtausch bereinigt.

«So können sich die Menschen an meinen Bildern freuen, ohne dass die Öffentlichkeit später die Zeche bezahlen muss.»

Nach Winterthur wird Ihre Sammlung in Martigny erneut das Thema einer Ausstellung. Was hat Sie bewogen, sich erneut für eine längere Zeitspanne von ihren Kunstwerken, mit denen Sie sich täglich befassen, zu trennen?

Als Léonard Gianadda mir vorschlug, eine Ausstellung in noch grösserem Ausmass zu planen, sagte ich zu. Damit kann ein Grossteil meiner Ölbilder im wunderbaren Museum Gianadda vielen Menschen

dans la magnifique Fondation Pierre Gianadda, pendant presque six mois.

L'exposition de Martigny sera la plus importante à ce jour consacrée à votre collection. Partager vos œuvres avec le public est primordial pour vous. Oskar Reinhart a construit une galerie privée et légué plus tard ses collections au public. Suivrez-vous cet exemple ? Pouvez-vous nous révéler quels sont vos projets pour le futur de votre collection ?

Lors de l'exposition à Winterthur, de nouvelles idées me sont venues pour l'avenir. De nombreux collectionneurs ont créé des fondations et fait don de leurs collections au public, certains ont même financé l'enveloppe du bâtiment et fourni les fonds de roulement. Mais, après un certain laps de temps, ces fonds arrivent à épuisement, comme le montre l'exemple de la Fondation Oskar Reinhart. Autrefois, le musée du collectionneur attirait le public, aujourd'hui de telles expositions drainent malheureusement très peu de visiteurs. Les donations d'œuvres d'art restent généralement entre les mains de l'État. Il y a des années, le maire d'une ville suisse s'est plaint amèrement auprès de moi de ce don empoisonné. Il avait été acclamé par les politiques mais avait rapidement posé d'énormes problèmes financiers aux pouvoirs publics. Dans l'euphorie du moment, personne n'avait pensé au budget de fonctionnement annuel du nouveau musée. Aussi me suis-je dit que j'allais emprunter une autre voie.

Vous avez donc un plan. Serait-il possible d'en savoir un peu plus ?

Une autre solution est en train d'émerger : la collection sera conservée dans des salles d'exposition privées et appropriées, en cours de construction. Les œuvres seront à disposition pour des expositions, que ce soit pour une présentation de l'ensemble de la collection, comme chez Gianadda, ou sous forme de prêts pour des thèmes spécifiques. Les gens pourront ainsi profiter de mes peintures sans que le public doive plus tard en payer le prix.

L'entretien avec Christoph Blocher a été réalisée par Matthias Frehner le 6 août 2019
Les photos sont de Sabine Haehlen

zugänglich gemacht werden – und dies für fast ein halbes Jahr.

Die Ausstellung in Martigny ist die grösste über Ihre Sammlung bisher. Es ist Ihnen wichtig, dass die Öffentlichkeit teilhaben kann an Ihren Werken. Oskar Reinhart hat eine Privatgalerie errichtet und später seine Sammlungen der Öffentlichkeit vermacht. Folgen Sie diesem Beispiel? Können Sie verraten, was für Pläne Sie für die Zukunft Ihrer Sammlung schmieden?

Während der Ausstellung in Winterthur bin ich für die Zukunft auf neue Ideen gekommen. Viele Sammler haben Stiftungen gemacht und ihre Sammlungen der Öffentlichkeit geschenkt, manche sogar die Gebäudehülle finanziert und das Betriebskapital zur Verfügung gestellt. Doch auch das Betriebskapital wird nach einer gewissen Zeit aufgebraucht, wie das Beispiel der Stiftung Oskar Reinhart offenlegt. Einst war das Sammlermuseum ein Publikumsmagnet, heute gibt es für die normalen Ausstellungen leider nur sehr wenige Besucher. Kunstgeschenke sind für den Staat meist ein Danaergeschenk. Ein Stadtpräsident einer Schweizer Stadt hat sich bei mir vor Jahren bitter beklagt über ein grosses Kunstgeschenk, das die Politik bejubelt hatte, das dann aber die öffentliche Hand bald vor enorme finanzielle Probleme gestellt hat. An das jährliche Betriebsbudget des neuen Museums hatte in der Euphorie niemand gedacht. Also, sagte ich mir, ich wähle einen anderen Weg.

Sie haben also einen Plan. Ist es möglich, noch ein bisschen mehr zu erfahren?

Eine andere Lösung zeichnet sich ab: Die Sammlung bleibt zusammen, und zwar in geeigneten privaten Galerieräumen, die zurzeit gebaut werden. Dort stehen sie für Ausstellungen zur Verfügung, sei es in einer Gesamtschau wie bei Gianadda oder aber als Leihgaben für spezifische Themen. So können sich die Menschen an meinen Bildern freuen, ohne dass die Öffentlichkeit später die Zeche bezahlen muss.

Das Interview mit Christoph Blocher führte Matthias Frehner am 6. August 2019
Die Fotos von Sabine Haehlen

Chefs-d'œuvre
La collection Christoph Blocher

Matthias Frehner

Meisterwerke
Die Sammlung Christoph Blocher

Matthias Frehner

Un non collectionneur ?

Le sort réservé aux grandes collections d'œuvres d'art est à peu près toujours le même. On s'y intéresse lorsqu'elles sont exposées en public hors de la sphère privée du collectionneur, qu'elles font l'objet d'une donation à un musée, ou encore qu'elles sont mises en scène par leur propriétaire dans son propre musée. Mais elles perdent de leur magie quand, assorties de multiples conditions de présentation, elles se transforment en collections statiques et sont une charge pour le secteur public. Christoph Blocher est conscient de ce problème. Il rassemble avec passion une importante collection d'art suisse depuis de nombreuses années. C'est un collectionneur, même si, comme il le dit avec insistance dans les interviews, il ne veut pas en être un. Ce paradoxe conduit à s'interroger sur la relation que le « non collectionneur » Blocher entretient avec sa collection, sur l'image qu'il a de ses œuvres d'art et sur l'avenir qu'il leur prépare.

Les points forts et l'importance de la collection

Christoph Blocher possède une telle quantité d'œuvres clés d'Albert Anker et de Ferdinand Hodler qu'il est le principal prêteur privé de toute rétrospective de l'un ou l'autre de ces deux grands artistes suisses. En ce qui concerne Anker, ses prêts couvrent tous les thèmes et toutes les périodes de création. Quant à Hodler, sa collection renferme également des œuvres de toutes les périodes de création, mais son point fort, ce sont les paysages. Elle comporte aussi des aperçus représentatifs de l'art de Robert Zünd, Rudolf Koller, Giovanni Giacometti et Adolf Dietrich. À quoi s'ajoutent des ensembles et des œuvres isolées de qualité exceptionnelle d'Alexandre Calame, Édouard Castres, Benjamin Vautier, Johann Gottfried Steffan, François Diday, Karl Girardet, Otto Fröhlicher, Giovanni Segantini et Ernst Stückelberg, notamment. Ces différents artistes donnent un aperçu de l'évolution de l'art et de ses thématiques dans le jeune État fédéral, de 1848 aux environs de 1900. Le premier art moderne suisse qui s'affirme à l'époque suivante est représenté par Ernest Biéler, Max Buri, Cuno Amiet, Ernst Samuel Geiger, Augusto Giacometti, Gottardo Segantini, Félix Vallotton, le jeune Alberto Giacometti et un certain nombre d'autres artistes. Toutes les peintures,

Kein Sammler?

Bedeutende Kunstsammlungen teilen meist ein ähnliches Schicksal. Sie interessieren, wenn sie aus der Privatsphäre des Sammlers ins Licht der Öffentlichkeit gerückt werden, wenn sie als Geschenk an ein Museum gehen oder sogar in einem eigenen Privatmuseum inszeniert werden. Und sie verlieren an Magie, wenn sie, mit zu vielen Auflagen versehen, als statische Sammlung präsentiert werden und die öffentliche Hand belasten. Christoph Blocher weiss um diese Problematik. Er hat über viele Jahre und mit grosser Leidenschaft eine bedeutende Sammlung von Schweizer Kunst zusammengetragen. Er ist ein Sammler, auch wenn er, wie er im Interview betont, keiner sein will. Das Paradoxon führt zur Frage, in welchem Verhältnis der „Nichtsammler" Blocher zu seiner Sammlung steht, welches Bild er von seiner Kunst hat und welche Zukunft er für sie wählt.

Schwerpunkte, Bedeutung

Albert Anker und Ferdinand Hodler: von beiden besitzt er so viele Schlüsselwerke, dass Christoph Blocher in einer Retrospektive über diese grossen Schweizer Künstler jeweils der wichtigste private Leihgeber ist. Bei Anker decken seine Leihgaben alle Themen und zeitlichen Phasen ab. Bei Hodler umfasst der Bestand ebenfalls Werke aus allen Schaffensphasen, der Schwerpunkt liegt jedoch bei den Landschaften. Ebenfalls repräsentative Schaffensüberblicke gibt es bei Robert Zünd, Rudolf Koller, Giovanni Giacometti und Adolf Dietrich. Dazu kommen qualitativ herausragende Ensembles und Einzelwerke von Alexandre Calame, Edouard Castres, Benjamin Vautier, Johann Gottfried Steffan, François Diday, Karl Girardet, Otto Fröhlicher, Giovanni Segantini, Ernst Stückelberg u.a. Diese Positionen vermitteln einen Überblick über die Kunstetappen und -themen im jungen Bundesstaat von 1848 bis um 1900. Die folgende frühe Moderne in der Schweiz vergegenwärtigen Ernest Biéler, Max Buri, Cuno Amiet, Ernst Samuel Geiger, Augusto Giacometti, Gottardo Segantini, Félix Vallotton, der frühe Alberto Giacometti und weitere Maler. Alle Gemälde, Aquarelle und Zeich-

Fig. 1. Eugen Zeller, *Thurlandschaft*, 1970, huile sur toile | Öl auf Leinwand

aquarelles et dessins de la collection sont figuratifs ; on y trouve toutes les facettes de la reproduction du réel, du réalisme à l'idéalisme, du naturalisme au vérisme, du symbolisme à l'expressionnisme, et jusqu'au réalisme magique. On ne peut plus dire de la collection qu'elle est exclusivement composée de peintres suisses puisqu'elle comprend également des travaux sur papier de Ludwig Richter et Vincent van Gogh. Les plus de six cent cinquante œuvres de la collection sont presque toutes d'une qualité remarquable. Cet ensemble réuni par un admirable connaisseur figure au rang des plus grandes collections privées suisses.

La reproduction et l'original
Christoph Blocher n'est pas issu ni d'une famille de collectionneurs, ni d'une famille d'artistes. L'art était néanmoins

nungen dieser Sammlung sind gegenständlich; sie umfassen alle Facetten der Wirklichkeitswiedergabe vom Realismus, Idealismus, Naturalismus, Verismus, Symbolismus, Expressionismus bis zum magischen Realismus. Dass die Sammlung ausschliesslich Schweizer enthalte, stimmt nicht mehr, denn sie umfasst auch Papierarbeiten von Ludwig Richter und Vincent van Gogh. Die Qualität der über 650 Kunstwerke ist fast durchwegs sehr hoch. Das kennerschaftlich zusammengetragene Ensemble reiht sich ein in den Kreis der bedeutendsten Schweizer Privatsammlungen.

Reproduktion und Original
Christoph Blocher stammt weder aus einer Sammler- noch aus einer Künstlerfamilie. Kunst war aber

présent sous la forme de reproductions dans le vaste pres-bytère où résidait la famille à Neuhausen am Rheinfall. Les images que l'on voit quotidiennement lorsque l'on est enfant constituent à l'âge adulte des points de repère de sa mémoire iconographique. Blocher possède aujourd'hui les originaux de certains des tableaux de son enfance, par exemple *Le Lac Léman vu de Chexbres* peint par Hodler vers 1904, *Le chemin d'Emmaüs* de Zünd et plusieurs por-traits d'enfants d'Anker. (Cat. 7, 34, 35, 38, 40) Blocher acquit ses premières œuvres originales autour de 1970, et parmi elles, notamment un *Thurlandschaft* (fig. 1) d'Eugen Zeller dont la précision réaliste s'apparente autant à Anker qu'à la nouvelle objectivité. En 1979, il acheta son premier Anker aux enchères, le dessin au fusain *Knabe mit Brot und Korb* (fig. 2). C'est Jürg Wille, le fondateur de la filiale zurichoise de Sotheby's, qui avait attiré son atten-tion sur cette offre. Ce célèbre expert et grand connaisseur des vieilles collections d'art zurichoises éveilla également l'intérêt de Blocher pour des artistes qu'il ne connaissait pas encore, parmi lesquels Vautier. (Cat. 8). Blocher déci-da en 1983 de devenir l'actionnaire majoritaire de la Hol-ding Ems Chemie et il procéda pour ce faire à la vente de sa modeste collection Anker. [1] Seul un petit nombre d'œuvres resta à l'époque en sa possession, telles les tra-vaux de Zeller et le *Knabe mit Brot* d'Anker.

La deuxième collection

Christoph Blocher ne tarda pas à reprendre ses acqui-sitions d'œuvres d'art et à racheter, lorsque ce fut pos-sible, les œuvres qu'il avait vendues en 1983. Il acquit rapidement plusieurs œuvres d'Anker : en 1985, *Por-trait d'un garçon au bonnet* et une *Portrait d'une fillette* chez Sotheby's Zurich, puis en 1986, *L'enfant prodigue* et *Louise Anker tenant sa poupée* chez Koller Zurich et *Nature morte : café et pommes de terre* [2] chez Kornfeld à Berne. En 1990, l'éventail des thèmes de sa collec-tion Anker était couvert : sujets chrétiens, historiques et contemporains, figures isolées et natures mortes symbo-liques, et ce de toutes les périodes de création et dans tous les médiums pour chaque genre. Blocher a réalisé pratiquement toutes ses acquisitions sans aucun conseil extérieur. Son épouse joua à cet égard un rôle décisif dès le départ. Pour être acquise, une œuvre devait et doit leur plaire à tous les deux, et si tel n'est pas le cas, ils renoncent à l'acheter. Ils achètent essentiellement dans des ventes aux enchères en Suisse. C'est Silvia Blocher

Fig. 2. Albert Anker, *Knabe mit Brot und Korb*, charbon sur papier

in den Räumen des grossen elterlichen Pfarrhauses in Neuhausen am Rheinfall durch Reproduktionen präsent. Bilder, die man als Kind tagtäglich sieht, werden zu Fixpunkten des Bildgedächtnisses. Man-che Motive, darunter Hodlers *Genfersee von Chexbres aus*, um 1904, Zünds *Gang nach Emmaus* und meh-rere Kinderbildnisse von Anker, befinden sich heute als Originale in seinem Besitz. (Kat. 7, 34, 35, 38, 40) Um 1970 kaufte Blocher seine ersten Originale, dar-unter eine *Thurlandschaft* von Eugen Zeller, der in seinem präzisen Realismus Anker ebenso nahe steht wie der neuen Sachlichkeit. (Abb. 1) 1979 ersteigerte er seinen ersten Anker: die Kohlezeichnung *Knabe mit Brot und Korb*. (Abb.2) Auf die Auktion aufmerk-sam gemacht hatte ihn Jürg Wille, der Gründer der

[1] Marc Fehlmann, « Christoph Blocher als Sammler – eine Annäherung, » in : Marc Fehlmann (dir.), *Hodler Anker Giacometti. Meisterwerke der Sammlung Christoph Blocher*, Winterthour, Fondation Oskar Reinhart, 2015, p. 15 (cat. d'exposition).

[2] Sandor Kuithy, Therese Bhattacharya-Stettler, Albert Anker. *Catalogue raisonné des peintures et des études à l'huile*, Musée des Beaux-Arts de Bern, Bern, 1995, nos 437, 633, 32, 113, 596.

Fig. 3. Albert Anker, *Le vieux Huguenot | Der alte Hugenotte*, 1875, huile sur toile | Öl auf Leinwand

qui est pour une grande part à l'origine du choix de Hodler comme second artiste majeur de la collection. Elle avait, c'est ce que dit aujourd'hui le collectionneur, une relation bien plus forte que lui avec Hodler, non seulement avec ses paysages, mais aussi avec ses tableaux de figures.[3] *Unanimité, l'orateur* de 1913 fut ainsi la première œuvre de Hodler qu'ils acquirent aux enchères en 1986 chez Sotheby's Zurich. (Cat. 74) Depuis la deuxième moitié des années 1980, de nouvelles œuvres de Hodler et d'Anker sont entrées chaque année dans la collection : ce furent, en 1988, le premier paysage d'envergure de Hodler, *Le Lac léman et les Alpes savoyardes* de 1906 (Cat. 67), et en 1990, un tableau d'histoire d'Anker *Le vieux Huguenot* de 1875 (fig. 3) Blocher avait également déjà réalisé à cette époque ses premières acquisitions de Vautier, Amiet, Koller, Segantini et Dietrich, dont : *La tonte*

Zürcher Sotheby's Niederlassung. Der legendäre Connaisseur und Kenner der alten Zürcher Kunstsammlungen lenkte Blochers Interesse auch auf Künstler, die dieser damals noch nicht kannte, beispielsweise auf Vautier. (Kat. 8). Als Blocher 1983 die Aktienmehrheit der Ems Chemie Holding AG übernahm, hatte dies den Verkauf der kleinen Anker-Sammlung zur Folge.[1] Nur wenige Werke verblieben damals in seinem Besitz wie die Arbeiten von Zeller und Ankers *Knabe mit Brot*.

Die zweite Sammlung

Wenig später war der Erwerb von Kunst wieder ein Thema, und Werke, die 1983 verkauft worden waren, wurden wenn möglich zurückgekauft. Bei Sotheby's Zürich ersteigerte Blocher 1985 Ankers *Brustbild eines blonden Knaben mit Mütze* und einen *Mädchenkopf in Profil*, 1986 bei Koller Zürich die Gemälde *Der verlorene Sohn* und *Louise Anker mit Puppe* sowie bei Kornfeld in Bern das *Stillleben mit Kaffeekanne, Milchkrug, Tasse, Brot und Kartoffeln*.[2] Bis 1990 war das Themenspektrum der Ankersammlung festgelegt: Dieses umfasst christliches, historisches und zeitgenössisches Genre, sinnbildhafte Einzelfiguren und Stillleben aus allen Schaffensphasen in jeweils allen Techniken. Blocher hat praktisch alle seine Erwerbungen ohne Beratung getätigt. Eine entscheidende Rolle spielt seit Anbeginn an seine Gattin. Ein Werk muss ihnen beiden gefallen. Ist dies nicht der Fall, wird verzichtet. Primär wird auf Auktionen in der Schweiz gekauft. Dass Hodler der zweite Hauptkünstler der Sammlung geworden ist, ist wesentlich Silvia Blocher zu verdanken. Sie habe, wie der Sammler heute sagt, einen noch stärkeren Bezug zu Hodler als er, und zwar nicht nur zu den Landschaften, sondern auch zu den Figurenbildern.[3] Das erste Gemälde war denn auch der *Redner* von 1913, der 1986 bei Sotheby's Zürich ersteigert wurde. (Kat. 74) Seit der zweiten Hälfte der 1980er Jahre gelangten jährlich gleichzeitig Neuzugänge von Hodler und Anker in die Sammlung: 1988 die erste wichtige Hodler-Landschaft *Genfersee mit Savoyer Alpen* von 1906 (Kat. 67) und 1990 Ankers Historienbild *Der alte Hugenotte* von 1875 (Abb. 3). Bis zu diesem Zeitpunkt werden auch erste Ankäufe von Vautier, Amiet, Koller, Segantini und Dietrich getätigt, darunter Segantinis

[3] « Christoph Blocher im Gespräch » : entretien avec Matthias Frehner, 6 août 2019, p. 20 du catalogue Chefs-d'œuvre suisses.Collection Christoph Blocher

[1] Marc Fehlmann, „Christoph Blocher als Sammler – eine Annäherung," in: ders. *Hodler Anker Giacometti. Meisterwerke der Sammlung Christoph Blocher*, Ausst.-Kat. Museum Oskar Reinhart, Winterthur 2015, S. 15.

[2] Sandor Kuthy, Therese Bhattacharia-Stettler, *Albert Anker 1831-1910, Werkkatalog der Gemälde und Ölstudien*, Kunstmuseum Bern, Bern 1995, Nr. 437, 633, 32, 113, 596.

[3] Christoph Blocher im Gespräch, Interview mit Matthias Frehner, 6. August 2019, S. 20

des moutons de Segantini, de 1886-1888, et *Paysage avec ferme / Lochmühle* de Dietrich, de 1920. (Cat. 96, 110)

La vente Stoll

La collection Blocher s'enrichit jusqu'au début des années 1990 de près de vingt-cinq œuvres d'Anker et de quelque dix œuvres de Hodler. Comme il arrive dans les premiers temps d'une collection, les premières acquisitions ne sont pas toutes exceptionnelles, surtout si le volume d'œuvres de qualité mis en vente n'est pas à la hauteur des ambitions de l'acquéreur. Dans les années 1990, collectionner des œuvres d'art devint une passion pour Christoph Blocher, et les catalogues de vente, sa lecture favorite. La vente des œuvres d'art suisse de la légendaire collection d'Arthur Stoll (1871-1971), réalisée en plusieurs étapes par la galerie Kornfeld de Berne à partir de 1993, sera pour Blocher une expérience formatrice. Cette vente fut le grand défi de sa vie de collectionneur, car la collection de l'ancien président bâlois du conseil d'administration de Sandoz, dont les premières acquisitions remontaient à 1934, renfermait un grand nombre d'œuvres muséales de premier plan d'Anker et de Hodler. [4] Blocher décida de miser sur les œuvres les plus prestigieuses. De la collection Stoll, il acquit des œuvres fondatrices de l'art de Hodler : *Vue sur le lac de Thoune et le lac de Brienz* de 1887-1888, *Le Lac Léman vu de Chexbres* de 1897-1898, *La Lütschine noire* de 1905, le *Grammont au soleil du Matin* de 1917, et ultérieurement le célèbre portrait de profil de *Berthe Hodler* de 1894. (Cat. 52, 64, 79, 91 et 92) Le prix d'adjudication de *La Lütschine noire* s'éleva à 1,25 millions de francs, la première adjudication millionnaire jamais enregistrée pour une peinture suisse dans l'histoire des ventes aux enchères. [5] De la collection Stoll, Christoph Blocher acquit également des œuvres majeures d'Anker, telles que *L'école en premenade* de 1872, *Vieux lisant la bible* de 1873 [6] et *La convalescente* de 1878. (Cat. 27 et 33)

Le meilleur et l'unique

Ces œuvres de Hodler et d'Anker seraient des œuvres phares dans n'importe quelle collection de musée. Le couple Blocher acheta ces « incunables » de l'art suisse pour sa résidence privée et il se réjouit depuis lors chaque jour de pouvoir les admirer. Ces tableaux sont des œuvres de référence qui lui servent à évaluer le

Auktion Stoll

Bis in die frühen 1990er Jahre stieg der Bestand von Anker auf gut 25, derjenige von Hodler auf knapp 10 Werke an. Wie in jeder Frühphase einer Sammlung sind nicht alle Erwerbungen herausragend, vor allem dann nicht, wenn der Wunsch zu kaufen grösser ist als das qualitativ hochwertige Angebot. In den 1990er Jahren steigert sich das Kunstsammeln zur Passion, Auktionskataloge zu Christoph Blochers Lieblingslektüre. Zur prägenden Erfahrung wird die Versteigerung der Schweizerkunst-Bestände aus der legendären Sammlung von Arthur Stoll (1871-1971) ab 1993 in mehreren Etappen durch die Galerie Kornfeld in Bern. Dieses Angebot war für Blocher die grosse Herausforderung, denn die Sammlung des Basler Sandoz-Verwaltungsratspräsidenten, der seit 1934 Kunst erworben hatte, umfasste unter anderem eine grosse Anzahl musealer Spitzenwerke von Anker und Hodler. [4] Blocher entschied sich, auf die wichtigsten Werke zu setzen. Aus der Sammlung Stoll gelangten so folgende Hodler-Inkunabeln in Blochers Besitz: *Blick auf Thuner und Brienzersee* von 1887/88, *Genfersee von Chexbres* von 1897/98, *Die Schwarze Lütschine* von 1905, der *Grammont in der Morgensonne* von 1917 sowie später auch das berühmte Profilbild von *Berthe Hodler* von 1894. (Kat. 52, 64, 79, 91 et 92) Der Hammerpreis für *Die Schwarze Lütschine* lag bei 1.25 Millionen Franken und war der allererste Millionenzuschlag für ein Schweizer Gemälde in der Auktionsgeschichte. [5] Auch von Anker wurden Spitzenbilder aus der Sammlung Stoll ersteigert wie *Der Schulspaziergang* von 1872, *Der alte Mann beim Lesen der Bibel* von 1873 [6] und *Die Genesende* von 1878. (Kat. 27, 33)

Das Beste und Einmaliges

Diese Werke von Hodler und Anker wären in jeder Museumssammlung Höhepunkte. Das Ehepaar Blocher kaufte diese Inkunabeln der Schweizer Kunst für seine Wohnräume und freut sich seither täglich an ihnen. Diese Bilder sind als Qualitätsmassstäbe präsent, wenn es um den Entscheid für oder gegen ein neues Angebot geht. Für Qualitätshöhepunkte ist der Sammler seither bereit, absolute Spitzenpreise aufzuwenden, wobei er einer Maxime von Hedy Hahnloser-Bühler folgt, die diese 1910

[4] Marcel Fischer, *Sammlung Arthur Stoll*, Zurich, Institut suisse pour l'étude de l'art, 1961.

[5] Marc Fehlmann, « Eberhard W. Kornfeld und der Kunsthandel in Bern », in : *Berner Zeitschrift für Geschichte*, vol. 73, n⁰ 3, septembre 2011, p. 3-43.

[6] Ill. n⁰ 7 in : Fehlmann, 2015, *op. cit.*, p. 45.

[4] Marcel Fischer, *Sammlung Arthur Stoll*, Schweizerisches Institut für Kunstwissenschaft Zürich, Zürich 1961.

[5] Marc Fehlmann, „Eberhard W. Kornfeld und der Kunsthandel in Bern", in: *Berner Zeitschrift für Geschichte*, Bd. 73, Nr. 3. September 2011, S. 3-43.

[6] Abb. in: Fehlmann 2015 (wie Anm. 1), Nr. 7, S. 45.

niveau de qualité de toute nouvelle offre et à décider ou non de son acquisition. Dans ces conditions, le collectionneur est prêt à dépenser des sommes colossales pour des œuvres de qualité exceptionnelle, suivant en cela le précepte de Hedy Hahnloser-Bühler qu'elle avait elle-même reçu de Félix Vallotton en 1910 : « Ce qui compte, c'est moins le prix que l'œuvre, une peinture médiocre est toujours trop chère, une bonne peinture peut valoir son prix, et une très bonne œuvre n'est jamais trop chère. »[7] La collection n'a plus cessé depuis lors de s'enrichir, en moyenne de vingt œuvres par an. Et Blocher a presque toujours été en mesure de maintenir un très haut niveau de qualité, à moins qu'il n'ait repéré un sujet insolite ou unique dans l'œuvre de tel ou tel artiste. Ce fut le cas avec *Le petit pêcheur*, une charmante miniature peinte par Hodler autour de 1880, un portrait d'enfant en plan rapproché tout en vibrations impressionnistes. (Fig. 4) L'émouvante représentation de 1869 de *Ruedi Anker sur son lit de mort*, exécutée d'un trait rapide et ici ou là esquissé, est aussi un exemple singulier dans l'œuvre de l'artiste et qui d'une certaine manière anticipe la confrontation de Hodler avec sa compagne agonisante et défunte Valentine Godé-Darel. Anker a peint un tableau d'une tristesse immobile dans lequel l'ombre et la lumière se côtoient sans éclat avec une extrême subtilité. L'empathie d'Anker contraste avec l'impassibilité héroïque de Hodler et sa volonté inconditionnelle de saisir la loi de l'existence humaine et de trouver un sens à l'inéluctable effroi. [8]

Concurrents et partenaires

Depuis les acquisitions qu'il avait faites lors de la vente de la collection Stoll de 1993, Blocher était avec Bruno Stefanini (1924-2018) le plus important collectionneur d'art suisse. Stefanini réalisait à l'époque plusieurs centaines d'achats par an pour sa Fondation pour l'art, la culture et l'histoire. Lors d'une bataille d'enchères contre un musée américain, il avait acquis en 1995, pour 2,5 millions de francs, *Heure sacrée* de Hodler, une œuvre de 1911 qui provenait également de la collection Stoll. Cette œuvre majeure du symbolisme hodlérien n'intéressait pas Blocher à cette époque. La progression fulgurante que connaissaient les prix des œuvres d'art suisse depuis les années 1990 fut encore accrue par les comportements d'achat des deux grands collection-

Fig. 4. Ferdinand Hodler, *Le petit pêcheur* | *Fischender Knabe*, vers | um 1880, huile sur toile | Öl auf Leinwand

von Félix Vallotton empfangen hatte: „Was zählt, ist weniger der Preis als das Werk, ein mittelmässiges Gemälde ist stets zu teuer; ein gutes Gemälde kann seinen Preis wert sein, und eine sehr gute Sache ist nie zu teuer."[7] Die Sammlung wuchs seither permanent. Durchschnittlich 20 Werke kommen pro Jahr hinzu. Und Blocher hat fast durchwegs die qualitative Höchstmarke einhalten können, es sei denn, dass er ein ausgefallenes oder einmaliges Motiv entdeckt. Eine solch charmante Gelegenheitsarbeit ist Hodlers Miniatur *Fischender Knabe*, entstanden um 1880, ein nahsichtiges Kinderporträt in impressionistischen Schwingungen. (Abb. 4) Auch Ankers berührende, rasch und stellenweise skizzenhaft gemalte Darstellung von *Ruedi Anker auf dem Totenbett* von 1869 ist ein Sonderfall in dessen Werk, der in gewisser Weise Hodlers Auseinandersetzung mit der sterbenden und toten Le-

[7] Félix Vallotton à Hedy Hahnloser, févr. 1910, cité in : Margrit Hahnloser, *Félix Vallotton*, in Hahnloser 2011 (wie Anm. 2), p. 114 / **Vorschlag / Proposition** : Margrit Hahnloser-Ingold, « Félix Vallotton », in : Margrit Hahnloser-Ingold (dir.), *Die Sammlung Arthur und Hedy Hahnloser-Bühler, Winterthur : mit den Augen der Künstler*, Berne, Benteli, 2011, p. 114.

[8] La collection Blocher ne comporte pas d'œuvre de la série Godé-Darel.

[7] Félix Vallotton an Hedy Hahnloser, Feb. 1910 zit. nach: Margrit Hahnloser, *Félix Vallotton*, in Hahnloser 2011 (wie Anm. 2), S. 114.

neurs, ainsi que, un peu plus tard, par le couple de collectionneurs américains de Dallas, Nona et Richard Barrett. [9] Si Stefanini et Blocher se perçurent dans un premier temps comme des concurrents, ils apprirent ensuite à s'apprécier pour leur expertise commune en matière d'art suisse. [10] Même si Stefanini collectionnait de manière encyclopédique, il leur arrivait souvent de marcher sur les brisées l'un de l'autre. C'est ce qui se produisit lorsque Stefanini souffla à Blocher le chef-d'œuvre d'Anker, *Jeune fille se coiffant* de 1887, alors qu'il l'avait déjà réservé auprès du marchand d'art Kurt Meissner. [11] Blocher gagna la confiance de Stefanini lorsqu'il consentit, en 1993, à un échange, d'une importance essentielle pour le collectionneur winterthourois, entre deux œuvres iconiques d'Anker : entre *la petite amie* de 1862, que possédait Blocher, et *Le Petit Chaperon rouge* de 1883 [12], qui appartenait à Stefanini. (Cat. 12) Pour Blocher, comme il l'explique dans l'entretien, *la petite amie* était l'œuvre la plus complexe des deux. Il réussit de surcroît ultérieurement à remplacer *Le Petit Chaperon rouge* par la *Jeune fille avec panier dans les bois* de 1872 [13], considérée comme la première version *La Mariette aux fraises*, de 1884, du Musée cantonal des beaux-arts de Lausanne [14]. Par la suite, ils accordèrent leurs intérêts, et dans quelques cas, achetèrent de concert des œuvres qui leur importaient à l'un et à l'autre, ainsi, le dessin à la craie de grand format d'Anker, *Le conseil de commune*.[15] Après la mort de Stefanini, sa Fondation et Blocher convinrent d'abandonner les possessions en commun et de se répartir les œuvres concernées. [16] Blocher et Stefanini se retiraient également lorsqu'un musée suisse voulait acquérir une œuvre. Ainsi, en 1993, lorsque la Fondation Gottfried Keller voulut acquérir pour le Kunsthaus de Zurich une

bensgefährtin Valentine Godé-Darel vorwegnimmt[8]. Anker malte ein Bild bewegungsloser Trauer, in dem Dunkelheit und Licht ungemein subtil gedämpft aufeinander treffen. Ankers Empathie stehen Hodlers heroische Gefasstheit und der unbedingte Wille gegenüber, die Gesetzmässigkeit menschlicher Existenz fassen zu können und im unabwendbar Schrecklichen Sinn zu finden.

Konkurrent und Partner

Seit seinen Erwerbungen an der Auktion der Sammlung Stoll 1993 wurde Blocher neben Bruno Stefanini (1924-2018) der wichtigste Sammler von Schweizer Kunst. Stefanini, der für seine *Stiftung für Kunst, Kultur und Geschichte* damals mehrere hundert Neuankäufe pro Jahr tätigte, hatte aus der Sammlung Stoll 1995 Hodlers *Heilige Stunde* von 1911 für 2.5 Millionen Franken im Bietgefecht gegen ein amerikanisches Museum erworben. Für dieses Hauptwerk aus Hodlers Symbolismus hatte Blocher damals kein Interesse. Die rasante Preisentwicklung, die die Schweizer Kunst seit den 1990er Jahren erfahren hat, ist vom Kaufverhalten der beiden Grosssammler beschleunigt worden sowie wenig später auch vom amerikanischen Sammlerpaar Nona und Richard Barrett aus Dallas.[9] Stefanini und Blocher begegneten sich anfänglich als Konkurrenten, lernten sich jedoch als profunde Kenner der Schweizer Kunst gegenseitig schätzen. [10] Auch wenn Stefanini enzyklopädisch in die Breite sammelte, kamen sie sich doch in die Quere. Dies geschah, als Stefanini Ankers Meisterwerk *Mädchen, die Haare flechtend* von 1887 Blocher wegschnappte, das dieser beim Kunsthändler Kurt Meissner bereits reserviert hatte.[11] Blocher gewann Stefaninis Vertrauen, als er 1993 zu einem Anker-Tausch einwilligte, der dem Winterthurer Sammler sehr wichtig war. Getauscht wurden zwei Ikonen: Blochers *Le petit chaperon rouge*, von 1883[12], gegen Stefaninis *Kleine Freundin* von 1862. (Kat. 12) Für Blocher ist, wie er im Interview darlegt, die *Kleine Freundin* das komple-

[9] Nona et Richard Barrett réunirent la plus importante collection d'art suisse hors de Suisse. À la mort de Nona Barrett (1948-2014), cette collection fit l'objet d'une donation à l'université du Texas. Philipp Meier, « Die bedeutendste Sammlung von Schweizer Kunst ausserhalb der Schweiz », in : *Neue Zürcher Zeitung*, 17 novembre 2018.

[10] Matthias Frehner, « Der Schweiz ein Nationalmuseum der Kunst und Geschichte », in : Matthias Frehner et Valentina Locatelli (dir.), *Anker, Hodler, Vallotton... Stiftung für Kunst, Kultur und Geschichte*, Martigny, Fondation Pierre Gianadda, 2014, p. 15-26 (cat. d'exposition).

[11] Cf. « Christoph Blocher im Gespräch », *op. cit.*, p. 28 du catalogue Chefs-d'œuvre suisses. Collection Christoph Blocher

[12] *Anker, Hodler, Vallotton...*, *op. cit.*, cat. n°102, p. 225. Sur la confusion entre les tableaux *Erbeermareili* et *Le Petit Chaperon rouge*, voir Fehlmann, 2015, *op. cit.*, p. 17 et note 50, p. 26.

[13] Cf. Sandor Kuthy et Therese Bhattacharya-Stettler, *Albert Anker. Werkkatalog der Gemälde und Ölstudien*, Berne, Kunstmuseum Bern, 1995, n° 170, p. 117.

[14] *Ibid.*, n° 323, p. 167.

[15] Reproduit in : Fehlmann, 2015, *op. cit.*, p. 17.

[16] *Ibid.*, p. 17.

[8] Abgebildet in : Fehlmann 2015 (wie Anm. 1), Nr. 2, S. 35. Eine Darstellung des Godé-Darel-Komplexes gibt es in der Sammlung Blocher nicht.

[9] Nona und Richard Barrett haben die bedeutendste Sammlung von Schweizer Kunst ausserhalb der Schweiz aufgebaut hat, die nach dem Tod von Nona Barrett (1948-2014) als Schenkung an die University of Texas übergegangen ist. Philipp Meier, „Die bedeutendste Sammlung von Schweizer Kunst ausserhalb der Schweiz", in: *Neue Zürcher Zeitung*, 17.11.2018.

[10] Matthias Frehner „Der Schweiz ein Nationalmuseum der Kunst und Geschichte", in: Ders. / Valentina Locatelli (Hrsg.), *Anker, Hodler, Vallotton... Stiftung für Kunst, Kultur und Geschichte*, Ausst.-Kat., Fondation Pierre Gianadda, Martigny 2014, S. 15-26.

[11] Vgl. Interview mit Christoph Blocher, S. 28

[12] Anker, Hodler, Vallotton (wie Anm. 6), Kat. 102, S. 225. Zur Verwechslung der Bilder *Erbeermareili* mit dem *Rotkäppchen* vgl.: Fehlmann 2015 (wie Anm. 1), S. 17 und Anm. 50, S. 26.

œuvre d'Anker de 1873, *Nature morte : thé et madeleine*, lors de la vente de la collection Stoll. [17] La Fondation Gottfried Keller en fut cependant pour ses frais, car l'œuvre alla à un enchérisseur téléphonique inconnu. Ce n'est qu'en 2019, lorsque l'œuvre fut présentée à nouveau par la Galerie Kornfeld, que Blocher put s'en assurer l'acquisition, pour 3 millions de francs, un prix record pour une nature morte d'Anker. (Cat. 42)

Le regard d'Anker sur le monde

Aucune collection Anker, qu'elle soit privée ou publique, n'a jamais égalé en volume et en qualité celle de Christoph Blocher qui rassemble une centaine de peintures et environ deux cents œuvres sur papier dont le plus grand ensemble d'aquarelles expressives de l'œuvre tardif d'Anker, qu'il peignit à partir de 1901 à la suite de son attaque cérébrale en lieu et place de ses peintures à l'huile. [18] Blocher s'intéresse à toutes les périodes de création et à tous les sujets traités par Anker, excepté aux portraits de commande. Le « portrait idéal » d'une personne la montre en effet telle qu'elle s'est mise en scène pour le peintre. De tels portraits sont intéressants de nos jours d'un point de vue socio-culturel, mais il arrive qu'il le soient moins artistiquement. Pour le collectionneur Blocher, ce qui importe, c'est le regard de l'artiste lui-même sur le monde. Il recherche chez tous ses artistes, et tout particulièrement chez Anker, ce regard qui interprète et, suivant les cas, omet, complète, explicite, transfigure, et qui transforme la réalité. Anker était un réaliste d'un classicisme cultivé et il savait conférer à ses représentations humaines naturel, vitalité et crédibilité, hors de toute nostalgie ou sentimentalisme. Il parvenait à exprimer des émotions en couleur grâce à un traitement sublime de la lumière et du clair-obscur dans lequel il associait des atmosphères à la Vermeer et la peinture de Camille Corot et d'Édouard Manet. La singularité d'Anker ne réside pas dans son style, qu'il ne changera plus guère après les années 1860, mais dans la peinture de lumière qu'il expérimenta, à la même période que Manet, dans une série de natures mortes. La collection Blocher comprend à ce jour quatorze des trente-cinq natures mortes peintes par Anker. (Cat. 42 à 48) Ces natures mortes, que l'artiste réalisa initialement pour un usage privé, sont les plus modernes de toutes ses œuvres, en référence directe à Giorgio Morandi.

xere Kunstwerk. Zudem ist es ihm später gelungen, das *Rotkäppchen* durch das *Mädchen mit Korb im Wald* von 1872[13], das als die Erstfassung des *Erdbeermareili* von 1884 im Musée cantonal des Beaux-Arts von Lausanne gilt[14], zu ersetzen. Daraufhin koordinierten sie ihre Interessen und erwarben Werke, die ihnen beiden wichtig waren, bisweilen gemeinsam, so Ankers grossformatige Kreidezeichnung *Die Gemeindeversammlung*.[15] Nach Stefaninis Tod einigten sich dessen Stiftung SKKG und Blocher, das gemeinsame Eigentum aufzugeben und die betreffenden Werke aufzuteilen.[16] Blocher und Stefanini traten auch zurück, wenn ein Schweizer Museum ein Kunstwerk erwerben wollte. So im Jahr 1993, als die Gottfried Keller-Stiftung aus der Sammlung Stoll Ankers *Stillleben Tee und Schmelzbrötchen* von 1873 für das Kunsthaus Zürich erwerben wollte.[17] Die Gottfried Keller-Stiftung hatte jedoch das Nachsehen, denn das Bild ging an einen unbekannten Telefonbieter. Erst als es 2019 von der Galerie Kornfeld erneut angeboten wurde, sicherte es sich Blocher zum Rekordzuschlag für ein Anker-Stillleben von 3 Millionen Franken. (Kat. 42)

Ankers Blick auf die Welt

Keine andere Anker-Sammlung, ob öffentlich oder privat, war je so gross und bedeutend wie diejenige von Christoph Blocher. Sie umfasst mehr als 100 Gemälde und rund 200 Arbeiten auf Papier, darunter die grösste Gruppe der späten, bildhaften Aquarelle, die Anker seit seinem Schlaganfall von 1901 anstelle von Ölgemälden gemalt hatte.[18] Blocher ist an allen Schaffensphasen und Themen Ankers interessiert, ausgenommen die Auftragsporträts. Das Wunschbildnis zeigt einen Menschen so, wie sich dieser vor dem Maler inszenierte. Ein solches Porträt ist heute soziokulturell von Interesse, künstlerisch jedoch gelegentlich weniger interessant. Für den Sammler Blocher ist die eigene Sicht des Künstlers auf die Welt das Entscheidende. Diesen interpretierenden, je nachdem weglassenden, ergänzenden, erklärenden oder verklärenden Blick, der die Wirklichkeit transformiert, sucht der Sammler Blocher bei allen seinen Künstlern, ganz besonders bei Anker. Anker war ein Realist mit einem kultiviert klassizistischen Malstil, der seinen

---

17 L'auteur de ce texte était à l'époque secrétaire de la Fondation Gottfried Keller et il prit part à ce titre aux enchères de cette vente.

18 Cette exposition ne s'intéresse pas aux œuvres sur papier. L'exposition *Albert Anker. Zeichnungen und Aquarelle* présentée en 2019 au Musée des beaux-arts de Soleure donne un aperçu des aquarelles et œuvres sur papier d'Anker de la collection Blocher.

---

13 Vgl. Sandor Kuthy, Therese Bhattacharya-Stettler, *Alber Anker. Werkkatalog der Gemälde und Ölstudien*, Bern 1995, Nr. 170, S. 117.

14 Ebd., Nr. 323, S. 167.

15 Abgebildet in: Fehlmann 2015 (wie Anm.1), S. 17.

16 Ebd., S. 17.

17 Der Schreibende war damals Sekretär der Gottfried Keller-Stiftung und trat an der Auktion als Bieter auf.

18 Arbeiten auf Papier sind in dieser Ausstellung nicht berücksichtigt. Einen Einblick in die Aquarell- und Papierarbeiten Ankers in die Sammlung Blocher vermittelt die Ausstellung *Albert Anker. Zeichnungen und Aquarelle und Aquarelle*, Kunstmuseum Solothurn, Solothurn 2019.

Anker lui-même y voyait avant tout des exercices de dextérité, de l'art pour l'art sans finalité définie, car c'est d'abord pour pouvoir rendre compte d'atmosphères psychologiques dans un langage pictural narratif qu'il utilisa sa peinture de lumière et ses subtiles nuances. Il avait recours pour ce faire à l'iconographie traditionnelle, qu'il reformulait de façon personnelle à partir de sa propre expérience de l'existence. À l'instar de Gustave Courbet, il considérait qu'il lui appartenait en tant qu'artiste de prendre position sur les grandes questions sociales de son temps. Son regard sur le XIXᵉ siècle anonymisé et sécularisé par l'industrialisation était, comme celui de Courbet, sélectif. Toutefois, Anker ne mit pas en scène les dysfonctionnements sociaux, il en fit une « allégorie réelle » de la lutte des classes. Dans ses représentations réalistes de son village natal d'Ins, il apporta la contre-preuve qu'il existait encore un monde harmonieux préservé de l'industrialisation de son époque. Son paradis terrestre était réel et il l'a représenté de façon crédible, sans faux pathos et sans aucun sentimentalisme. Il y réussit grâce à sa faculté empathique à mettre en image des états psychiques par des nuances de lumière. La collection Blocher renferme des œuvres clés de tous les genres illustrant chez Anker sa vision positive et harmonieuse du monde. La figure symbolique isolée est présente dans *le secrétaire de commune I* de 1874 (Cat. 17), dans *Appliquée* et *Le vieux Monsieur moulant le café*, tous deux de 1886 (Cat. 36 et 39), dans *Le vieux Feissli lisant le journal* de 1900 (Cat. 16) et dans *le vieux Feissli dormant sur le fourneau* de 1901. (Cat. 18) Tout aussi excellemment représentés sont les groupes de figures associés aux thèmes de l'éducation, de l'apprentissage, des jeux ou des rites tels que le baptême, le mariage et la mort, entre autres dans *La distribution de soupe* de 1859 (Cat. 11), *Les paysans et le journal* de 1868 (Cat. 14), *L'école en promenade* de 1872 (Cat. 27), La gymnastique de 1879 et *La vente aux enchères* de 1891 (Cat. 29, 26).

Van Gogh admirateur d'Anker

Adolphe Goupil, le marchand d'art parisien d'Anker, ouvrit des succursales à Londres, New York et La Haye à partir de 1843. Vincent van Gogh, dénommé Cent, l'oncle du peintre du même nom, était l'associé de la galerie haguenoise et Vincent van Gogh y suivit une formation de 1869 à 1973. Il fut ensuite actif pour Goupil à Londres et à Paris, avant de s'engager en 1876 dans des études de théologie. Peu de gens savent que Vincent van Gogh fut dès cette époque en contact avec l'art d'Albert Anker, à travers des œuvres originales et les reproductions que réalisait la galerie. Comme Anker, Van Gogh avait étudié la théologie, mais à la différence du Suisse, il n'avait pas terminé ses études et avait en contrepartie occupé une charge de pastorale dans le bassin

Menschendarstellungen Natürlichkeit, Lebendigkeit und Glaubwürdigkeit zu verleihen wusste, ohne Nostalgie und Sentimentalität. Sein Mittel, um Emotionen in Farben ausdrücken zu können, ist seine sublime Lichtführung und Hell-Dunkel-Regie, in denen er Stimmungen von Jan Vermeer mit der Peinture von Camille Corot und Edouard Manet verbindet. Nicht sein Stil, den er nach den 1860er Jahren kaum noch veränderte, macht Anker einzigartig – sondern seine Lichtmalerei, die er gleichzeitig wie Manet in einer Reihe von Stillleben erprobte. In der Sammlung Blocher befinden sich inzwischen 14 der insgesamt rund 35 Stillleben, die Anker gemalt hat. (Kat. 42-48) Ankers Stillleben, die er anfänglich für den privaten Gebrauch schuf, sind seine modernsten Werke überhaupt und verweisen direkt auf Giorgio Morandi. Für Anker selbst waren sie als *l'art pour l'art* in erster Linie Fingerübungen, denn seine differenzierte Lichtmalerei setzte er primär ein, um psychische Stimmungen in einer narrativen Bildsprache ausdrücken zu können. Dabei bediente er sich der traditionellen Ikonographie, die er aus seiner unmittelbaren Lebenserfahrung persönlich neu gestaltete. Wie Gustave Courbet sah er seine Rolle darin, zu den grossen sozialen Fragen seiner Zeit Stellung zu beziehen. Sein Blick auf das durch die Industrialisierung anonymisierte und säkularisierte 19. Jahrhundert war wie derjenige Courbets selektiv. Anker inszenierte jedoch nicht den Missstand und formulierte daraus eine klassenkämpferische *Allégorie réelle*. Vielmehr erbrachte er mit seinen realistischen Schilderungen aus seinem Heimatdorf Ins den Gegenbeweis dafür, dass es auch in der Epoche der Industrialisierung eine noch unzerstörte, harmonische Welt gab. Sein irdisches Paradies ist real, und er hat es glaubwürdig ohne falsches Pathos und frei von Sentimentalität dargestellt. Dies war ihm möglich, dank seiner empathischen Fähigkeit, seelische Befindlichkeit durch Lichtdifferenzierungen sichtbarmachen zu können. Von allen Bildtypen, die Ankers positiv-harmonische Weltsicht zum Ausdruck bringen, verfügt die Sammlung Blocher über Schlüsselwerke. Die sinnbildhafte Einzelfigur ist durch den *Gemeindeschreiber I* von 1874 (Kat. 17), *Fleissig* und *Alter Mann mit Kaffeemühle*, beide 1886 (Kat. 36, 39), den *Zeitung lesenden alten Feissli* von 1900 (Kat. 16) und den *Alten Feissli auf dem Ofen eingenickt* von 1901 (Kat. 18) präsent. Ebenso herausragend sind die Figurengruppen vertreten, in denen Ausbildung, Lernen, Spiele und Rituale wie Taufe, Hochzeit und Tod zentrale Themen sind, beispielsweise die *Armensuppe* von 1859 (Kat. 11), *Die Bauern und die Zeitung* von 1868 (Kat. 14), *Der Schulspaziergang* von 1872 (Kat. 27), *Die Turnstunde in Ins* von 1879 sowie *Der Geltstag* von 1891 (Kat. 29, 26).

Ankerverehrer van Gogh

Ankers Pariser Kunsthändler war Adolphe Goupil,

minier du Borinage belge. Il avait une grande admiration pour les peintres qui représentaient des sujets chrétiens sous des formes profanes crédibles, et en tout premier lieu, pour Jean-François Millet. Il exprima son admiration pour Millet dans une lettre à son frère Theo où il cite également Anker : « Oui, le tableau de Millet *L'Angélus du soir*, c'est le vrai, c'est magnifique, c'est de la poésie. [...] Je te cite quelques noms de peintres que j'aime particulièrement. [...] Anker, Knaus, Vautier... »[19] Il rapporta ultérieurement à Theo : « J'ai vendu le tableau d'Anker *Un vieux huguenot* à l'oncle Vincent. »[20] (fig. 3) Un peu plus tard, il revint encore sur l'impression qu'il retirait de l'art d'Anker : « Il y a bien dans tout cela quelque chose de l'esprit qui est l'esprit de la résurrection et de la vie – il vivra, même si *cela* paraît mort, car ce n'est pas mort, cela dort. »[21] Il parla aussi d'Anker à ses sœurs : « *Un Baptême* est d'après Anker, un Suisse, qui a réalisé différentes esquisses, toutes conçues avec finesse et intériorité. »[22] Pour finir, il revint encore vers Theo pour obtenir des nouvelles : « Anker est-il encore vivant ? Je pense souvent à ses œuvres, je trouve qu'elles sont conçues avec tellement d'habileté et de finesse. Il est vraiment d'un autre temps. »[23] Pour Matthias Brefin, qui administre aujourd'hui la maison-atelier d'Anker à Anet et gère les écrits non encore publiés de la succession de son arrière-arrière-grand-père, il se pourrait qu'Anker ait été à l'origine du séjour de Vincent van Gogh à Arles en 1988-1989. Anker aurait en effet rendu compte à Théo van Gogh de son propre voyage en Provence avec force détails et enthousiasme.[24] Ces liens entre les deux peintres, qui demanderaient à être précisés dans un travail de recherche, ont fait impression sur le collectionneur Blocher et l'ont incité à intégrer Van Gogh dans sa collection. Elle comprend à ce jour l'aquarelle de grand format *La semeuse*, de 1881, et la lithographie *À la porte de l'éternité* de l'ancienne collection Stoll, qui pourrait à son tour avoir inspiré Hodler pour ses figures symbolistes de misère. (Fig. 5 et 6) Pour le collectionneur Blocher, l'essentiel n'est pas qu'Anker soit *le* grand artiste national suisse. Il est bien plus ébloui par l'humanité intemporelle de ses sujets picturaux.

Fig. 5. Vincent van Gogh, *La semeuse | Säende*, 1881, aquarelle

[19] Vincent van Gogh an Théo van Gogh (13) – London, Januar 1874, in : Vincent van Gogh, Sämtliche Briefe, sous la dir. de Fritz Erpel, Tome 1 : *An den Bruder Theo*, Bornheim-Merten, Lamuv-Verlag, 1985, p. 2.

[20] Vincent van Gogh an Théo van Gogh (29) – Paris, 29. Juni 1875, *ibid.*, p. 32

[21] Vincent van Gogh an Théo van Gogh (111) – Amsterdam, 21. Oktober 1877, *ibid.*, p. 149.

[22] Vincent van Gogh an seine Schwestern Carolien und Willem (11a) – London, Oktober 1873, *ibid.*, Tome 5 : *An Freunde und Bekannte*, p. 89. Au sujet d'*Un Baptême*, 1864, cf. Kuthy/Bhattacharya-Stettler, *op. cit.*, n° 81, p. 86-87.

[23] Vincent van Gogh an Théo van Gogh, (279), *ibid.*, Tome 2 : *An den Bruder Theo*, p. 239.

[24] Communication de Matthias Brefin à l'auteur, 4 septembre 2019.

der ab 1843 Filialen in London, New York und Den Haag eröffnete. In der Haager Filiale, der sein Onkel Vincent van Gogh, genannt Cent, als Teilhaber angehörte, absolvierte Vincent van Gogh von 1869-73 eine Lehre und war anschliessend in London und Paris für Goupil tätig, bevor er 1876 Theologie studierte. Wenig bekannt ist, dass in dieser frühen Zeit Vincent van Gogh mit der Kunst von Albert Anker durch Originale und Reproduktionen, die die Galerie anfertigte, in Berührung gekommen ist. Van Gogh war wie Anker theologisch gebildet, hatte im Unterschied zu diesem sein Studium nicht abgeschlossen und sich stattdessen als Seelsorger im belgischen Steinkohlerevier Borinage betätigt. Für Maler, die christliche Themen glaubhaft säkular darstellten, empfand er grosse Verehrung, allen voran für Jean-François Millet. In einem Brief an seinen Bruder Theo beschreibt er seine Verehrung für Millet und erwähnt anschliessend auch Anker. „Ja, das Bild von Millet, *L'Angélus du soir*, das ist das Wahre, das ist herrlich, das ist Poesie." (...) Ich

Fig. 6. Vincent van Gogh, *Au seuil de l'éternité* | *An der Schwelle der Ewigkeit*, lithographie

Les études de théologie d'Anker

Les essais sur Anker accréditèrent jadis l'idée qu'il aurait interrompu ses études de théologie au bout de deux ans. [25] Le fait est qu'aucun document relatif à ses études n'a été conservé par les universités de Berne et de Halle. Étant donné la ferme opposition du père d'Anker à son désir de devenir peintre, il est fort probable qu'Anker ait néanmoins accompli ses études de théologie contre son propre gré. Pour Matthias Brefin, son arrière-arrière-petit-fils, des preuves existent qui confirment qu'Anker a bien étudié la théologie au moins pendant trois ans, d'abord à Berne, puis à Halle. Les déclarations de son camarade d'étude Albrecht Ritz (1831-1911) attestent qu'il a passé l'examen à Berne et que sa prédication d'examen portait sur le Sermon sur la mon-

schreibe Dir einige Namen auf von Malern, die ich besonders liebe. (…) Anker, Knaus, Vautier...".[19] Später rapportierte er Theo: „Das Bild von Anker *Un vieux Huguenot* (…) habe ich Onkel Vincent verkauft."[20] (Abb.3) Und später kommt er nochmals auf die Wirkung von Ankers Kunst zurück: „In all dem zusammen ist doch etwas von dem Geist, der der Geist der Auferstehung und des Lebens ist – der wird leben, wenn *es* auch gestorben scheint, denn es ist nicht gestorben, sondern schläft."[21] Auch seinen Schwestern gegenüber wird Anker erwähnt:„*Un Baptême* ist nach Anker, einem Schweizer, der verschiedene Vorwürfe behandelt hat, alle fein und innerlich empfunden."[22] Schliesslich erkundigte er sich wieder bei Theo: „Lebt Anker noch? Ich denke oft an seine Arbeiten, ich finde sie so tüchtig und fein empfunden. Er ist noch ganz vom alten Schlag."[23] Matthias Brefin, der heute Ankers Wohn- und Atelierhaus in Ins verwaltet sowie auch den noch nicht edierten schriftlichen Nachlass seines Ururgrossvaters betreut, vermutet, dass Anker möglicherweise wesentliche Impulse für Vincent van Goghs Arles-Aufenthalt von 1888-89 gegeben haben könnte. Denn Anker hatte Théo van Gogh offenbar ausführlich und begeistert Bericht über seine eigene Provence-Reise erstattet.[24] Diese im Detail noch zu erforschende Verbindungen der beiden Maler haben den Sammler Blocher beeindruckt und motiviert, van Gogh ebenfalls in seine Sammlung zu integrieren, und zwar bisher mit dem grossformatigen Aquarell *Säerin* von 1881 und der Lithographie *An der Schwelle der Ewigkeit* aus der ehemaligen Sammlung Stoll, welche wiederum Hodler zu dessen symbolistischen Elendsgestalten angeregt haben könnte. (Kat. 61) Anker ist für den Sammler Blocher nicht primär *der* Schweizer Nationalkünstler. Er ist vielmehr von der zeitlosen Humanität seiner Bildthemen beeindruckt.

Ankers Theologiestudium

In der Literatur wurde früher die Meinung vertreten, An-

[25] Cf. Therese Bhatacharya-Stettler, « Albert Anker », SIKART Dictionnaire sur l'art en Suisse, http://www.sikart.ch/KuenstlerInnen.aspx?id=4000009, consulté le 6 octobre 2019.

[19] Vincent van Gogh an Théo van Gogh (13) – London, Januar 1874, in: Fritz Erpel (Hrsg.), *Vincent van Gogh, Sämtliche Briefe*. Band 1. An den Bruder Théo van Gogh, Bornheim-Merten 1985. S. 2.

[20] Vincent van Gogh an Théo van Gogh (29) – Paris, 29. Juni 1875, (wie Anm. 18), S. 32

[21] Vincent van Gogh an Théo van Gogh (111) – Amsterdam, 21. Oktober 1877, (wie Anm. 18), S. 149.

[22] Vincent van Gogh an seine Schwestern Carolien und Willem (11a) – London, Oktober 1873, in: Erpel 1985 (wie Anm. 18), Bd. 5 an Freunde und Bekannte, S. 89. Das Bild *La paptême*, 1864, vgl. Kuthy/Bhattacharya (wie Anm. 12), Nr. 81, S. 86-87.

[23] Vincent van Gogh an Théo van Gogh, (279), in: Erpel 1985 (wie Anm. 18), Bd. 2, An den Bruder Theo, Vincent, S. 239.

[24] Mitteilung Matthias Brefin an den Autor, 4. September 2019.

tagne. Ces prédications d'examen se déroulaient dans la collégiale de Berne.[26] Les études de théologie comportaient déjà à cette époque deux volets : des études universitaires d'une durée minimum de trois ans, soit six semestres, suivies d'un vicariat d'une à deux années en vue de l'ordination, c'est-à-dire l'admission au ministère ecclésial en qualité de pasteur. Selon Brefin, Anker a poursuivi les études universitaires jusqu'à l'épreuve terminale, l'examen de prédication, mais il n'a jamais commencé le vicariat. Il n'est donc pas exact d'affirmer qu'il a interrompu ses études. Il est en outre à noter qu'Anker entretint sa vie durant un rapport positif avec la théologie protestante. Il eut ainsi des contacts et des échanges réguliers avec son ancien camarade d'étude. Il est par ailleurs avéré qu'il a toute sa vie lu la Bible dans ses langues d'origine.[27]

Hodler

C'est également l'universalité de son message pictural qui conquit Blocher dans la peinture de Hodler. Ses vastes surfaces lacustres et ses silhouettes montagneuses qui se fondent dans l'infini de l'horizon peuvent à cet égard être interprétées comme des métaphores intemporelles de l'existence. Ses célèbres tableaux du lac Léman montrent non pas les chaînes des Alpes et du Jura suisses, mais des chaînes de montagne françaises. (Cat. 64-71) Hodler s'intéresse en effet à la nature où qu'elle se trouve. De même, ses représentations de figures de la collection Blocher donnent le plus souvent à voir des comportements humains universels et non pas spécifiquement suisses. Cela vaut pour *L'Orateur* comme pour le *Schwörenden*, tous les deux de 1913, conçus par Hodler pour la fresque de l'hôtel de ville de Hanovre. (Cat. 74 et 75) Tout aussi universels sont les gestes des études de figures symbolistes pour *L'émotion* de 1901-1902 ou pour *Regard vers L'Infini* de 1916. (Cat. 62 et 63) Il manque à la collection le *Bûcheron*, le bûcheron héroïque conçu par Hodler pour le billet de 50 francs suisses, et qui devint le symbole de la défense spirituelle du pays, ainsi que *Le faucheur* créé en 1910 pour le billet de 100 francs. (Cat. 72) Car la version la plus exceptionnelle du *Holzfäller*, dépassant toutes les autres en termes de qualité et de dimension, se trouve au Kunstmuseum de Berne, en dépôt de la collection d'art de la Confédération.

ker habe sein Theologie-Studium nach zwei Jahren abgebrochen.[25] Tatsache ist, dass sich keine schriftlichen Quellen über sein Studium an den Universitäten von Bern und Halle erhalten haben. Da Ankers Vater dem Wunsch seines Sohnes, Maler zu werden, mit Ablehnung und Widerstand begegenete, ist es naheliegend, dass dieser sein Studium entgegen den eigenen Wünschen dennoch abschloss. Wie Matthias Brefin, Ankers Ururenkel, darlegen kann, studierte Anker nachweislich mindestens drei Jahre Theologie, zuerst in Bern, dann in Halle. In Bern hat Anker nach Aussagen seines Studienkollegen Albrecht Ritz (1831-1911) das Examen gemacht und dabei eine Prüfungspredigt über die Bergpredigt gehalten. Diese Prüfungspredigten fanden im Berner Münster statt.[26] Bereits damals bestand das Theologiestudium aus zwei Hauptteilen: Das universitäre Studium umfasste mindestens drei Jahre respektive sechs Semester. Daran schloss ein Vikariat von einem bis zwei Jahren an, womit das Ordinariat, d.h. die Zulassung zum kirchlichen Dienst als Pfarrer, erlangt wurde. Das universitäre Studium hat Anker gemäss Brefin mit dem letzten Baustein, der Prüfungspredigt, abgeschlossen, das Vikariat jedoch nie begonnen. Insofern ist es nicht korrekt, von einem abgebrochenen Studium zu sprechen. Zudem ist festzuhalten, dass Anker zeitlebens ein positives Verhältnis zur protestantischen Theologie bewahrte. So blieb er in regem Kontakt und Austausch mit seinen ehemaligen Studienkollegen. Belegt ist weiter, dass Anker Zeit seines Lebens die Bibel in den Ursprachen gelesen hat.[27]

Hodler

Auch bei Hodler überzeugt ihn die Allgemeingültigkeit der Bildaussage. Dessen weite Seeflächen, und Gebirgssilhouetten, die in die Unendlichkeit des Horizontes übergehen, können in dieser Sicht als zeitlose Existenzchiffren aufgefasst werden. Hodlers berühmte Genferseebilder zeigen zumeist französische und nicht Schweizer Alpen- und Juraketten. (Kat. 64-71) Hodlers Anliegen ist die Natur an sich. Und auch die Figurendarstellungen in der Sammlung Blocher bringen meist allgemein menschliche Verhaltensweisen zum Ausdruck und nicht spezifisch schweizerische. Dies gilt sowohl für den *Redner* und den *Schwörenden*, beide 1912-1913, die Hod-

---

[26] Albert Rytz, *Der Berner Maler Albert Anker. Ein Lebensbild*, Berne, 1911, p. 23-26.

[27] Les explications données dans ce paragraphe s'appuient sur des conversations avec Matthias Brefin auquel l'auteur adresse ici ses sincères remerciements. Les études de théologie d'Anker mériteraient des recherches plus approfondies permettant de répondre aux questions qui restent ouvertes à leur sujet.

[25] Vgl.: Therese Bhatacharya-Stettler, Albert Anker, SIKART, Lexikon zur Kunst in der Schweiz, http://www.sikart.ch/KuenstlerInnen, aufgerufen am 6. Oktober 2019.

[26] Albert Rytz, *Der Berner Maler Albert Anker. Ein Lebensbild*, Bern 1911, S. 23-26.

[27] Die Ausführungen in diesem Abschnitt stützen sich auf Gespräche mit Matthias Brefin, dem ich meinen Dank ausspreche. Wünschenswert sind weitere Recherchen, die die offenen Punkte in Ankers Theologiestudium schliessen.

Fig. 7. Christoph Blocher während seiner Amtszeit als Bundesrat in seinem Arbeitszimmer im Bundeshaus mit Ferdinand Hodlers *Holzfäller* aus der Bundeskunstsammlung (BKS)

ler für das Gemälde im Rathaus von Hannover konzipierte. (Kat. 62, 63) Ebenso universell sind die Gesten der symbolistischen Figurenstudien zur *Empfindung* von 1901-02 oder zum *Blick in die Unendlichkeit* von 1916. (Kat. 62, 63) Eine monumentale Version des *Holzfällers*, den Hodler für die 50-Franken-Banknote entworfen hatte und der zum Symbol der «geistigen Landesverteidiung» wurde, fehlt in der Sammlung. Denn die qualitativ und grössenmässig alle Varianten überragende Formulierung befindet sich als Depositum der Bundeskunstsammlung in Kunstmuseum Bern.[28] Diese hatte Blocher während seiner Zeit als Bundesrat in seinem Büro aufhängen lassen. (Abb. 7) In seiner Sammlung begnügt er sich mit einer kleinen Version des *Holzfällers* von 1909 (Kat. 73) Auch bei Hodlers zuweilen affektierten Porträts übt Blocher Zurückhaltung. Völlig frei von Selbstinszenierung ist indes Hodlers *Bildnis Berthe Jacques* von 1894, das die spätere Gattin des Künstlers in einer schnappschussartigen Rückenansicht mit nach rechts gedrehtem Gesicht zeigt. (Kat. 92) Hodler tritt in der Sammlung Blocher als Gestalter einer neuen Sicht auf die Landschaft markant in Erscheinung. Durch alle Stufen kann seine Entwicklung mit herausragenden Werken aufgezeigt werden. Im realistischen Frühwerk *Schafe am Sentier des Saules* von 1878 kommt dem intensiv strahlenden Himmel bereits eine symbolische Wirkung zu. (Kat. 49) Die Verwandlung

[28] À l'époque où il était conseiller fédéral, Blocher l'avait fait accrocher dans son bureau. (Fig. 7) Il doit se contenter pour sa collection d'une petite version einer profanen Landschaft in eine symbolistische Vision vergegenwärtigen der *Blick auf Thuner- und Brienzersee* von 1887/88, *Die Kastanienbäume*, um 1889, und das

---

[28] Katharina Schmidt (dir.), *Ferdinand Hodler. Eine symbolistische Vision*, Berne, Kunstmuseum Bern, 2008, p. 363 (cat. d'exposition).

[28] Katharina Schmidt (Hrsg.), *Ferdinand Hodler. Eine symbolistische Vision*, Ausst.-Kat. Kunstmuseum Bern, Bern 2008, S. 363.

du bucheron de 1909. Quant aux portraits de Hodler, il montre à leur égard la même réserve qu'envers ceux d'Anker. Toutefois, *Bildnis Berthe Jacques* de 1894 est totalement dénué de mise en scène de soi. Il représente la future épouse de l'artiste, vue de dos à la manière d'un instantané photographique, le visage tourné vers la droite. (Cat. 94) Au sein de la collection Blocher, Hodler fait figure de concepteur remarquable d'un nouveau regard sur le paysage. Des œuvres exceptionnelles permettent d'y suivre toutes les étapes de son évolution. Dans *Moutons sur le sentier des Saules* de 1874, une œuvre réaliste de ses débuts, le rayonnement intense du ciel est déjà porteur de résonances symboliques. (Cat. 49) Dans *Vue sur le lac de Thoune et le lac de Brienz* de 1887-1988, *Les Châtaigniers* vers 1889 et *Arbuste de lilas* de 1882, c'est la transformation d'un paysage profane en vision symbolique qui est à l'œuvre. (Cat. 52, 53 et 59) Et dans les trois vues du *Lac Léman vu de Chexbres* de 1897, 1904 et 1911, c'est la simplification et la stylisation grandissantes du paysage en formes élémentaires ornementales. (Cat. 64-66) L'orientation de Hodler vers le parallélisme est perceptible dans plusieurs tableaux de sommets et de chaînes de montagne : *Le Lac de Thoune et la chaîne du Stockhorn* de 1904, *La Lütschine noire* de 1905, *Le Lac de Silvaplana* de 1907, *L'Eiger, Le Mönch et la Jungfrau au-dessus de la mer de brouillard* de 1908, *Le Lac de Thoune vu de Leissigen* vers 1908 et *Le Grammont ensoleillé le matin* de 1917. (Cat. 76, 79, 80, 82, 83, 91) Quant aux paysages, ils témoignent de l'abstractisation qu'opère Hodler sur les structures fondamentales de la réalité paysagère, et qui s'apparente au regard de Cézanne sur la nature, affranchi de toute convention visuelle ou picturale. Comme Marc Fehlmann l'a montré, la collection de tableaux de paysage de Christoph Blocher est de loin, parmi toutes les collections Hodler, la plus importante en termes de volume et de qualité.[29] Il ne lui manque plus qu'un des paysages transcendants du lac Léman peints par Hodler, peu avant sa mort, depuis la fenêtre de son appartement du quai du Mont-Blanc.

Un panorama de la peinture suisse

Il ne fut jamais question pour le collectionneur Blocher d'acquérir des œuvres d'abstraction pure. Pour autant, il ne s'engage pour des contenus que lorsque la qualité est au rendez-vous. Il peut, dans ce domaine, compter sans réserve sur son intuition. Dès lors que ses fonds Anker et Hodler avaient atteint la complétude souhaitée, il put tourner ses regards vers d'autres artistes. Sa

Fig. 8. Giovanni Giacometti, *La Maira à Stampa (octobre)* | *Die Maira bei Stampa (Oktober)*, vers 1904, huile sur éthernite

Fliederbäumchen von 1882. (Kat. 52, 53, 59) Die zunehmende Elementarisierung und Reduktion der Landschaft auf ornamentale Grundformen wird anhand der drei Ansichten *Genfersee von Chexbres* aus von 1897, 1904 und 1911 zum Ereignis. (Kat. 64-66) In den Berg- und Gebirgsbildern *Der Thunersee mit Stockhornkette* von 1904, *Die Schwarze Lütschine*, 1905, *Silvaplanersee mit Piz Corvatsch*, 1907, *Eiger, Mönch und Jungfrau hüber dem Nebelmeer*, 1908, *Thunersee von Leissigen aus*, um 1909 und *Der Grammont in der Morgensonne* von 1917 wird Hodlers Hinwendung zum Parallelismus fassbar. (Kat. 76, 79, 80, 82, 83, 91) Die Hodler-Landschafts-Reihe der Sammlung Blocher verdeutlichst, wie Hodler Grundstrukturen aus dem Wirklichkeitsbild abstrahiert, was sich vergleichen lässt mit der von allen Seh- und Darstellungskonventionen befreiten Sicht Cézannes auf die Natur. Wie Marc Fehlmann nachgewiesen hat, ist unter allen Hodler-Sammlungen diejenige von Christoph Blocher in Bezug auf die Landschaft die umfangreichste und bedeutendste.[29] Was (noch) fehlt, ist einzig eine der transzendenten letzten Genfersee-Landschaften, die Hodler kurz vor seinem Tod aus dem Fenster seiner Wohnung am Quai du Mont-Blanc malte.

[29] Fehlmann, 2015, *op. cit.,* p. 20.

[29] Fehlmann 2015 (wie Anm.1), S. 20.

collection tendit ainsi à se transformer progressivement en un panorama représentatif de la peinture suisse, embrassant près d'un siècle de création, du réalisme à la peinture moderne figurative-coloriste, d'Alexandre Calame à l'œuvre tardive d'Adolf Dietrich. Blocher suit certains artistes dans toutes les étapes de leur évolution, si possible à travers la totalité de leur œuvre, tandis que d'autres ne sont représentés dans sa collection que ponctuellement, simplement parce qu'ils appartiennent à une époque qu'il s'agit de dépeindre. Parallèlement à Anker et Hodler, les personnalités les plus marquantes de la collection ont pour nom Koller, Zünd, Segantini et Giovanni Giacometti.

Le paysage réel idéal

À l'instar d'Anker, Zünd se concentrait dans son environnement sur la réalité encore indemne de la technique qui s'était emparée du monde à son époque. Anker trouva le paradis réel dans la communauté rurale, Zünd, dans le paysage de Suisse centrale encore préservé de la technique. Dans ses vues dénuées de tout pathos, dans lesquelles Gottfried Keller voyait le « paysage réel idéal » ou le « paysage idéal réel »,[30] Zünd ne montrait pas des sites touristiques, mais des groupes d'arbres, des lisières de forêt, des prés et des champs qui n'avaient rien que de très banal. Comme Anker, Zünd fut un maître des atmosphères lumineuses les plus délicates, qui transforment l'ordinaire en poésie intemporelle sans remettre en question la fidélité naturaliste au réel. Avec *Lac des Quatre Cantons, vue sur le Vitznaustock, clairière de chênes, Schellenmatt avec vaches, ramassage des foins*, la collection Blocher possède quelques-unes des compositions, parmi les plus convaincantes, dans lesquelles Zünd a su mêler représentation réaliste et transfiguration idéaliste de la nature. (Cat. 3, 4, 5 et 6)

En quête de typicité

La relation de Koller avec la nature était plus dramatique. Il cherchait à saisir dans ses portraits animaliers ce qu'il y avait de plus caractéristique dans la scène représentée. Et dans son étude précoce, extraordinairement expressive pour *La diligence du Gothard*, il dressa un monument débordant de vitalité à ce que le progrès venait de rendre superflu grâce au tunnel du Gothard. (Cat. 10) Anker ne faisait pas autrement lorsqu'il représentait des femmes en train de filer, jeunes ou vieilles, à une époque où ce travail était déjà accompli par des machines dans des usines. (Cat. 31) Ces artistes suisses consignèrent sur la toile ce qui était à leur époque me-

Ausweitung zum Panorama

Reine Abstraktion war nie ein Thema. Auf Inhalte lässt sich der Sammler Blocher jedoch erst ein, wenn die künstlerische Qualität stimmt. Dabei kann er sich ganz auf seine Intuition verlassen. Mit der Abrundung seiner Anker- und Hodler-Bestände dehnte sich sein Interesse inzwischen auch auf weitere Künstler aus. Seine Sammlung weitet sich deshalb immer mehr zu einem repräsentativen Panorama der Schweizer Malerei vom Realismus bis zur koloristisch-gegenständlichen Moderne und umfasst so von Calame bis zum Spätwerk von Adolf Dietrich rund ein Jahrhundert. Es gibt darin Künstler, deren Entwicklungsschritte über das ganze Schaffen möglichst vollständig verfolgt werden, und solche, die zur Vervollständigung des Epochenbildes nur punktuell vertreten sind. Als markante Persönlichkeiten neben Anker und Hodler treten in der Sammlung vor allem Koller, Zünd, Segantini und Giovanni Giacometti in Erscheinung.

Ideale Reallandschaft

Zünd fokussierte in seinem Umfeld wie Anker auf die vom technischen Zeitalter noch nicht vereinnahmte Wirklichkeit. Anker fand das reale Paradies in der ruralen menschlichen Gemeinschaft, Zünd in der vom technischen Zeitalter noch unberührten Landschaft der Innerschweiz. In seinen unpathetischen Ansichten, in denen Gottfried Keller die „ideale Reallandschaft" oder die „reale Ideallandschaft" verkörpert fand,[30] zeigte Zünd keine touristischen Sehenswürdigkeiten, sondern an sich banale Baumgruppen, Waldränder, Wiesen und Ackerflächen. Wie Anker ist Zünd ein Meister sensibelster Lichtstimmungen, die das Alltägliche in zeitlose Poesie transformieren, ohne die naturalistische Wirklichkeitstreue in Frage zu stellen. Die Sammlung Blocher besitzt mit *Am Vierwaldstättersee mit Blick auf den Vitznaustock*, der *Eichwaldlichtung*, der *Schellenmatt mit Kühen und der Heuernte* eine Reihe von Zünds überzeugendsten Verschmelzungen von realistischer Naturschilderung und idealistischer Naturverklärung. (Kat. 3, 4, 5 und 6)

Suche nach dem Charakteristischen

Kollers Naturbeziehung ist dramatischer, er suchte in seinen Tierporträts das Charakteristische. Und in seiner frühen, ungemein expressiven Studie zur *Gotthardpost* schuf er ein lebensstrotzendes Monument dessen, was der Fortschritt mit dem Gotthard-Tunnel gerade überflüssig gemacht hatte. (Kat. 10) Genau-

---

[30] Gottfried Keller, « Ein bescheidnes Kunstreischen », in : *Neue Zürcher Zeitung*, 22 et 23 mars 1882.

[30] Gottfried Keller, «Ein bescheidnes Kunstreischen», in: *Neue Zürcher Zeitung*, 22. und 23. März 1882.

nacé de disparition, sans toutefois fustiger ou déplorer les changements. Leurs œuvres sont des capsules de temps qui s'attachent, comme à toutes les époques, à saisir l'unique et l'éphémère et qui font indirectement prendre conscience du progrès en montrant ce qui n'est plus. Lorsqu'il représente le secrétaire communal au travail ou les paysans lisant le journal, Anker pose un regard neutre sur les conquêtes sociales portées par le jeune État fédéral. Les peintres de genre suisses Vautier et Castres témoignent d'un approfondissement du regard sur la réalité sociale de leur temps. (Cat. 8 et 9) Enfin, précédant Zünd, Calame et Gottfried Steffan, le « Calame allemand », fournissent un aperçu de la conception dramatique du paysage. (Cat. 1 et 2)

Segantini et Giacometti

Dans la collection Blocher, tous les peintres sont mis en rapport avec Hodler : on y trouve Giovanni Segantini, Giovanni et Augusto Giacometti, Ernest Biéler et Max Buri, mais aussi des peintres de la génération suivante tels Cuno Amiet, Ernst Geiger, Gottardo Segantini et Alberto Giacometti. Le symbolisme de Segantini répond aux œuvres de jeunesse de Hodler : *La tonte des moutons* de 1886-1888 et *Repos à l'ombre* de 1892 sont des exemples convaincants de la peinture de lumière pointilliste de Segantini qui transporte l'être humain et la nature dans un univers de rêve d'un réalisme cristallin. (Cat. 9, 97) Suit sans transition la vision de lumière de *La fuite en Egypte* d'Augusto Giacometti. Rien ne manque du parcours de Giacometti dans la collection Blocher : du réalisme de ses débuts à sa confrontation avec le symbolisme de Segantini et à son expressionnisme audacieux, qui attestera un chromatisme plus modéré dans l'œuvre tardif. Traversé d'arabesques Art nouveau, *La Maira à Stampa (octobre)* de 1904 est à cet égard un joyau de la peinture segantinienne – de grand format, l'œuvre est toutefois d'une grande fragilité car, peinte sur Eternit, elle ne peut plus faire l'objet d'un transport sans risque de dommage. (Fig. 8) Le paysage *Le lac de sils et le piz Corvatsch* de 1921-1923 est un magnifique hommage du jeune Alberto Giacometti à son père, qui offre à la collection de Christoph Blocher de nouvelles perspectives de développement. (Cat. 104)

Vallotton et Dietrich

Vallotton est représenté dans la collection Blocher par trois tableaux de paysage : *Ruisseau à Arques-la-Bataille* de 1903, *Une rue à Cagnes* de 1922 et *Route en corniche sur les bords de la Loire* de 1923. (Cat. 104, 106, 107) Tout comme le parallélisme de Hodler, le « paysage composé » de Vallotton est un outil d'ordonnancement permettant d'extraire de l'impression fortuite d'une réalité ce qu'elle a de plus typique et de

so verfuhr Anker, wenn er junge und alte Frauen beim Spinnen zeigt, einer Tätigkeit, die zu dieser Zeit durch Maschinen in den Fabriken ersetzt worden war. (Kat. 31) Diese Schweizer Künstler hielten fest, was in ihrer Zeit vom Verschwinden bedroht war, ohne die Veränderung anzuprangern oder zu beklagen. Ihre Werke sind Zeitkapseln, die, damals wie heute, das Einmalige und Vergängliche festhalten und den Fortschritt indirekt durch das Verlorene bewusst werden lassen. Anker hatte einen unverstellten Blick auf die sozialen Errungenschaften im jungen Bundesstaat, wenn er den *Gemeindeschreiber* bei der Arbeit zeigt oder die Bauern bei der Zeitungslektüre. Diesen Blick auf die soziale Gegenwart vertiefen die Schweizer Genremaler Vautier und Castres. (Kat. 8, 9). Einen Blick auf die dramatische Landschaftsauffassung vor Zünd ermöglichen Calame sowie Gottfried Steffan, der „deutsche Calame". (Kat. 1, 2)

Segantini, Giacometti

Die Maler Segantini, Giovanni, Augusto und Alberto Giacometti, Biéler, Buri, weiter Amiet, Geiger und Gottardo Segantini werden in der Sammlung Blocher alle zu Hodler in Bezug gesetzt. Segantinis Symbolismus trifft sich in der Sammlung Blocher mit entsprechenden Frühwerken von Hodler. Segantinis *Die Schafschur* von 1886-88 und *Ruhe im Schatten* von 1892 sind überzeugende Beispiele für dessen pointilistische Lichtmalerei, die Mensch und Natur in eine realistisch glasklare Traumwelt versetzen. (Kat. 96, 97) Von da führt eine direkte Linie zur Lichtvision von Augusto Giacomettis *Flucht nach Ägypten*. Giovanni Giacomettis Entwicklung ist vom realistischen Frühwerk über die Auseinandersetzung mit dem Symbolismus Segantinis bis zum kühnen frühen und später koloristisch gemilderten Expressionismus lückenlos präsent. Ein Höhepunkt ist die grosse, mit Jugendstilarabesken durchsetzte Flusslandschaft *Die Maira bei Stampa (Oktober)* von 1904, die ihrer grossen Fragilität wegen – das Bild ist auf Eternit gemalt – dem Risiko eines Transports nicht ausgesetzt werden kann. (Abb.8) Die Landschaft *Piz Corvatsch mit Silsersee* von 1921-23 ist eine grossartige Hommage des jungen Alberto Giacometti an seinen Vater und eröffnet der Sammlung von Christoph Blocher neue Entwicklungsmöglichkeiten. (Kat. 104)

Vallotton, Dietrich

Vallotton ist mit den drei Landschaften *Ruisseau à Arques-La-Bateille* von 1903, *Une rue à Cagnes*, 1922, und der *Route en corniche sur les bords de la* Loire von 1923 in der Sammlung Blocher vertreten. (Kat. 104, 106, 107) Sein Prinzip der *paysage composé* ist ein

plus essentielle. Mais alors que le système d'ordonnancement de Hodler visait à structurer la réalité visuelle dans son ensemble, le paysage composé consiste chez Vallotton à créer des motifs décoratifs qui donnent une tonalité magique à la réalité et ouvrent à des expérimentations surréalistes. Adolf Dietrich, Le Douanier Rousseau suisse, s'est lui aussi engagé sur ce terrain. Sa présence dans la collection Blocher, particulièrement remarquable, comprend des couchers de soleil, des paysages lacustres et des ambiances lunaires auxquels précisément, seuls Hodler et Vallotton peuvent se mesurer, ainsi que des natures mortes uniques en leur genre, telles que les enchanteurs de 1939. (Cat. 119)

Le classement

Déterminer le rang qu'occupe cette collection capitale qu'est la collection Blocher demande de la comparer à ses grands équivalents suisses. Elle est unique quant à ses fonds Anker, et en ce qui concerne Hodler, elle compte parmi les plus grandes collections jamais constituées de cet artiste. Les collections dont elle est le plus proche sont la collection Stoll, dont proviennent nombre de ses œuvres clés, et la collection d'art suisse d'Oskar Reinhart, avec laquelle elle partage certaines spécificités, notamment un intérêt marginal pour Cuno Amiet comparé à l'attention portée à Giovanni Giacometti. La collection Blocher ne pourra toutefois faire l'objet d'un classement que lorsque la totalité de ses fonds auront été inventoriés dans une publication.

Reste pour finir la question du futur site d'implantation de la collection et de son devenir. Pour Christoph Blocher, créer en Suisse un énième musée de collectionneur n'aurait guère de sens, étant donné que le public d'aujourd'hui n'est pas en quête d'oasis artistiques immuables, mais d'évènements artistiques sans cesse recomposés. Blocher a donc pris le parti de suivre sa propre voie et de construire un vaste entrepôt souterrain d'exposition dans sa propriété de Herrliberg. Des catalogues scientifiques de la collection sont également au programme. Son objectif déclaré est de répondre aux demandes de prêt pour des expositions d'envergure en mettant à disposition les œuvres demandées, et également d'accepter de montrer sa collection sous la forme de vastes panoramas, tels que celui qui est actuellement présenté à Martigny. Le public pourra ainsi prendre sa part d'une prestigieuse collection d'art sans avoir à assumer les coûts d'exploitation d'un musée de collectionneur de plus.

Ordnungsinstrument wie Hodlers Parallelismus, um das Typisch-Wesentliche aus dem zufälligen Wirklichkeitseindruck zu extrahieren. Während Hodler neue universelle Ordnungsgefüge kreiert, schafft Vallotton dekorative Flächenmuster, die die Wirklichkeit magisch umdeuten und für surrealistische Experimente öffnen. In diese Bereiche stösst auch der Schweizer Douanier Rousseau vor: Dietrich ist in der Sammlung Blocher herausragend präsent, mit Sonnenuntergängen, Seelandschaften und Mondstimmungen, neben denen nur gerade Hodler und Vallotton bestehen können, sowie mit einzigartigen Stillleben wie dem magischen Stillleben *Krokusse* von 1939. (Abb. 119)

Verortung

Der Standort dieser kapitalen Sammlung ist im Vergleich mit den grossen Schweizer Pendants zu ermitteln. Sie ist einzigartig in Bezug auf ihre Anker-Bestände, in Bezug auf Hodler zählt sie zu den grössten Sammlungen, die je von diesem Künstler aufgebaut worden sind. Am ehesten vergleichbar ist sie mit der Sammlung Stoll, aus der zahlreiche Schlüsselwerke stammen, sowie mit der Schweizer-Kunst-Sammlung von Oskar Reinhart, mit dem sie gewisse Spezifika teilt, wie der neben Giovanni Giacometti nur marginalen Berücksichtigung von Cuno Amiet. Eine spezifische Einordnung ist jedoch erst möglich, wenn der Gesamtbestand der Sammlung Blocher publiziert greifbar sein wird.

Zu fragen bleibt abschliessend nach dem zukünftigen Standort der Sammlung und deren Schicksal. Ein weiteres Sammlermuseum für die Schweiz zu stiften, erachtet Christoph Blocher als wenig sinnvoll, da das heutige Publikum nicht unveränderte Kunstoasen sucht, sondern den permanent neu aufgemischten Kunstevent. Er hat sich dafür entschieden, einen eigenen Weg zu gehen. Dazu baut er auf seinem Grundstück in Herrliberg ein grosses unterirdisches Kunstschaulager. Geplant sind auch wissenschaftliche Sammlungskataloge. Es ist sein erklärtes Ziel, wann immer ihn Leihanfragen für wichtige Ausstellungen erreichen, die betreffenden Werke zur Verfügung zu stellen, und er willigt auch ein, seine Sammlung in grossen Überblicken, wie dem gegenwärtigen in Martigny, zu zeigen. Die Öffentlichkeit hat so Teil an einer grossartigen Kunstsammlung, ohne dass sie dafür die Betriebskosten für ein weiteres Sammlermuseum auf sich nehmen muss.

ŒUVRES EXPOSÉES
AUSGESTELLTE WERKE

Paysage entre observation et idéal
Alexandre Calame
Johann Georg Steffan
Robert Zünd

Martha Degiacomi

Landschaft zwischen Beobachtung und Ideal
Alexandre Calame
Johann Georg Steffan
Robert Zünd

Martha Degiacomi

Au début du XIXe siècle, la peinture de paysage, considérée auparavant comme un genre mineur, devient un des principaux moyens d'expression artistique dans toute l'Europe y compris la Suisse. Avant les Romantiques, jamais la nature n'avait été appelée à jouer un rôle aussi important dans l'activité créatrice des peintres.

Alexandre Calame représente l'école genevoise dans la collection de Christoph Blocher. Au XVIIIe s., en Suisse, Caspar Wolf (1735-1783) et d'autres peintres, idéalisent les sites naturels et les fixent dans une vision d'ordre et d'harmonie. Avec Calame, élève de François Diday, la montagne se déchaîne, engendre des forces destructrices où le drame domine. Pour accentuer cet effet Calame en éradique les personnages, déclarant que « L'homme, rapetisse la nature ». Dans ses toiles, des orages violents, des coups de vent impétueux, des crépuscules menaçants traversent l'atmosphère. Par ces transcriptions pathétiques du paysage et par son exaltation, se jouant des clairs-obscurs, Calame s'inscrit dans la veine romantique.

Dans le tableau *Grands sapins* (cat. 1), deux arbres dressent leur verticalité imposante vers un ciel chargé de nuages gris. Ces conifères à l'aspect sinueux, constituent le motif principal de l'œuvre. La branche séchée ploie vers le sol, peut-être vestige d'une tempête. Une gamme de verts domine cette toile éclairée par une lumière diffuse. Pour Calame, un sapin, un orage ou un torrent n'évoquent pas seulement des éléments de la nature, mais des métaphores de la vie humaine. On aperçoit au fond l'amorce d'une montagne, qui permet de situer le motif dans un paysage alpin. L'artiste arpente les montagnes tant que sa santé le lui permet, observe les arbres de près ou depuis les hauteurs. Peintre paysagiste de cette Suisse alpestre et pittoresque, Calame atteint dès 1839, une renommée internationale et les commandes affluent. L'année 1855 couronne sa réputation : Un tableau représentant le Lac des Quatre-Cantons figure à l'Exposition universelle des Beaux-arts de Paris. L'empereur Napoléon III l'achète pour la somme record de 15 000 francs-or.

Zu Beginn des 19. Jahrhunderts wurde die Landschaftsmalerei, die bis dahin als minderes Genre gegolten hatte, zu einer der wichtigsten künstlerischen Ausdrucksformen in ganz Europa und auch der Schweiz. Vor der Romantik hatte die Natur nie eine derart grosse Rolle im kreativen Schaffen der Künstler gespielt.

Alexandre Calame vertritt die Genfer Schule in der Sammlung Christoph Blocher. Im 18. Jahrhundert schufen in der Schweiz Caspar Wolf (1735–1783) und andere Maler ein idealisiertes Bild der natürlichen Landschaften und hielten diese in einer Vision von Ordnung und Harmonie fest. Mit Calame, einem Schüler von François Diday, wurden die Berge entfesselt und entwickelten zerstörerische Kräfte. Die Dramatik gewann die Oberhand. Um diese Wirkung zu verstärken, verzichtete Calame auf die menschliche Gestalt, denn – so erklärte er – die Gegenwart des Menschen lasse die Natur kleiner erscheinen. Seine Gemälde sind geprägt von heftigen Gewittern, stürmischen Böen und bedrohlich wirkenden Abenddämmerungen. Durch diese pathetischen Darstellungen der Landschaft und ihrer Erhabenheit, in denen der Maler mit Hell-Dunkel-Kontrasten spielt, schreibt sich Calame in die Romantik ein.

Im Gemälde *Grosse tannen* (Kat. 1) strecken sich zwei Tannen von imposanter Höhe gegen einen wolkenverhangenen Himmel: Sie sind das Hauptmotiv dieses Werkes. Ein abgestorbener Ast hängt nach unten, der vielleicht einem Gewitter zum Opfer gefallen ist. Eine Palette von Grüntönen dominiert dieses Gemälde, das von einem diffusen Licht erhellt wird. Für Calame waren Tannen, Gewitter oder Sturzbäche nicht nur Elemente der Natur, sondern Metaphern für das menschliche Leben. Im Hintergrund ist der Umriss eines Berges zu erkennen, wodurch man das Motiv in einer alpinen Landschaft verorten kann. Der Maler durchwanderte die Berge, solange es ihm seine Gesundheit erlaubte, beobachtete die Bäume von ganz nah oder von oben. Als Landschaftsmaler dieser alpinen und pittoresken Schweiz genoss Calame ab 1839 internationales Ansehen und erhielt zahlreiche Aufträge. Das Jahr 1855 krönte seinen Erfolg: Ein Gemälde mit dem Motiv des Vierwaldstättersees wurde an der Weltausstellung in Pa-

Johann Gottfried Steffan, né en 1815, est l'unique enfant d'une famille de paysans fortunés, établie depuis longtemps à Wädenswil dans le canton de Zurich.

Après un apprentissage de lithographe auprès de Friedrich Allamand à Wädenswil, Johann Gottfried poursuit à l'âge de 18 ans son activité de lithographe à Munich et s'inscrit au cours de dessin au Polytechnicum. Peu après il fréquente l'Académie des Beaux-Arts auprès de peintres comme Peter von Cornelius et Julius Schnorr von Carolsfeld. Dès 1840 Steffan se consacre entièrement à la peinture. Il épouse Emilie Hoffmann, originaire de Wädenswil qui donnera naissance à neuf enfants. Le peintre séjourne jusqu'à la fin de sa vie avec sa famille à Munich, sans pourtant interrompre ses liens avec la Suisse. Il entreprend régulièrement des voyages d'études dans son pays natal et cultive les relations avec ses amis peintres helvétiques. L'engouement pour le thème de la montagne au XIXe siècle se révèle porteur en Suisse. Ce motif rassembleur de nos cimes rencontre un grand succès dans notre pays et devient un sujet de prédilection pour nombres de peintres de cette époque. Dès sa jeunesse, les paysages alpins de Steffan jouissent d'une réputation considérable qui lui permet de vendre ses œuvres non seulement en Allemagne et en Suisse, mais d'acquérir une clientèle fortunée à Vienne, Londres et Prague. Les musées aussi achètent ses œuvres.

Le motif du tableau *Der Hintere Murgsee, Lac inférieur de Murg* (cat. 2) se situe dans les alpes saint-galloises. On entre dans la composition avec un sol parsemé de rochers allant jusqu'au lac, éclairé par une lumière inquiétante qui présage l'arrivée d'un orage. Plongées dans l'obscurité, les montagnes exprimées dans une palette sombre ferment l'horizon. Un brouillard gris et épais commence à envahir les sommets à gauche. Dans la partie droite, un peu de lumière perce entre les nuages, révélant les interstices d'un ciel encore bleu. Le peintre crée par un jeu d'ombre et de lumière captivant un effet de changement de temps à la fois fascinant et menaçant. Les tableaux de Johann Gottfried Steffan continuent aujourd'hui encore à séduire par leur délicatesse picturale et une maîtrise exceptionnelle dans le rendement des nuances atmosphériques. Dans sa jeunesse, l'observation sensible de la nature des peintres de l'école de Barbizon l'avait impressionné, son œuvre prouve qu'il n'a plus rien à leur envier.

Le paysagiste lucernois Robert Zünd est sans doute un des peintres les plus populaires du 19e siècle en Suisse. Né à Lucerne dans une famille bourgeoise aisée, il a la chance de recevoir très jeune des leçons particulières chez des artistes locaux avant de partir

ris gezeigt. Napoleon III. kaufte es für eine Rekordsumme von 15'000 Francs-or.

Johann Gottfried Steffan wurde 1815 als einziges Kind einer wohlhabenden, alteingesessenen Bauernfamilie in Wädenswil im Kanton Zürich geboren.

Nach einer Lithografenlehre bei Friedrich Allamand in Wädenswil zog der 18-jährige Johann Gottfried nach München, wo er weiter als Lithograf arbeitete. Daneben schrieb er sich für den Zeichenunterricht am Polytechnikum ein. Kurze Zeit später wurde er an der Kunstakademie Schüler von Peter von Cornelius und Julius Schnorr von Carolsfeld. Ab 1840 wandte sich Steffan endgültig der Malerei zu. Er heiratete Emilie Hoffmann, die ebenfalls aus Wädenswil stammte, Das Paar hatte neun kinder. Der Maler blieb mit seiner Familie zeit seines Lebens in München, ohne jedoch seine Beziehungen zur Schweiz abzubrechen. Er unternahm regelmässig Studienreisen in seine Heimat und pflegte enge Kontakte mit seinen helvetischen Malerfreunden. Die Begeisterung für die Darstellungen von Gebirgen in der Malerei des 19. Jahrhunderts fiel in der Schweiz auf fruchtbaren Boden. Das verbindende Motiv der Berggipfel war in der Schweiz sehr erfolgreich und wurde zu einem bevorzugten Thema zahlreicher Maler der damaligen Zeit. Schon in seinen jungen Jahren stiessen die alpinen Landschaften von Steffan auf beträchtliches Interesse, so dass er seine Gemälde nicht nur in Deutschland und der Schweiz verkaufen konnte, sondern auch in Wien, London und Prag eine wohlhabende Kundschaft gewann. Auch Museen erwarben seine Werke.

Das Motiv des Gemäldes *Der Hintere Murgsee* (Kat. 2) liegt in den St. Galler Alpen. Der Betrachter nähert sich dieser Komposition über einen mit Felsbrocken übersäten Boden, der bis zum See reicht und von einem unruhigen Licht erleuchtet wird, das ein aufziehendes Gewitter ankündigt. In Schatten getauchte Berge sind in dunklen Farbtönen dargestellt und grenzen den Horizont ab. Grauer, dichter Nebel kriecht über die Gipfel am linken Bildrand. Auf der rechten Seite dringt ein wenig Licht durch die Wolken und macht den Blick frei auf ein paar Flecken blauen Himmels. Der Maler beschwört durch ein fesselndes Spiel von Licht und Schatten das Gefühl eines Wetterwechsels herauf, der zugleich faszinierend und bedrohlich wirkt. Die Gemälde von Johann Gottfried Steffan verführen auch heute noch durch ihre bildliche Feinheit und eine aussergewöhnlich gekonnte Darstellung von atmosphärischen Nuancen. In seiner Jugend zeigte sich Steffan beeindruckt von der präzisen Beobachtung der Natur der Schule von Barbizon. Sein Werk beweist, dass er diesen Künstlern in nichts nachsteht.

Der Luzerner Landschaftsmaler Robert Zünd ist zweifellos einer der populärsten Maler des 19. Jahrhunderts in der Schweiz. Er wurde 1827 als Sohn einer betuchten gutbürgerlichen Familie in Luzern geboren und konnte

1
Alexandre Calame
Grands sapins | *Grosse Tannen*
Non daté | undatiert
Huile sur papier sur toile | Öl auf Papier über Leinwand
52,3 × 43, 3 cm

en 1848 à Genève. D'abord, il suit l'enseignement de François Diday puis il entre comme élève dans l'atelier d'Alexandre Calame, spécialiste des vues alpines, où l'on apprend à peindre des études sur le motif. Suivent des séjours de formation à Munich et à Paris. En 1853 il épouse la lucernoise Theresia Bühler, qui mettra au monde deux filles, Emilia et Maria Franziska. A partir de 1863, Zünd cesse de voyager. Le peintre se retire avec sa famille à Lucerne où il se fait construire une maison avec un atelier. Son œuvre et sa vie se limitent désormais aux environs de Lucerne.

Dès 1860, s'inspirant de sa région, Robert Zünd peint des paysages tranquilles et un peu idéalisés en harmonie avec la campagne alentour. Sa vénération contemplative et silencieuse de la nature, l'apparente à certains de ses contemporains comme Camille Corot. La position particulière que le peintre de Lucerne occupe dans l'histoire de la peinture suisse est due à la fusion d'une technique picturale héritée des maîtres anciens avec une perception de la lumière influencée de l'école flamande du 17e et des peintres de Barbizon. Ses *paysages intimes* s'inscrivent dans la tradition Biedermeier, où le peintre ne vise aucun effet spectaculaire, mais cherche à recréer l'atmosphère des vues pittoresques qu'il affectionne. Son style de peinture naturaliste, méticuleux, inégalé dans sa richesse de détails participe de la grande popularité dont jouit Zünd encore de nos jours.

Le schéma de composition se révèle identique dans les quatre tableaux de la collection Blocher *Lac des Quatre-Cantons, vue sur le Vitznaustock* (cat.2), *Clairière de Chênes* (cat. 4), *Schellenmatt avec vaches* (cat. 5), *Ramassage de foins* (cat. 6). Dans ces quatre paysages le sol au premier plan et le ciel se partagent la surface dans une proportion un tiers / deux tiers. Les arbres rendus avec des feuillages minutieusement observés complètent ces représentations. Plusieurs figures et animaux occupent une fonction purement accessoires et servent à sublimer ces scènes bucoliques.

Zünd affectionne particulièrement le thème de la récolte des foins. Il en réalise de nombreuses variations, selon la même trame. Le tableau *Récolte des foins /* (cat. 6) est considéré comme un chef-d'œuvre dans son corpus. Le paysage *Lac des Quatre Cantons, vue sur la chaîne de Vitznau* (cat. 3) est un exemple remarquable de son art. Il traite la lumière avec délicatesse, les ombres portées des arbres et des vaches dans l'eau sont discrètes. Le très beau vert allumé de la prairie suggère un jour de printemps comme la présence des bovins.

Les tableaux à thèmes bibliques apparaissent entre 1867 et 1877. *Le chemin d'Emmaüs,* (cat. 7) mérite

deshalb schon sehr früh Unterricht bei örtlichen Künstlern nehmen. 1848 zog er nach Genf, wo er zunächst bei François Diday studierte und danach als Schüler in das Atelier von Alexandre Calame eintrat: ein Meister der alpinen Landschaften, bei dem er die Freilichtmalerei erlernte. Es folgten Bildungsaufenthalte in München und Paris. 1853 heiratete er die Luzernerin Theresia Bühler, die ihm die beiden Töchter Emilia und Maria Franziska gebar. Ab 1863 reiste Zünd nicht mehr und zog sich mit seiner Familie nach Luzern zurück, wo er ein Haus mit Atelier bauen liess. Sein Leben und Werk waren ab dieser Zeit auf die Umgebung von Luzern beschränkt.

Ab 1860 malte Robert Zünd, inspiriert durch seine Region, ruhige und ein wenig idealisierte Landschaften, die mit ihrer Umgebung in Einklang stehen. In seiner kontemplativen und stillen Verehrung der Natur steht er einigen seiner Zeitgenossen wie Camille Corot nahe. Die besondere Stellung, die der Luzerner Künstler in der Geschichte der Schweizer Malerei einnimmt, ist begründet durch die Verschmelzung einer von alten Meistern übernommenen minuziösen Maltechnik, verbunden mit der Wahrnehmung des Lichts in Gemälden der flämischen Schule des 17. Jahrhunderts und der Maler von Barbizon. Seine «intimen Landschaften» gliedern sich in die Biedermeier-Tradition ein, worin der Maler keinen aufregenden Effekt sucht, sondern vielmehr die Atmosphäre der malerischen Ansichten neu erschaffen will, die ihm naheliegen. Zünds naturalistischer, sorgfältiger Malstil mit einer unvergleichbaren Fülle an Details trägt auch heute noch zur grossen Beliebtheit des Malers bei.

Das Kompositionsschema der vier Gemälden von Robert Zünd in der Sammlung Blocher ist identisch *Am Vierwaldstättersee,* (Kat. 2), *Eichwaldlichtung,* (Kat. 4), *Schellenmatt mit Kühen,* (Kat. 5) und *Heuernte,* (Kat. 6): In allen vier Landschaften nimmt der Boden im Vordergrund einen Drittel der Bildfläche ein, der Himmel zwei Drittel. Die Bäume mit ihrem akribisch gemalten Blattwerk runden diese Darstellungen ab. Mehrere Figuren und Tiere erfüllen eine rein nebensächliche Funktion und dienen einzig dazu, diese idyllischen Szenen zu untermalen.

Zünd hegte eine besondere Vorliebe für das Thema der Heuernte. Er malte zahlreiche Variationen, immer nach demselben Schema. Das Gemälde *Heuernte* (Kat. 6) gilt als eines seiner Meisterwerke. Ein weiteres herausgendes Beispiel seines Könnens ist die Landschaft *Am Vierwaldstättersee mit Blick auf den Vitznaustock* (Kat. 3). Hier behandelt er das Licht mit einer besonderen Feinheit, während die Schatten der Bäume und Kühe im Wasser leicht verschwommen und dezent wirken. Das leuchtende Grün der Wiesen und die grasenden Tiere deuten auf einen Frühlingstag hin.

Zwischen 1867 und 1877 entstand eine Serie von Gemälden mit biblischen Themen. *Der Gang nach Emmaus* (Kat. 7) verdient hier eine besondere Erwähnung, da es

2
Johann Georg Steffan
Lac inférieur de Murg | Der hintere Murgsee
1878
Huile sur toile | Öl auf Leinwand
99 × 128 cm

une attention particulière car s'écartant des thèmes habituels. Profondément religieux, Zünd a déclaré à son ami peintre Jost Muheim, qu'il considérait la religion et l'art comme le bien le plus précieux dans la vie. Jésus et les deux disciples ne sont plus des figurants pour animer un décor. Ils forment, malgré leur petite taille, le sujet principal et marchent dans une forêt lucernoise, magnifiée par des nuances de verts allant du sombre au plus clair et brossée selon la tradition du paysage idéalisé du 17e siècle, d'après le modèle de Claude Lorrain.

Sur le chemin de notre tableau les deux disciples traversent en compagnie de Jésus la forêt sans Le reconnaître (saint Luc, chap.24, verset 13). Zünd veut ainsi rappeler que le chemin d'Emmaüs est celui de l'écoute et de l'accueil de la Parole de Dieu qui doit guider les chrétiens. Dès lors, on peut interpréter certains paysages de Robert Zünd comme porteurs de ce message divin et imprégnés d'une certaine spiritualité.

von den gewohnten Themen abweicht. Zünd, der zutiefst religiös war, hatte gegenüber seinem Malerfreund Jost Muheim erklärt, für ihn seien Religion und Kunst die kostbarsten Güter im Leben. Im erwähnten Gemälde sind Jesus und seine beiden Jünger nicht mehr nur Figuren, die eine Kulisse beleben sollen. Vielmehr bilden sie hier trotz ihrer geringen Grösse das Hauptsujet. Sie wandeln durch einen Luzerner Wald, der verherrlicht wird durch eine vielfältige Palette von dunklen bis hellsten Grüntönen und in der Tradition der idealisierten Landschaft des 17. Jahrhundert im Stil von Claude Lorrain gemalt ist.

Auf ihrem Weg durch den Wald begleiten die beiden Jünger Jesus, ohne Ihn aber zu erkennen (Lukas-Evangelium, Kap. 24, Vers 13 ff). Hier wollte Zünd wohl erinnern, dass der Gang nach Emmaus darin besteht, auf das Wort Gottes, das die Christen leiten soll, zu hören und es anzunehmen. Man kann einige der Werke von Robert Zünd, die durchdrungen sind von einer gewissen Spiritualität, durchaus als Überträger dieser biblischen Botschaft interpretieren.

3
Robert Zünd
Lac des Quatre-Cantons, vue sur le Vitznaustock | Am Vierwaldstättersee mit Blick auf den Vitznaustock
Non daté | undatiert
Huile sur toile | Öl auf Leinwand
85 × 113 cm

4
Robert Zünd
Clairière de chênes | Eichwaldlichtung
Non daté | undatiert
Huile sur toile | Öl auf Leinwand
76,5 × 52 cm

5
Robert Zünd
Schellenmatt avec vaches | *Schellenmatt mit Khühen*
Non daté | undatiert
Huile sur toile | Öl auf Leinwand
61,5 × 81,5 cm

6
Robert Zünd
La récolte de foins | *Heuernte*
Non daté | undatiert
Huile sur toile | Öl auf Leinwand
61,5 × 81,5 cm

7
Robert Zünd
Le chemin d'Emmaüs | *Der Gang nach Emmaüs*
Um | vers 1877
Huile sur toile | Öl auf Leinwand
100 × 140 cm

Rhétorique de l'allusion
Benjamin Vautier

Matthias Frehner

Benjamin Vautier est, avec Albert Anker, le peintre le plus important de scènes de genre du jeune État fédéral suisse. Comme Anker, il est actif à l'échelle internationale et « interconnecté ». Alors qu'Anker s'intéresse au réalisme français, Vautier s'inspire principalement de l'idéalisme allemand de l'Académie de Düsseldorf, où il se spécialise dans le genre paysan et devient l'un des artistes allemands les plus réputés. De même qu'Anker, qui avait étudié la théologie protestante avant de devenir peintre, Vautier a fait des scènes de la pratique religieuse contemporaine le sujet de sa peinture. Tous deux réagissent ainsi à la prétendue « lutte culturelle » que le dogme de l'infaillibilité du pape décrété en 1870 avait déclenchée entre catholiques et protestants. Anker et Vautier ne laissent aucun doute sur leur position, mais formulent leur critique avec prudence, selon la devise de Schiller « Vivre et laisser vivre ». Anker défend ce point de vue dans son tableau *Les Deux Ecclésiastiques* de 1873 (Cat. 21) : il y juxtapose le « vieux clergé protestant s'enflammant pour des conceptions plus libres de la religion » et un « élève jésuite fidèle à sa conviction » muni d'œillères, comme le disent les critiques de l'époque[1].

Dans la peinture de Vautier *La Confession involontaire*, le prêtre catholique est représenté dans une situation où il ne se comporte manifestement pas comme il le devrait selon les valeurs éthiques et chrétiennes de son ministère. Il est assis derrière son église, à côté du cimetière, sur un banc situé sous un vieil arbre, et lit apparemment un bréviaire. Deux jeunes femmes viennent de s'arrêter près du robuste tronc d'arbre et échangent des confidences. Le pasteur ne fait pas connaître sa présence, mais suit la conversation les yeux fermés, comme s'il s'était assoupi, au cas où il serait découvert. Mais il est évident qu'il ne dort pas mais écoute attentivement pour quiconque regarde le tableau. Si le pasteur, avec ses chaussures à boucle et son ombrelle, dormait, il ne garderait pas son bréviaire ouvert au niveau du nez. Vautier ne révèle rien de ce dont parlent les jeunes femmes. Ni l'une ni l'autre ne tient une lettre ou une fleur, ce qui pourrait évoquer un contexte amoureux. Mais l'expression quelque peu anxieuse du visage de l'une et les traits plutôt joyeux de l'autre nous orientent dans cette direction. Le langage des mains renforce encore cette impression. Cependant, une indication claire est fournie par un élément que l'on trouve dans la deuxième

---

[1] Voir Cat. n° 21, p. 89.

Rhetorik der Andeutung
Benjamin Vautier

Matthias Frehner

Benjamin Vautier ist neben Albert Anker der wichtigste Maler von Genreszenen in der Schweiz des jungen Bundesstaates. Und wie Anker war er international tätig und vernetzt. Setzte sich Anker mit dem französischen Realismus auseinander, so bezog Vautier seine Anregungen hauptsächlich aus dem deutschen Idealismus der Düsseldorfer Akademie, wo er sich auf das Bauerngenre spezialisierte und zu einem der erfolgreichsten Künstler in Deutschland avancierte. Wie Anker, der protestantische Theologie studiert hatte, bevor er Maler werden konnte, hat Vautier Szenen zeitgenössischer Religionsausübung zum Thema seiner Genremalerei gemacht. Beide reagierten damit auf den sogenannten „Kulturkampf", den das Unfehlbarkeitsdogma des Papstes von 1873 (Kat. 21) zwischen Katholiken und Protestanten ausgelöst hatte. Anker und Vautier lassen keinen Zweifel daran, auf welcher Seite sie dabei stehen, formulieren ihre Kritik jedoch verhalten nach Schillers Maxime „leben und leben lassen". Diesen Standpunkt vertritt Anker in seinem Gemälde *Die beiden Pfarrer* von 1873: Dem, wie die Zeitkritik formulierte, „für freiere Religionsbegriffe schwärmenden alten protestantischen Geistlichen" stellte er einen „überzeugungstreuen Jesuitenzögling" mit Scheuklappen gegenüber.[1]

Der katholische Priester auf Vautiers Gemälde *Unfreiwillige Beichte* ist in einer Situation dargestellt, in der er sich eindeutig nicht so verhält, wie er dies den ethischen und christlichen Wertvorstellungen seines Berufs gemäss müsste (Kat. 8). Er sitzt hinter seiner Kirche neben dem Friedhof auf einer Ruhebank unter einem alten Baum und liest scheinbar in einem Brevier. Zwei junge Frauen sind gerade neben dem mächtigen Stamm stehen geblieben und tauschen Vertraulichkeiten aus. Der Geistliche macht sich nicht bemerkbar, sondern lauscht dem Gespräch mit geschlossenen Augen, so dass er den Eindruck eines Schlafenden vermittelt, falls er entdeckt wird. Dass er jedoch nicht schläft, sondern angespannt zuhört, ist für die Betrachterinnen und Betrachter des Bildes offensichtlich. Schliefe der herausgeputzte Geistliche mit den Schnallenschuhen und dem Sonnenschirm, hielte er sein offenes Brevier nicht auf Nasenhöhe. Worüber die jungen Frauen sprechen, lässt Vautier offen. Keine von beiden hat einen Brief oder eine Blume in der Hand, woraus auf einen amourösen Kontext geschlossen werden könnte. Dieser liegt jedoch in der

---

[1] Vgl. Kat. Nr. 21, S. 89

version dans un format plus petit du tableau présentée ici. Dans la première version, acquise par la Commission d'art de Bâle en 1881, le lierre grimpant le long du tronc d'arbre derrière le prêtre est absent. Ce lierre à feuilles persistantes est un symbole d'amour. La manière dont Vautier a peint la branche de lierre suggère encore une autre idée, celle du serpent séducteur du Paradis. Vautier donne ainsi l'image d'un ecclésiastique vaniteux qui n'accomplit pas les devoirs de son ministère. Par cette rhétorique qui fait allusion à des sujets émoustillants, Vautier rejoint le goût du public contemporain.

8
Benjamin Vautier
La confession involontaire | Unfreiwillige Beichte
1881
Huile sur toile | Öl auf Leinwand
72 × 93,5 cm

Luft. Der etwas bange Gesichtsausdruck der einen, die eher heiteren Züge der anderen lenken die Wahrnehmung in diese Richtung. Und auch die Sprache der Hände vertieft diesen Eindruck. Einen eindeutigen Hinweis gibt jedoch eine Zutat, die Vautier auf der hier vorliegenden etwas kleineren Zweitversion angebracht hat. In der ersten Fassung, welche die Basler Kunstkommission 1881 erworben hatte, fehlt noch der Efeu, der sich hinter dem Priester den Stamm hinaufrankt. Der immergrüne Efeu, der den Stamm umarmt, ist ein Liebessymbol. So wie Vautier den Zweig gemalt hat, kommt jedoch noch eine weitere Vorstellung ins Spiel, die der verführenden Paradiesesschlange. Alles in allem entwirft Vautier das Bild eines eitlen Geistlichen, der seinen eigentlichen Aufgaben nicht wirklich nachkommt. Mit dieser Rhetorik der Andeutung pikanter Inhalte traf Vautier den Geschmack des zeitgenössischen Publikums.

Pas les bienvenus !
Edouard Castres

Matthias Frehner

À l'instar de ses collègues Albert Anker et Benjamin Vautier, Édouard Castres s'est intéressé à la vie contemporaine qui avait cours dans le jeune État fédéral. Castres savait aussi représenter les gens de manière convaincante. Après une formation de peintre émailleur à Genève, il devient élève de Barthélemy Menn, comme Ferdinand Hodler plus tard. En 1859, il s'installe à Paris pour étudier à l'École des beaux-arts. Il adopte le style du peintre à succès Ernest Meissonier, sans faire sien son penchant pour la théâtralité. Castres a été témoin de la guerre franco-allemande de 1870-1871 et a vécu le passage de la frontière par l'armée de l'Est, vaincue, du général Bourbaki aux Verrières le 1er février 1871. Les 88 000 soldats français furent internés en Suisse, ce qu'Anker a également suivi avec sympathie à Inns. En 1880-1881, Castres restitue, avec l'objectivité d'un reporter-photographe, la misère des réfugiés désorganisés ainsi que l'aide qui leur est apportée dans son célèbre *Panorama*, que l'on peut aujourd'hui voir à Lucerne. Cette immense peinture convainc par sa capacité à structurer la composition et à l'unifier grâce à la densité de l'atmosphère induite par le vaste paysage enneigé.

Dans la collection de Christophe Blocher, le tableau *Scène d'hiver*, peint en 1877, est empreint de la froidure d'un paysage enneigé dans lequel s'avance une colonne de gens escortés par des cavaliers. Le rendu de la neige, avec des dégradés de lumière incroyablement différenciés, fait penser au paysage d'hiver à Inns peint par Anker. À l'instar de celui-ci, Castres a su capter la scène avec une spontanéité impressionniste. Qui sont ces personnages ? Pourquoi sont-ils accompagnés par la police ? Où vont-ils ? Une peinture de genre déploierait tout cela en un récit. Castres, lui, ne fait que suggérer : la mise romantique de l'homme en tête de la file est le signe implicite de sa qualité de gitan. Ses mains nues qu'il a glissées dans ses poches de pantalon révèlent qu'il a froid. L'expression des spectateurs, à savoir deux hommes ferrant un cheval, une jeune femme sur un palier tenant un enfant dans ses bras et deux vieux au second plan, montre sans ambiguïté que ce cortège de saltimbanques, qui comprend également deux ours, n'est pas le bienvenu et est considéré avec suspicion. Sans jeter un regard ni sur la maison ni sur ses habitants, le chef habillé en rouge avance tête baissée. Quel que soit ce groupe de voyageurs, le message est clair : vous n'êtes pas ici les bienvenus.

Nicht willkommen
Edouard Castres

Matthias Frehner

Wie seine Kollegen Albert Anker und Benjamin Vautier befasste sich Edouard Castres mit dem zeitgenössischen Leben im jungen Bundesstaat. Und Castres war ebenfalls ein überzeugender Menschendarsteller. Nach einer Ausbildung zum Emailmaler in Genf wurde er dort wie später Hodler Schüler von Barthélemy Menn. 1859 übersiedelte er nach Paris, um an der Ecole des Beaux-Arts zu studieren. Er nahm den Stil des Erfolgsmalers Ernest Meissonier auf, ohne dessen Theatralik zu verfallen. Castres war Zeuge des Deutsch-Französischen Kriegs 1870/71 und erlebte den Grenzübertritt der besiegten Ostarmee von General Bourbaki in La Verrières am 1. Februar 1871. In der Schweiz wurden die 88 000 Franzosen interniert, was auch Anker in Ins mit Anteilnahme verfolgte. Das Elend der ungeordnet Flüchtenden wie auch die Hilfeleistung hat Castres 1880-81 in seinem berühmten Panorama, das heute in Luzern zu besichtigen ist, mit der Objektivität eines Reportagefotografen wiedergegeben. Das *Panorama* überzeugt durch seine Fähigkeit, das Riesengemälde kompositorisch zu gliedern und durch die dichte Stimmung der weiten Schneelandschaft zu vereinheitlichen.

Die *Winterszene mit Gauklern, Tanzbär und Gendarmen* in der Sammlung Blocher, die um 1877 entstanden ist, nimmt die kalte Stimmung einer Schneelandschaft vorweg und zeigt ebenfalls einen von Berittenen eskortierten Zug von Menschen. Castres Wiedergabe des Schnees in ungemein differenzierten Lichtabstufungen erinnert an Ankers Inser Winterbild. Castres war wie Anker fähig, eine Landschaft mit impressionistischer Spontaneität einzufangen. Wer die Artisten sind, warum sie von Polizei begleitet werden, wohin sie ziehen – all das würde ein Genregemälde zu einer Erzählung ausbreiten. Castres deutet nur an: Dass der vorausschreitende Anführer der Gruppe ein Zigeuner sein könnte, macht seine romantische Räuberkleidung deutlich. Dass er friert, verraten seine nackten Hände, die er in die Hosentaschen gesteckt hat. Dass der ganze Gauklerzug, der auch zwei Bären mit sich führt, nicht willkommen ist und mit Argwohn beobachtet wird, machen die Zuschauer deutlich, die beiden Männer, die gerade ein Pferd beschlagen, die junge Frau mit dem Kind auf dem Arm auf dem Treppenabsatz sowie die beiden Alten im Bildmittelgrund. Ohne einen Blick auf das Haus und seine Bewohner zu werfen, schreitet der rote Anführer mit gesenktem Blick voran. Wer immer diese Reisegruppe ist, die Botschaft ist klar: Ihr seid nicht willkommen.

9
Edouard Castres
Paysage en hiver avec saltimbanques, ours savants et
gendarmes | Winterszene mit Gauklern, Tanzbär und Gendarmen
Vers 1877 | um 1877
Huile sur toile | Öl auf Leinwand
75 × 110 cm

L'œuvre d'un génie débridé
Rudolf Koller

Matthias Frehner

Ungebremst genial
Rudolf Koller

Matthias Frehner

Rudolf Koller était un artiste éminemment polyvalent. Sa *Mi-journée de repos*, peinte en 1860 et exposée au Salon de Paris, a incité Gustav Courbet à peindre *La Sieste pendant la saison des foins* en 1867[1]. Il a également réalisé des portraits à la psychologie pénétrante ainsi que des études de paysages grand format empreintes de fraîcheur et de spontanéité. Peintre de plein air, Koller ne dématérialise pas les objets picturaux à travers de vibrantes ambiances colorées comme Camille Corot, mais souligne leur matérialité plastique par de subtils dégradés de couleurs. En 1873, au zénith de son talent artistique, il est chargé par la direction des Chemins de fer suisses du Nord-Est de réaliser un tableau destiné à être offert en cadeau d'adieu au pionnier du chemin de fer Alfred Escher, lequel s'est consacré au difficile financement de la ligne ferroviaire du Saint-Gothard. Koller a donc opté pour une représentation du site. Après s'être rendu au Saint-Gothard, il a choisi comme motif une diligence tirée par un attelage de cinq chevaux qui dévale à toute vitesse la route du col en lacets et effraie un troupeau de vaches et de veaux. Il l'a mise en scène tel un torrent impétueux qui balaie tout ce qui lui barre le passage. Un veau tente de fuir dans la panique, tandis que les chevaux de trait se cabrent devant l'obstacle inattendu et que le cocher lève son fouet d'un mouvement brusque pour garder le contrôle de la situation. Cette scène emplie de tension – la collision peut-elle être évitée au dernier moment ou entraînera-t-elle une catastrophe ? – présente un caractère dramatique incomparable qui anticipe les scènes de cascades les plus spectaculaires des westerns d'Hollywood. Dans le contexte de la peinture réaliste contemporaine, le tableau doit être compris comme une « allégorie de l'accélération des moyens de transport »[2]. *La Diligence du Gothard* qu'Alfred Escher a reçue en cadeau est maintenant accrochée au Kunsthaus de Zurich. En 1874, Koller en peint une réplique pour la Schweizerische Kreditanstalt (aujourd'hui Credit suisse)

Rudolf Koller war ein eminent vielseitiger Künstler. Seine am Pariser Salon gezeigte *Mittagsruhe* von 1860 hat Gustav Courbet zu seinem Gemälde *Die Mittagsrast während der Heuernte* von 1867 angeregt.[1] Er hat auch psychisch eindringliche Porträts und grossformatig frische und spontane Landschaftsstudien geschaffen. Als Pleinairmaler hat Koller die Bildgegenstände dabei nicht wie Camille Corot in vibrierenden Farbstimmungen entmaterialisiert, sondern mittels subtiler Farbabstufungen ihre plastischen Materialität hervorgehoben. Im Zenit seiner künstlerischen Fähigkeiten erhielt er 1873 von der Direktion der Schweizerischen Nordostbahn den Auftrag, zur Verabschiedung des Eisenbahnpioniers Alfred Escher ein Gemälde-Geschenk zu schaffen. Escher wollte sich fortan der schwierigen Finanzierung der Gotthardbahn widmen. Koller entschied sich deshalb für eine Darstellung des Gotthards. Er begab sich auf den Gotthard und wählte schliesslich als Motiv die eine serpentinenartige Passtrasse hinunterrasende fünfspännige Gotthardpost, die eine Herde von Rindern und Kälbern aufschreckt. Er inszenierte sie als einen reissenden Katarakt, der alles wegfegt, was sich ihm entgegenstellt. Ein Kalb versucht in Panik zu fliehen, während die Zugpferde vor dem unerwarteten Hindernis zurückschrecken und der Kutscher in wildem Schwung mit der Peitsche ausholt, um die Situation in den Griff zu bekommen. Diese Szene höchster Spannung – kann die Kollision im letzten Augenblick verhindert werden oder kommt es zur Katastrophe? – ist an Dramatik nicht zu überbieten und antizipiert Filmstunts aus Hollywoods spektakulärsten Western. Im Kontext der zeitgenössischen Malerei des Realismus ist das Gemälde als eine „Allegorie auf die Beschleunigung der Verkehrsmittel"[2] zu verstehen. Die *Gotthardpost*, die Alfred Escher als Geschenk erhalten hat, hängt heute im Kunsthaus Zürich. 1874 malte

---

[1] Christian Klemm, « Die Kunst im jungen Bundesstaat », dans *Von Anker bis Zünd. Die Kunst im jungen Bundesstaat 1848-1900*, cat. exp. Kunsthaus Zürich, Zurich 1998, p. 206-207.

[2] *Ibid.*, p. 222.

[1] Christian Klemm, „Die Kunst im jungen Bundesstaat", in: *Von Anker bis Zünd. Die Kunst im jungen Bundesstaat 1848-1900*, Ausst.-Kat. Kunsthaus Zürich, Zürich 1998, S. 206-207.

[2] Ebd., S. 222.

10
Rudolf Koller (1853 – 1918)
La diligence de Gothard (première version) | *Die Gotthardpost (frühe Fassung)*
1873
Huile sur toile | Öl auf Leinwand
64,5 × 53,7 cm

fondée par Escher. Plusieurs études préliminaires l'ont conduit à la composition définitive. L'une d'elles, qui reproduit le tracé de la route du col, mais sans diligence ni animaux, se trouve également au Kunsthaus de Zurich. La première version, qui fait partie de la collection Blocher, contient déjà l'idée du veau fuyant la diligence (Cat. 10). Cette scène apparaît dans le zoom, les lacets de la Tremola en arrière-plan étant, eux, absents.

Les versions finales sont des chefs-d'œuvre de la peinture vériste qui, en termes de perfection et d'éclat, n'ont rien à envier à Jean-Léon Gérôme, figure emblématique des Salons parisiens. La représentation des chevaux au galop qui se cabrent soudainement est également brillante et souligne le rang de premier plan occupé par Koller à son époque comme peintre animalier. La relation entre la première version et les deux versions finales est identique à celle qui existe entre un *bozzetto* de Rubens et le tableau achevé du retable. C'est ici et seulement ici que l'artiste laisse libre cours à sa créativité sans faire de concessions à son public officiel, et que sa spontanéité artistique, sa verve et son génie se manifestent hors de tout contrôle. Cette étude de *La Diligence du Gothard* anticipe l'expressionnisme du XXᵉ siècle dans son style pictural, tandis que la représentation de la vitesse anticipe le thème central du futurisme. C'est la peinture la plus moderne de toute la série.

Koller für die von Escher gegründete Schweizerische Kreditanstalt (heute Credit Suisse) eine Replik. Zur definitiven Komposition führten ihn mehrere Vorstudien. Eine, die den Verlauf der Passstrasse wiedergibt, jedoch noch ohne Kutsche und Tiere, befindet sich ebenfalls im Kunsthaus Zürich. Die frühe Fassung in der Sammlung Blocher enthält bereits die Idee des vor der Kutsche fliehenden Kalbs (Kat. 10). Diese Szene erscheint im Zoom, die Schlaufen der Tremola im Hintergrund fehlen.

Die Endfassungen sind Glanzstücke veristischer Malerei, die in Punkto Perfektion und Glanz dem Pariser Salonheroen Jean-Léon Gérôme in Nichts nachstehen. Auch die Darstellung der in vollem Galopp plötzlich zurückschreckenden Pferde ist brillant und unterstreicht Kollers Stellung als führender Tiermaler seiner Zeit. Die frühe Fassung steht im gleichen Verhältnis zu den beiden Schlussfassungen wie ein Bozzetto von Rubens zur ausgearbeiteten Altartafel. Nur dort, wo der Künstler ohne Zugeständnisse an sein offizielles Publikum schöpferisch tätig ist, offenbaren sich seine künstlerische Spontaneität, Verve und Genialität ungebremst. Die vorliegende Studie der Gotthardpost antizipiert im malerischen Duktus den Expressionismus des 20. Jahrhunderts, während die Darstellung von Geschwindigkeit das Zentralthema des Futurismus vorwegnimmt. Sie ist das modernste Bild der ganzen Reihe.

L'instant décisif
Albert Anker

Matthias Frehner

Les deux tableaux *La Distribution de soupe* de 1859 et *La Petite Amie* de 1862 font partie des premiers exemples du genre contemporain et réaliste d'Albert Anker, manière qui a permis à l'artiste d'attirer rapidement l'attention ainsi que de remporter des prix, à la fois au Salon de Paris et en Suisse à l'occasion des expositions itinérantes qui avaient lieu tous les deux ans (Cat. 11, 12). Cela peut sembler étonnant du point de vue actuel étant donné que l'univers visuel d'Anker confrontait le public citadin à des scènes typiques du monde rural. Les descriptions de l'environnement d'Anet peintes par Anker étaient convaincantes du fait qu'il montrait non pas des clichés provinciaux manquant de moralité, mais plutôt des personnalités bienveillantes qui font instinctivement ce qui est juste d'un point de vue éthique. Son réalisme était perçu comme authentique, car il n'embellissait ni ne ridiculisait rien. Aux yeux de ses contemporains, Anker révélait par ses peintures qu'il existait encore des communautés locales originales et intactes à l'ère de l'industrialisation.

Ses scènes de genre réalistes sont toujours le reflet de la réalité. Comme ce fut par la suite l'objectif du photographe Henri Cartier-Bresson, Anker s'était donné pour mission de repérer l'« instant décisif », ce qui consiste pour l'artiste à prélever l'image révélatrice dans le flot d'impressions du réel de façon à laisser un témoignage significatif[1]. Cartier-Bresson installait l'appareil photo, cadrait et déterminait l'intensité lumineuse. Anker utilisait son savoir-faire artistique de façon semblable. En effet, cette citation de Theodor Fontane au sujet du réalisme s'applique parfaitement à lui : « Le réalisme est la restitution artistique (et non la simple copie) de la vie. »[2]

La Distribution de soupe montre l'aide sociale, telle qu'elle est mise en œuvre aujourd'hui envers les sansabris. À la différence près que, dans ce tableau de 1859,

Der entscheidende Augenblick
Albert Anker

Matthias Frehner

Die beiden Gemälde *Die Armensuppe* von 1859 und *Die kleine Freundin* von 1862 sind frühe Beispiele von Ankers zeitgenössisch-realistischem Genre, mit dem er sowohl in Paris im Salon als auch in der Schweiz in den alle zwei Jahre stattfindenden Turnus-Ausstellungen rasch Aufmerksamkeit und Auszeichnungen erlangen konnte (Kat. 11, 12). Dies mag aus heutiger Sicht erstaunen, denn Ankers Bildwelt konfrontierte das städtische Publikum mit lauter Szenen aus einer rückständigen Provinz. Ankers Milieuschilderungen aus Ins waren überzeugend, weil er keine provinziellen Typen mit moralischen Defiziten vorführte, sondern überzeugende Persönlichkeiten, die in ethischer Hinsicht instinktiv das Richtige tun. Sein Realismus wurde, weil er nichts beschönigte und verniedlichte, als wahr empfunden. Anker Bilder belegten in den Augen der Zeitgenossen, dass es im Zeitalter der Industrialisierung noch ursprünglich-intakte Lebensgemeinschaften gab.

Seine realistischen Genreszenen sind immer geschaute Wirklichkeit. Wie später dem Fotografen Henri Cartier-Bresson ging es Anker um das Aufspüren des „entscheidenden Augenblicks", in dem der Künstler aus der Flut möglicher Wirklichkeitseindrücke das entscheidende Bild herauspräpariert, um eine essentielle Aussage machen zu können.[1] Cartier-Bresson stellte die Kamera ein, bestimmte den Ausschnitt, entschied sich für die Lichtintensität. Entsprechend hatte Anker sein malerisches Können eingesetzt, denn, was der gleichaltrige Theodor Fontane über den Realismus sagte, gilt genauso für ihn: „Realismus ist die künstlerische Wiedergabe (nicht das blosse Abschreiben) des Lebens."[2]

Die *Armensuppe* zeigt Sozialhilfe, wie sie heute von Gassenküchen für Obdachlose praktiziert wird. Im Bild von 1859 ist es allerdings nicht die Gemeinschaft, die

[1] Henri Cartier-Bresson, *Auf der Suche nach dem rechten Augenblick*, Berlin, 1998, p. 17.

[2] Theodor Fontane, *Aus Entwürfen zu einem nie ausgeführten Aufsatz über Emile Zolas « La Fortune des Rougon » (1871),* dans *Romanpoetik in Deutschland von Hegel bis Fontane*, publié par Hartmut Steinecke, Tubingue, 1984, p. 127.

[1] Henri Cartier-Bresson, *Auf der Suche nach dem rechten Augenblick*, Berlin 1998, S. 17

[2] Theodor Fontane, *Aus Entwürfen zu einem nie ausgeführten Aufsatz über Emile Zolas* La Fortune des Rougon (1871), in: Romanpoetik in Deutschland von Hegel bis Fontane, herausgegeben von Hartmut Steinecke, Tübingen 1984, S. 127.

ce n'est pas la communauté qui est en charge de ce secours aux nécessiteux, mais un particulier. Une lettre d'Anker nous informe de l'existence d'une « vieille fille, dont le père était boulanger », qui faisait à l'époque à Anet ce que mère Teresa fit plus tard à Calcutta. « Elle fournit une aide précieuse aux enfants qui quittent le marais pour aller à l'école. Avant que nous ayons les distributions de soupe, c'est elle qui la servait. »[3] Plus tard, en 1893, Anker a représenté le service offert aux pauvres par la commune dans le tableau *La Soupe des pauvres II* (musée des Beaux-Arts de Berne). Sur cette toile, les enfants sont attablés.

La bienfaitrice du tableau de 1859 donnait, elle, de la soupe que les enfants pouvaient emporter à la maison. Anker la peint de dos derrière ses fourneaux. Elle est en train de mélanger le contenu de la casserole. Les enfants du marais, où habitaient les pauvres, ouvriers journaliers et leurs familles, se serrent dans la partie gauche du tableau. Anker les montre qui attendent, sous l'œil d'un homme debout près de la porte. Les enfants forment un groupe, mais sans communiquer les uns avec les autres. Ils sont misérablement vêtus, les pieds nus et le visage tout sauf joyeux. Ils semblent intimidés et méfiants envers l'offrande qui leur est présentée. À l'inverse, les enfants de la cuisine populaire institutionnelle acceptent la nourriture comme s'il s'agissait d'une évidence. Ils sont confiants, jouent et bavardent. La soupe n'est pas le centre de l'attention. La deuxième version rend la détresse des enfants du premier tableau encore plus patente. Quelqu'un qui attend de façon aussi soumise n'appartient pas à une communauté, mais mène une existence marginale. Anker n'a pas enjolivé cet état de fait. En présentant la bienfaitrice de dos, il attire l'attention sur les enfants pour lesquels, par empathie, il a créé un espace sécurisant. En effet, la lumière chaude qui émane des fourneaux et qui éclaire les casseroles et les louches en laiton n'est pas sans évoquer l'étable de Bethléem.

La Petite Amie traite indirectement de la mort. En 1860, en Suisse, avec un taux de mortalité infantile à 46 %, la mort était bien présente. Anker a été confronté très tôt à la perte de frères et de sœurs, de parents, puis de deux de ses propres enfants. *La Petite Amie* en jupe rouge et tablier blanc, coiffée d'un chapeau de paille et tenant un épi de blé dans la main droite, rend visite à une enfant d'environ deux ans plus âgée qu'elle et qui porte une jupe de deuil noire. La première a pris la main

den Dienst an den Bedürftigen institutionell vollzieht, sondern eine Privatperson. Aus einem Brief Ankers haben wir Kenntnis von der „alten Jungfer, Tochter eines Bäckers", die damals in Ins das Gleiche tat wie später Mutter Theresa in Kalkutta. „Sie thut unendlich viel Gutes an den Kindern, die aus dem Moos in die Schule kommen. Bevor wir die Armensuppen hatten, war bei ihr Armensuppe."[3] Die später von der Gemeinde ausgerichtete Armenverpflegung hat Anker 1893 im Gemälde *Die Armensuppe II* (Kunstmuseum Bern) dargestellt. Die Kinder wurden hier an einem Tisch verköstigt.

Die Wohltäterin auf dem Bild von 1859 dagegen schenkte Suppe aus, die die Kinder nach Haus tragen konnten. Anker zeigt sie als Rückenfigur am Herd. Sie rührt in der Pfanne. Auf der linken Bildhälfte eng zusammengedrängt stehen die Kinder aus dem Moos, wo damals die armen Taglöhner und ihre Familien wohnten. Anker zeigt die Kinder beim Warten, beaufsichtigt von einem Mann, der an der Türe steht. Die Kinder bilden eine Gruppe, sie kommunizieren aber nicht miteinander. Sie sind ärmlich gekleidet und barfuss, ihre Gesichter alles andere als fröhlich. Als Verschüchterte scheinen sie der in Aussicht stehenden Gabe zu misstrauen. Ganz anderes nehmen die Kinder in der institutionellen Armenküche die Verköstigung als etwas Selbstverständliches entgegen. Sie sind selbstbewusst, spielen und unterhalten sich. Die Suppe ist nicht die Hauptsache. Die Zweitfassung macht die Not der Kinder auf dem ersten Bild deutlich. Wer so demutsvoll wartet, ist nicht Teil einer Gemeinschaft, sondern eine Randexistenz. Anker hat diesen Sachverhalt nicht beschönigt. Dadurch dass er die Wohltäterin als Rückenfigur wiedergibt, lenkt er das Interesse ganz auf die Kinder, denen seine Empathie einen Geborgenheitsraum geschaffen hat. Denn das warme Licht, das vom Herd ausgeht und die Messingpfannen und -kellen zum Leuchten bringt, gemant etwas an den Stall von Bethlehem.

Die kleine Freundin greift das Thema des Todes auf, ohne ihn direkt zu thematisieren. Die Kindersterblichkeitsrate betrug 1860 in der Schweiz 46 Prozent, entsprechend präsent war der Tod. Anker war von früh an mit dem Verlust von Geschwistern, von den Eltern und zwei seiner eigenen Kinder konfrontiert. *Die kleine Freundin* im roten Röckchen und der weissen Schürze, mit Strohhütchen und den Kornähren in der rechten Hand, besucht ein etwa zwei Jahre älteres Kind in schwarzem Trauerrock und hält mit seiner linken dessen

---

[3] Albert Anker à Julia Hürner, 30 nov. 1903, cité d'après Robert Meister (éd.), *Albert Anker und seine Welt. Briefe Dokumente Bilder*, Berne, 2000, p. 130.

[3] Albert Anker an Julia Hürner, 30. Nov. 1903, zit. nach: Robert Meister (Hrsg.), *Albert Anker und seine Welt. Briefe Dokumente Bilder*, Bern 2000, S. 130.

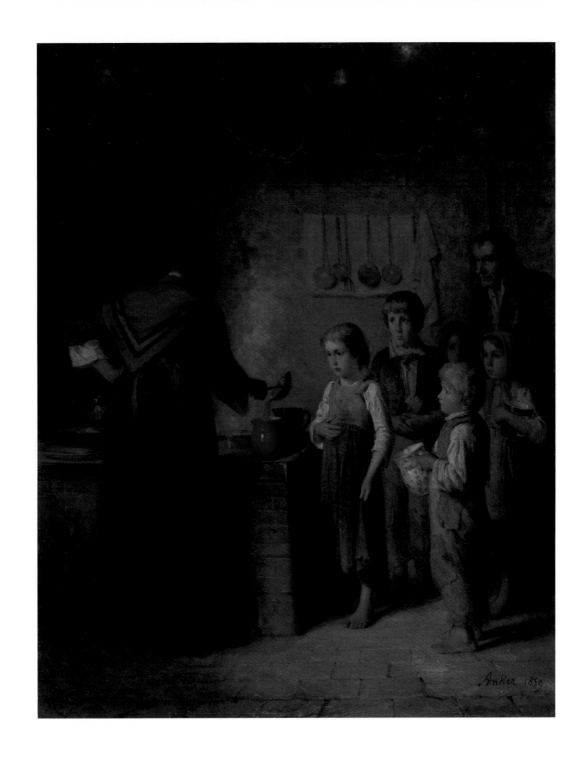

11
Albert Anker
La distribution de soupe | *Die Armensuppe*
1859
Huile sur toile | Öl auf Leinwand
81,5 × 65 cm

de la seconde dans sa main gauche. Des lettres nous informent que la sœur de la fille plus âgée a succombé à une septicémie qu'elle a contractée après avoir cueilli des violettes sous une haie épineuse[4]. Il est impressionnant de voir combien Anker a rendu le chagrin et la tristesse visibles sur les visages et dans les gestes des enfants, sans aucun sentimentalisme. Sur ce tableau également, la lumière, loin d'éclairer et d'isoler les enfants comme s'ils étaient des acteurs, les entoure au contraire et les enveloppe, d'où se dégage une atmosphère qui n'est pas sans rappeler Jean-Siméon Chardin et Rembrandt. Anker a consacré deux autres grands tableaux à la fillette décédée. Sur la toile également intitulée *La Petite Amie* exposée au musée des Beaux-Arts de Berne, nous la voyons allongée sur son lit de mort, entourée de personnages en deuil. De plus, dans *L'Enterrement d'un enfant* de 1863 (Kunsthaus Aarau), il montre le petit cercueil devant la tombe ouverte au cimetière d'Anet, en présence de nombreux adultes et enfants endeuillés. Dans cette série de tableaux, Anker ne tombe pas dans les pièges du sentimentalisme associé à la mort caractéristique de l'époque. Il ne donne à voir ni pleureuses ni scènes de désespoir. Les quelques personnes en sanglots se détournent et couvrent leur visage d'un mouchoir. Anker n'a jamais peint une seule larme. En tant que théologien protestant, il acceptait l'inéluctabilité de la mort. Tous les personnages confrontés à la mort font de même dans ses tableaux, à leur manière. Les enfants sont les plus impressionnants. Ils expriment leur propre ressenti, sans se conformer au moindre rituel.

rechte Hand. Aus Briefen ist bekannt, dass die Schwester des älteren Mädchens an einer Blutvergiftung, die sie sich beim Veilchenpflücken unter einer Dornenhecke zugezogen hatte, gestorben war.[4] Beeindruckend ist, wie Anker Bekümmernis und Trauer auf den Gesichtern und in den Gesten der Kinder ohne Sentimentalität dargestellt hat. Auch auf diesem Bild kommt dem Licht, das die Kinder nicht wie Schauspieler beleuchtet und isoliert, sondern umfängt und entrückt, eine atmosphärisch Rolle zu, die an Jean-Siméon Chardin und Rembrandt erinnert. Anker hat dem verstorbenen Mädchen zwei weitere grosse Bilder gewidmet. Auf dem ebenfalls *Die kleine Freundin* betitelten Bild im Kunstmuseum Bern sehen wir es auf dem Totenbett liegend von Trauernden umgeben. Und im *Kinderbegräbnis* von 1863 (Kunsthaus Aarau) zeigt er den kleinen Sarg vor dem offenen Grab auf dem Inser Friedhof im Beisein einer grossen Gruppe von trauernden Erwachsenen und Kindern. Anker vermeidet in der Bildreihe die mit dem Tod verbundene zeittypische Sentimentalität. Er stellt keine Klagenden oder verzweifelt Zusammenbrechenden zur Schau. Die ganz wenigen, die weinen, wenden sich ab und bedecken ihr Gesicht mit einem Taschentuch. Anker hat nie eine Träne gemalt. Als protestantischer Theologe akzeptierte er die Unabwendbarkeit des Todes. Alle, die in seinen Bildern mit dem Tod konfrontiert sind, tun das auf ihre individuelle Weise ebenso. Am eindrücklichsten die Kinder, die ohne eingeübte Rituale ganz von ihrer eigenen Empfindung ausgehen.

---

[4] Albrecht Rytz, *Der Berner Maler Albert Anker, Ein Lebensbild*, Berne, 1911, p. 48.

[4] Albert Rytz, *Der Berner Maler Albert Anker, Ein Lebensbild*, Bern 1911, S. 48.

12
Albert Anker
La petite amie | *Die Kleine Freundin*
1862
Huile sur toile | Öl auf Leinwand
64,5 × 46,5 cm

Mythes nationaux
Albert Anker

Matthias Frehner

Nationale Mythen
Albert Anker

Matthias Frehner

À Anet, Albert Anker possédait lui-même des vignes et buvait son propre vin. Dans son village natal, il n'existait pas de fête des *Vendanges* telle qu'il en peint en 1865 sur un tableau d'exposition (Cat. 13). Toutefois, des fêtes de ce genre avaient régulièrement lieu à Neuchâtel. Anker n'avait pas pour premier objectif de surprendre le public parisien avec un témoignage authentique d'un paradis terrestre. Il s'était avant tout engagé dans une compétition avec un modèle célèbre et un contemporain acclamé : *L'Arrivée des moissonneurs dans les marais Pontins* de Louis-Léopold Robert de 1830 et *Les Vendanges à Château-Lagrange* de Jules Breton de 1864[1]. Anker a totalement revisité le sujet des Bacchanales sécularisées. Comme chez ses modèles, sa composition est constituée de quelques groupes. Cependant, il réussit à les relier en une unité dynamique. En effet, tous les personnages réagissent au rythme du « chef d'orchestre » qui, au premier plan, danse, chante et porte la brante sur son dos. La procession se déplace dans une rue légèrement inclinée de droite à gauche tandis qu'à sa tête, un attelage de bœufs tire un char. Des cuves en bois remplies de raisins sont transportées sur le char ; il est également décoré de deux couronnes de fleurs qu'un jeune homme élève vers le ciel à l'aide d'une perche. Des jeunes femmes et un garçon qui agite son bonnet sont assis sur les cuves et les tonneaux. L'une des femmes a un petit enfant sur les genoux. Ce dernier fait des signes à la foule. L'autre femme est adossée au mât sur lequel les couronnes sont hissées. Quelques enfants dansent à l'avant du cortège et des femmes vêtues de costumes de fête traditionnels colorés marchent sur les côtés et à l'arrière du char. Des enfants, une femme qui porte un panier d'osier sur la tête et des paysans plus âgés accompagnés d'autres enfants ferment la marche. Anker a peut-être repris le personnage de la femme au panier directement de Breton. La jeune femme à la tête penchée sur le côté et qui regarde au

In Ins besass Anker selber Reben und trank seinen eigenen Wein. Ein *Winzerfest*, wie er es 1865 als Ausstellungbild gemalt hat, gab es in seinem Heimatdorf nicht (Kat. 13). Solche fanden jedoch regelmässig in Neuchâtel statt. Anker ging es nicht nur darum, das Pariser Publikum mit einem authentischen Bericht aus einem irdischen Paradies zu überraschen. Primär liess er sich auf einen Wettstreit mit einem berühmten Vorbild und einem umjubelten Zeitgenossen ein. Mit Louis-Léopold Roberts *L'Arrivée des moissonneurs dans les marais Pontins* von 1830 und Jules Bretons *Les Vendanges à Château-Lagrange* von 1864.[1] Anker hat das Thema der säkularisierten Bacchantenzüge vollkommen neu formuliert. Wie bei seinen Vorbildern besteht seine Komposition aus einzelnen Gruppen. Ihm gelingt es jedoch, diese zu einer dynamischen Einheit zu verbinden. Denn alle reagieren auf die Taktvorgabe des tanzenden und singenden „Dirigenten" mit der Tanse auf dem Rücken im Bildvordergrund. Der Gesamtzug bewegt sich auf einer leicht schräg verlaufenden Strasse von rechts nach links, angeführt von einem Ochsengespann, das den Festwagen zieht. Auf dem Wagen werden Holzbottiche mit Trauben transportiert; er ist jedoch auch mit zwei Blumenkränzen verziert, die ein junger Mann auf einer Stange weit in den Himmel hebt. Auf den Bottichen und Fässern sitzen junge Frauen und ein Knabe der seine Mütze schwenkt. Eine der Frauen hält auf ihrem Schoss ein Kleinkind, das in die Menge winkt, die andere lehnt sich an den Mast mit den Kränzen. Vor dem Zug tanzt ein Kinderzüglein, neben und hinter dem Wagen schreiten Frauen in bunten Sonntagstrachten. Kinder, eine weibliche Einzelgestalt, die auf dem Kopf einen Weidenkorb balanciert, und ältere Bauersleute mit Kindern schliessen den Zug ab. Die Figur der Korbträgerin hat Anker womöglich direkt von Breton übernommen. Bei der jungen Frau, die mit aufgestütz-

---
[1] Matthias Frehner, « Die gute Wirklichkeit. Albert Anker zwischen Idealismus und Realismus », dans Matthias Frehner, Therese Bhattacharya-Stettler, Marc Fehlmann (éd.), *Albert Anker et Paris*, cat. exp. musée des Beaux-Arts de Berne, Berne, 2003, p. 33-35.

---
[1] Matthias Frehner, „Die gute Wirklichkeit. Albert Anker zwischen Idealismus und Realismus", in: Matthias Frehner, Therese Bhattacharya-Stettler, Marc Fehlmann (Hrsg.), *Albert Anker und Paris*, Ausst.-Kat. Kunstmuseum Bern, Bern 2003, S. 33-35.

13
Albert Anker
Les vendanges | Das Winzerfest
1865
Huile sur toile | Öl auf Leinwand
108 × 182 cm

loin de façon rêveuse et mystérieuse est sans doute inspirée d'un autre tableau du peintre, *Portrait d'une jeune fille*, qui date de 1860 environ (Cat. 37). La procession se déplace dans un paysage aux touches délicates, qui rayonne d'un calme intemporel à la manière de l'Arcadie de Claude Lorrain, même si des ouvriers agricoles y travaillent et que les fermes à toit de chaume sur les hauteurs à gauche du tableau proviennent directement d'Anet, telle qu'Anker la connaissait.

Des lettres nous révèlent qu'Anker a effectué de nombreuses études détaillées : « Je suis toujours à courir après les documents qu'il me faut pour les vendanges. Le cheval et le bœuf m'inquiètent plus que les personnages, je vais tout peindre d'après des dessins. Mais il y a des choses pour lesquelles je fais 5 à 6 croquis, je change et cherche sur le papier. C'est plus court. Mais je me réjouis bien de remettre en train un tableau plus petit où je pourrai peindre d'après nature. »[2] Les animaux lui posaient le plus de problèmes ; il a finalement renoncé au cheval et a peint deux bœufs. Représenté avec une spontanéité impressionniste, le paysage est particulièrement remarquable. Il rappelle les condisciples d'Anker dans l'atelier de son maître Charles Gleyre : Pierre-Auguste Renoir, Claude Monet et Alfred Sisley. Anker ne se permet pas une exubérance dionysiaque telle qu'elle enflamme la célèbre toile de Charles Gleyre *La Danse des Bacchantes* de 1849 (Musée cantonal des beaux-arts, Lausanne). Les participants à la fête chez Anker se comportent décemment. Les visages ne laissent transparaître aucun rire tonitruant. En effet, Anker répond dans ce tableau au besoin de mythes nationaux de l'État fédéral de 1848. Ce n'est certainement pas un hasard si la toile *Les Vendanges*, à l'image de la nouvelle *Le Fanion des sept braves* de Gottfried Keller, se compose de petits groupes autonomes bruyants qui se rassemblent pour former une communauté vivante. Lui aussi, le cortège d'Anker est ainsi un symbole d'égalité démocratique. D'ailleurs, ce grand format a été considéré comme l'une des œuvres principales de l'artiste dès l'année de sa création.

tem Kopf träumerisch-geheimnisvoll in die Ferne blickt, handelt es sich wohl um ein Zitat eines eigenen Bildes, um das *Bildnis einer jungen Frau*, um 1860 (Kat. 37) Der Zug ist in einer sanften Landschaft unterwegs, die zeitlose Ruhe ausstrahlt wie Claude Lorraines Arkadien, auch wenn darin Landarbeiter tätig sind und die strohgedeckten Bauernhäuser auf der Anhöhe links im Bild direkt aus Ankers Inser Gegenwart stammen.

Aus Briefquellen ist bekannt, dass Anker viele Detailstudien betrieben hat: „Je suis toujours à courier après les documents qu'il me faut pour les vendanges. Le cheval et le boeuf m'inquiètent plus que les personnages, je vais tout peindre d'après des dessins. Mais il y a des choses pour lesquelles je fais 5 à 6 croquis, je change et cherche sur le papier. C'est plus court. Mais je me réjouis bien de remettre en train un tableau plus petit où je pourrai peindre d'après nature."[2] Mit den Tieren hatte er am meisten Mühe, am Schluss verzichtete er auf das Pferd und malte zwei Ochsen. Besonders beeindruckend ist die in impressionistischer Spontaneität erfasste Landschaft, die an Ankers Kommilitonen im Atelier seines Lehrers Charles Gleyre, an Pierre-Auguste Renoir, Claude Monet und Alfred Sisley, erinnert. Was sich Anker nicht gestattet, ist dionysische Ausgelassenheit, wie sie sich auf Charles Gleyres berühmtem Gemälde *La Danse des Bacchantes* von 1849 (Musée cantonal des Beaux-Arts, Lausanne) entzündet. Ankers Festteilnehmer bewegen sich wohlgesittet. Nicht mal lautes Lachen zeichnet sich auf den Gesichtern ab. Denn Anker reflektiert mit diesem Bild das Bedürfnis des Bundesstaates von 1848 nach nationalen Mythen. Es ist sicher kein Zufals, *Das Winzerfest* wie Gottfried Kellers *Fähnlein der sieben Aufrechten* aus lauter autonomen Grüppchen besteht, die sich zu einer lebendigen Gemeinschaft verbinden. Ankers Festumzug ist somit ebenfalls ein Sinnbild für demokratische Gleichheit. Entsprechend galt das Grossformat bereits im Jahr seiner Entstehung als ein Hauptwerk des Künstlers.

[2] Albert Anker à J. Jacot-Guillarmod, lettre non datée, citée d'après Sandor Kuthy, Therese Bhattacharya-Stettler, *Albert Anker 1831-1910. Catalogue raisonné des peintures et des études à l'huile*, musée des Beaux-Arts de Berne, Berne, 1995, p. 89

[2] Albert Anker an J. Jacot-Guillarmod, Brief ohne Datum, zit. nach: Sandor Kuthy, Therese Bhattacharya-Stettler, *Albert Anker 1831-1910. Werkkatalog der Gemälde und Ölstudien*, Kunstmuseum Bern, Bern 1995,, S. 89

La vie moderne dans le jeune État fédéral : la libre formation d'opinion
Albert Anker
Matthias Frehner

Les Vendanges traduit en poésie réaliste le quotidien dans le jeune État fédéral. Albert Anker a composé la scène à partir d'éléments individuels pour former l'image d'une réalité idéale. *Les Paysans et le Journal* de 1867 et *Le Vieux Cordonnier Feissli* de 1870 et *Le secrétaire de Commune I* de 1874 (Cat. 14) illustrent sans détour la réalité de l'époque. Ces tableaux décrivent des personnes qu'Anker connaissait à Anet et qu'il a pu utiliser comme modèles. Dans ses innombrables croquis et études à l'huile, il a immortalisé non seulement des individualités, mais aussi des lieux dans lesquels il a passé du temps, par exemple le coin du poêle et les chaises sur lesquelles les trois paysans sont assis tandis que l'un d'eux fait la lecture du journal[1]. Dans les représentations concernées, Anker est allé au-delà du simple reflet du quotidien. Il condense toujours l'impression d'un instant précis en un symbole qui, dans le comportement individuel d'un personnage, laisse entrevoir des attitudes humaines générales et met parallèlement en lumière une situation caractéristique de l'époque.

Dans l'État fédéral de 1848, la formation d'une opinion fondée sur des faits compréhensibles constitue une condition préalable essentielle, ne serait-ce que pour faire valoir les droits populaires. Ces faits étaient surtout relatés dans les journaux, qui étaient alors bien plus nombreux qu'aujourd'hui. Auparavant, les seules lectures des paysans avaient consisté en une bible, des livres de cantiques et un almanach. D'ailleurs, une bible est présente dans le tableau des trois paysans ; elle est posée ouverte sur le fauteuil devant le poêle. Le journal qu'un des paysans lit aux deux autres, qui ne savent certainement pas lire, n'est pas le seul témoignage de cette nouvelle époque. La carte d'Amérique du Nord accrochée au-dessus du poêle en est un autre, dont la présence dans la maison d'un paysan peut sembler surprenante. Cependant, il faut se rappeler que la Suisse était devenue un pays d'émigration en raison de l'industrialisation. Cette carte n'est donc pas un

Das moderne Leben im jungen Bundesstaat Freie Meinungsbildung
Albert Anker
Matthias Frehner

Das Winzerfest transponiert den Alltag im jungen Bundesstaat in reale Poesie. Anker hat die Szene aus Einzelelementen zu einem Bild idealer Wirklichkeit zusammenkomponiert. Ein direkteres Bild von der damaligen Wirklichkeit vermitteln *Die Bauern und die Zeitung* von 1867, *Schuhmacher Feissli* von 1870 und *Der Gemeindeschreiber I* von 1874 (Kat. 14). Diese Bilder beschreiben Menschen, die Anker in Ins kannte und auch als Modelle verwenden konnte. Aber nicht nur die Personen, sondern auch die Räume, in denen sich diese aufhalten, hat er in zahlreichen Skizzen und Ölstudien eingefangen, beispielsweise die Ofenecke und die Stühle, auf denen die drei Bauern sitzen, während der eine aus der aufgeschlagenen Zeitung vorliest.[1] In den betreffenden Darstellungen ging Anker über das blosse Spiegeln der Wirklichkeit hinaus. Immer verdichtet er den Augenblickseindruck zu einem Sinnbild, das im individuellen Verhalten einer Figur allgemein menschliche Verhaltensweisen aufscheinen lässt und zugleich eine für die damalige Zeit charakteristische Situation sichtbar macht.

Um die Volksrechte im Bundesstaat von 1848 überhaupt wahrnehmen zu können, war eine auf nachvollziehbaren Fakten beruhende Meinungsbildung eine wichtige Voraussetzung. Diese boten vor allem die Zeitungen, von denen es damals weit mehr gab als heute. Zuvor gab es in Bauernhaushalten einzig die Bibel, Gesangbücher und Bauernkalender. Auf dem Bild mit den drei Bauern gibt es immer noch eine Bibel; sie liegt aufgeschlagen auf dem Lehnstuhl vor dem Ofen. Ausdruck der neuen Zeit ist nicht nur die Zeitung, aus der der eine Bauer den anderen beiden, die wohl des Lesens unkundig sind, vorliest, sondern auch die Karte Nordamerikas, die über dem Ofen hängt. Diese Karte mag in einer Bauernstube überraschen. Wenn man sich jedoch vergegenwärtigt, dass die Schweiz durch die Industrialisierung zum Auswanderungsland geworden war, ist sie kein Fremdkörper. In North Carolina gibt es etwa

---

[1] Kuthy/Bhattacharya, n⁰ˢ 105 et 106, p. 95.

[1] Kuthy/Bhattacharya, Nr. 105 und 106, S. 95.

objet étranger. On trouve par exemple un New Bern en Caroline du Nord, ville qui en 1862, pendant la guerre de Sécession, a été prise par l'armée nordiste à l'issue d'une bataille difficile. La représentation de la carte des États-Unis sur ce tableau de 1867 est non seulement une référence à la victoire de l'Union, qui a abouti à la libération des esclaves au terme de la longue et sanglante guerre de Sécession, mais elle évoque également la guerre du Sonderbund de 1847, le dernier conflit militaire sur le territoire suisse. La résolution de la guerre du Sonderbund a mené à la constitution fédérale du 12 septembre 1848 qui est parvenue à unifier la Suisse, qui était alors une union d'États, en un État fédéral.

La direction des regards des trois paysans est atypique chez Anker et dans la pratique artistique de l'époque. Contrairement au célèbre tableau de Wilhelm Leibl *Les Politiciens de village* de 1877 (Musée Oskar Reinhart, Winterthour), dans lequel toute l'attention des paysans est dirigée vers le lecteur, les deux autres personnages regardent ici dans diverses directions. Une telle façon de se détourner ne se retrouve pas sur les nombreuses autres scènes de lecture d'Anker. Dans ce cas-ci, elle signifie sans doute que la politique et la liberté d'opinion peuvent être sujettes à des avis différents.

Anker a représenté le vieux cordonnier Feissli, d'Anet, à plusieurs phases de sa vie comme prototype d'habitant confiant en la Suisse moderne. Feissli était un artisan socialisé avant le tournant de 1848. En 1870, Anker le représente en artisan qui ne craint pas l'avenir. En 1900, il le peint en lecteur de journal attentif sur la banquette du poêle et, en 1901, comme un vieil homme satisfait de sa vie (Cat. 16, 18). De cette manière, il souhaitait souligner le fait que, malgré les bouleversements de la seconde moitié du XIXᵉ siècle, les valeurs humaines fondamentales ne s'étaient pas perdues.

ein New Bern, das 1862 im Sezessionskrieg nach einer schweren Schlacht von der Armee der Nordstaaten eingenommen worden war. Die Darstellung der Karte in diesem Bild von 1867, ist nicht nur ein Verweis auf den Sieg der Nordstaaten, die im langen blutigen Sezessionskrieg die Befreiung der Sklaven durchgesetzt hatten. Die USA-Karte ruft zugleich den Sonderbundkrieg von 1847 in Erinnerung. Dieser war die letzte militärische Auseinandersetzung auf Schweizer Boden. Die Beilegung des Sonderbundkrieges führte zur Bundesverfassung vom 12. September 1848, durch die die Schweiz vom Staatenbund zum Bundesstaat geeint werden konnte.

Untypisch für Anker und die damalige Kunstpraxis sind die Blickrichtungen der drei Bauern. Im Unterschied zu Wilhelm Leibls berühmtem Bild *Die Dorfpolitiker* von 1877 (Museum Oskar Reinhart Winterthur), wo alle Bauern auf den Vorlesenden schauen, blicken hier die beiden Zuhörer pointiert in andere Richtungen. Ein solches Sich-Weg-Wenden ist auf Ankers vielen Vorleseszenen sonst nicht anzutreffen. Hier mag es darauf verweisen, dass Politik und Meinungsfreiheit zu unterschiedlichen Meinungen führen können.

Als Sinnbild eines selbstbewussten Bewohners der modernen Schweiz hat Anker den Inser Schuhmacher Feissli in mehreren Lebensphasen wiedergegeben. Feissli war ein vor der Wende von 1848 sozialisierter Handwerker. Anker gibt ihn 1870 als einen selbstbewussten Handwerker wieder (Kat. 16, 18).1900 zeigt er ihn als aufmerksamen Zeitungsleser auf der Ofenbank und 1901 als einen mit seinem Leben zufriedenen alten Menschen. Damit wollte er unterstreichen, dass trotz der enormen Veränderungen in der zweiten Hälfte des 19. Jahrhunderts menschliche Grundwerte nicht verloren gegangen waren.

14
Albert Anker
Les paysans et le journal | *Die Bauern und die Zeitung*
1867
Huile sur toile | Öl auf Leinwand
64 × 80,5 cm

15
Albert Anker
Le vieux cordonnier Feissli | *Schuhmacher Feissli*
1870
Huile sur toile | Öl auf Leinwand
55 × 43 cm

16
Albert Anker
Le vieux Feissli lisant | *Der Zeitung lesende alte Feissli*
1900
Huile sur toile | Öl auf Leinwand
65 × 53,2 cm

17
Albert Anker
Le secrétaire de commune | der Gemeindeschreiber I
1874
Huile sur toile | Öl auf Leinwand
61,5 × 51 cm

18
Albert Anker
Le vieux Feissli dormant sur le fourneau | *Der alte Feissli auf dem Ofen eingenicktlesende*
1901
Huile sur toile | Öl auf Leinwand
65 × 53,2 cm

Anker l'impressionniste
Albert Anker

Matthias Frehner

Anker Impressionnist
Albert Anker

Matthias Frehner

Les futurs impressionnistes Frédéric Bazille, Jean-Auguste Renoir, Claude Monet et Alfred Sisley étaient tous élèves dans l'atelier de Charles Gleyre à Paris, aux côtés d'Albert Anker. En tant que théologien protestant, Anker n'a jamais adhéré à la formule « l'art pour l'art ». À ses yeux, l'art allait bien au-delà de la restitution expérimentale et spontanée d'une ambiance lumineuse. Ses tableaux symbolisent les comportements caractéristiques d'une personne ou d'un groupe d'individus. Ils communiquent une attitude, un message. C'est pourquoi il s'est emparé des thématiques et stratégies traditionnelles de l'art et les a, sur la base de ses observations de la réalité, formulées sous forme de témoignages à la fois personnels et universels de la vie en son temps. Pour ce faire, il a sélectionné des scènes et des personnages particulièrement expressifs parmi les images que son époque lui offrait et a élargi leur signification à travers sa transposition artistique du modèle. Ses tableaux sont des symboles ou, comme Gustave Courbet le disait, des « allégories réelles ». Les quelques paysages purs qu'Anker a exécutés laissent clairement deviner que ce dernier aurait pu devenir un excellent peintre paysagiste impressionniste. Cependant, il n'a jamais conçu ces tableaux comme des œuvres autonomes, mais comme des études en vue de la réalisation de portraits. Une œuvre convaincante relevant de cette catégorie est la merveilleuse étude à l'huile *Anet en hiver* de 1871 (Cat. 19). Le motif est une des fermes à toit de chaume typiques d'Anet, telles qu'il les voyait depuis sa maison.

Le premier plan est occupé par la surface de la route enneigée. La ferme, dont la toiture pentue s'étend pratiquement jusqu'au sol, se trouve derrière une barrière légèrement en oblique laissée à l'abandon et une petite cour peuplée d'arbres squelettiques et de buissons hivernaux. Le mur ombragé agrémenté de portes brun-gris qui s'accordent avec les couleurs des troncs d'arbres crée un contraste. Le paysage désert est peint à coups de pinceau rapides, à l'image des tableaux hivernaux de Monet à la même époque. Tout comme ce dernier, Anker a brillamment réussi à capter les différents tons de blanc et de gris de cette atmosphère hivernale. De façon extrêmement subtile, il a distingué la luminosité

Zu Ankers Studienkollegen im Atelier Charles Gleyre in Paris gehörten die späteren Impressionisten Frédéric Bazille, Jean-Auguste Renoir, Claude Monet und Alfred Sisley. Anker hat als ausgebildeter protestantischer Theologe Kunst nie als L'art pour l'art aufgefasst. Kunst war für ihn mehr als die experimentell-spontane Wiedergabe einer Lichtstimmung. Seine Bilder sind Äquivalente für Verhaltensweisen, die für einen Menschen oder eine Gruppe von Individuen charakteristisch sind. Sie vermitteln eine Haltung, eine Botschaft. Deshalb griff er traditionelle Themen und Strategien der Kunst auf und formulierte sie aufgrund seiner Wirklichkeitsbeobachtungen zu einer neuen, persönlichen und zugleich allgemein gültigen Aussage über das Leben in seiner Zeit. Dabei wählte er besonders aussagekräftige Figuren und Einzelszenen aus dem Bildangebot der Zeit und weitete durch seine künstlerische Umsetzung des Vorbildes ihren Bedeutungsgehalt. Seine Bilder sind Sinnbilder oder, wie Gustave Courbet es nannte, „Allegoriés réelles". Dass Anker auch ein herausragender impressionistischer Landschaftsmaler hätte werden können, machen seine ganz wenigen reinen Landschaften deutlich. Diese hat er jedoch nicht als autonome Bilder geschaffen, sondern als Studien zu Figurenbildern. Ein überzeugendes Werk dieser Kategorie ist die wunderbare Ölstudie *Ins im Winter*, 1871. (Kat. 19) Das Motiv ist eines der typischen Inser Strohdachbauernhäuser, wie sie damals gegenüber seinem Wohnhaus standen.

Den Vordergrund nimmt die Fläche der schneebedeckten Strasse ein. Hinter dem verlotterten, leicht schräg verlaufenden Zaun und einem schmalen Vorplatz mit winterlichen Baumgerippen und Gesträuchen erstreckt sich das Bauernhaus mit dem bis fast an den Boden reichenden steilen Dach. Kontrast entsteht durch die im Schatten liegende Mauer mit den brau-grauen Türen, die mit den Farben der Baumstämme korrespondieren. Die menschenleere Szenerie ist in raschen Pinselstrichen gemalt wie Monets gleichzeitige Winterbilderbilder. Und wie diesem ist es Anker kongenial gelungen, die verschiedenen Weiss- und Grautöne der diesigen Winteratmosphäre einzufangen. Ungemein subtil hat er

19
Albert Anker
Anet en hiver | Ins im Winter
1871
Huile sur toile | Öl auf Leinwand
36 × 50 cm

minimale du ciel d'hiver de celle des surfaces enneigées de la route, de la cour et de la toiture. La peinture blanche d'Anker est composée de diverses intensités lumineuses qui font de cette toile l'une des contributions les plus remarquables et les plus importantes de l'art suisse à l'impressionnisme. Elle a été réalisée au cours de l'hiver 1871. À l'époque, des soldats de l'armée de Bourbaki déportés en Suisse par les Prussiens pendant la guerre franco-allemande sont internés dans la grange de la maison d'Anker. Ce dernier a d'ailleurs immortalisé les soins que la population d'Anet leur a apportés dans son tableau *Les Bourbakis/Die Bourbakis* de 1871 (musée d'Art et d'Histoire, Neuchâtel). L'ambiance de ce tableau hivernal rend tangibles le désespoir et l'isolement des soldats épuisés. L'un d'entre eux est d'ailleurs décédé dans la grange d'Anker.

Le *Paysage d'automne* de 1877 est également une étude qu'Anker a réalisée très facilement, parce qu'il ne s'était fixé aucun objectif au préalable : « Je n'ai pas encore peint beaucoup de paysages d'après nature, cela ne semble pourtant pas me poser autant de difficultés que les portraits. »[1] (Cat. 20) À un âge avancé, Anker a avoué à sa nièce Elisabeth Oser : « Si je pouvais recommencer, je m'allierais aux peintres de Barbizon. »[2] Si *Anet en hiver* est un tableau typique de l'impressionnisme de cette époque, le *Paysage d'automne* peut sans conteste être comparé aux productions des peintres de Barbizon, ainsi qu'au majestueux portrait d'arbre du Jura de Courbet, *Le Chêne de Flagey*. Si Anker s'était tourné vers les paysages en même temps que ses collègues Monet, Renoir et Sisley, il serait assurément devenu impressionniste.

dabei die minime Aufhellung des Winterhimmels von den Schneeflächen der Strasse, des Vorplatzes und des Daches abgehoben. Ankers Weissmalerei ist von einer differenzierten Lichterfülltheit, die dieses Winterbild zum schönsten und wichtigsten Beitrag der Schweizer Kunst zum Impressionismus werden lässt. Das Bild ist im Wintert 1871 gemalt. Damals waren in der Scheune von Ankers Haus Soldaten der von den Preussen im Deutsch-Französischen Krieg in die Schweiz abgedrängten Bourbaki-Armee interniert, deren Versorgung durch die Inser Bevölkerung Anker im Gemälde *Die Bourbakis/Les Bourbakis* 1871 festgehalten hat (Musée d'art et d'histoire, Neuchâtel). In seinem Winterbild wird die Hoffnungslosigkeit und Verlorenheit der erschöpften Soldaten, von denen einer in Ankers Scheune gestorben ist, stimmungsmässig fassbar.

Die *Herbstlandschaft* von 1877 ist ebenfalls eine Studie, die Anker, weil es kein im Voraus festgelegtes Ziel zu erreichen galt, ungemein leicht von der Hand ging: „Ich habe noch nicht viel Landschaften nach der Natur gemalt, dies scheint mir doch nicht so viel Schwierigkeiten zu bieten wie die Figur."[1] (Kat. 20) Seiner Enkelin Elisabeth Oser gestand der alte Anker: „Könnte ich wieder anfangen, würde ich mich zu den Malern von Barbizon gesellen."[2] Ist *Ins im Winter* ein Bild des Impressionismus jener Jahre, so besteht die *Herbstlandschaft* spielend den Vergleich mit den Malern von Barbizon sowie auch mit Courbets mächtigen Baumporträts aus dem Jura. Hätte sich Anker gleichzeitig wie seine Studienkollegen Monet, Renoir und Sisley der Landschaft zugewandt, wäre er wohl Impressionist geworden.

---

[1] Albert Anker à Charlotte Anker, 13 avril 1861, cité d'après Robert Meister (éd.), *Albert Anker und seine Welt. Briefe Dokument Bilder*, Gümligen, 2000, p. 48.
[2] Cité d'après Kuthy/Bhattacharya, p. 47.

---

[1] Albert Anker an Charlotte Anker, 13. April 1861, zit. nach: Robert Meister (Hrsg.), *Albert Anker und seine Welt. Briefe Dokument Bilder*, Gümligen 2000, S. 48.
[2] Zit. nach Kuthy/Bhattacharya, S. 47:

20
Albert Anker
Paysage d'automne | Herbstlandschaft
1877
Huile sur toile | Öl auf Leinwand
33 × 24 cm

Calme et réflexion dans la nature
Albert Anker

Matthias Frehner

En fin de compte, la nature ne jouait qu'un rôle de décor pour Alfred Anker. C'est un accessoire, mais pas n'importe lequel… Il convient de vivre une expérience devant ses scènes en plein air avec personnages : il faut s'imaginer le paysage sans protagonistes afin de percevoir à quel point Anker rend ce dernier vivant, libre et lumineux. Il a réalisé nombre d'études pour chacune de ses scènes en plein air avec figures. Tout comme ses intérieurs, ses paysages ne sont jamais de simples arrière-plans ou cadres ; ce sont toujours des vecteurs d'ambiance en adéquation avec la psyché des personnages.

Le style d'Anker s'inscrit dans le courant du classicisme, entre Jean-Auguste-Dominique Ingres et Jean-Léon Gerôme. Quant à son attitude, elle correspond au réalisme de Jean-François Millet. Après avoir, de façon générale, ajouté de la lumière à ses tableaux au début des années 1860, Anker n'a pratiquement plus changé de style. Ce qui distingue son art à son époque et le rend singulier, c'est ce traitement de la lumière. Sa sensibilité pour les nuances les plus fines et son sens de la façon dont la lumière imprègne les surfaces et fait scintiller la peau sont remarquables.

Il partage cette aptitude avec les impressionnistes. Toutefois, la lumière n'était pas pour lui qu'un attrait visuel. Comme ses modèles Vermeer, Rembrandt et Chardin, dont il avait étudié les œuvres au Louvre, il s'en servait pour donner vie à ses personnages et les différencier sur le plan psychique. Sa lumière n'éclaire pas que les surfaces. Au contraire, Anker savait montrer comment elle pénètre les corps et comment ces derniers la réverbèrent. Sa manière de la traiter lui a permis de saisir les états d'âme. Les scènes de genre en plein air témoignent de l'art d'Anker de transformer la lumière fonctionnelle en lumière de sens.

D'un point de vue actuel, le tableau *Les Deux Curés* de 1873 nous semble idyllique. Il s'agit pourtant d'une prise de position politique. En effet, il rappelait au public de l'époque les causes principales de la guerre du Sonderbund, à savoir la suppression des couvents en Argovie et le rappel des Jésuites à Lucerne. Par ailleurs, au moment précis où Anker peignait cette toile, le dogme

Ruhe und Reflexion in der Landschaft
Albert Anker

Matthias Frehner

Die Landschaft spielte für Anker letztlich „nur" als Handlungsort eine Rolle. Sie ist Staffage, aber was für eine… Man muss vor seinen Figurenszenen im Freien ein Experiment machen und sich die Landschaft ohne Handlungsträger vorstellen, um wahrzunehmen, wie lebendig, frei und lichterfüllt Anker die Landschaft wiedergibt. Für jede seiner Figurenszenen im Freien fertigte er neue Landschaftsstudien. Seine Landschaftsräume sind wie seine Interieurs nie bloss Hintergrund und Bühne, sondern immer Stimmungsträger im Einklang mit der Psyche der Figuren.

Ankers Stil ist der des Klassizismus zwischen Jean-Auguste-Dominique Ingres und Jean-Léon Gerôme, seine Haltung die des Realismus eines Jean-François Millet. Nachdem sich seine Bilder in den frühen 1860er Jahren generell aufhellten, hat Anker seinen Stil kaum noch verändert. Was seine Kunst aus ihrer Zeit hervorhebt und bedeutend macht, ist sein Umgang mit dem Licht. Sein Sensorium für feinste Abstufungen, sein Gespür, wie Licht Oberflächen durchdringt, Haut zum Schimmern bringt ist phänomenal.

Diese Sensibilität teilt er mit den Impressionisten. Licht war für ihn jedoch nie nur ein optischer Reiz. Er setzte es ein wie seine Vorbilder Jan Vermeer, Rembrandt und Chardin, deren Werke er im Louvre studiert hatte, um seine Figuren psychisch beleben und differenzieren zu können. Sein Licht beleuchtet nie nur Oberflächen. Anker verstand es vielmehr, sichtbar zu machen, wie Licht in Körper eindringt und aus diesen zurückstrahlt. Seine Lichtmalerei bot ihm die Möglichkeit psychische Befindlichkeiten einzufangen. Die Genreszenen im Freien sind Belege für Ankers Umwandlung von Beleuchtungslicht in Bedeutungslicht.

Das Bild die *Die beiden Pfarrer* von 1873 mutet aus heutiger Sicht idyllisch-märchenhaft an, ist jedoch ein politisches Statement. Denn es rief dem damaligen Publikum die wesentlichen Ursachen des Sonderbundkrieges in Erinnerung, nämlich die Aufhebung der Klöster im Aargau und die Berufung der Jesuiten nach Luzern. Andrerseits heizte exakt zum Zeitpunkt, als Anker das Bild malte, das Unfehlbarkeitsdogma des Papstes von 1870 die politischen Spannungen zwi-

21
Albert Anker
Les deux curés | *Die beiden Pfarrer*
1873
Huile sur toile | Öl auf Leinwand
81 × 65 cm

de l'infaillibilité pontificale de 1870 attisait à nouveau les tensions politiques entre catholiques et protestants dans le « Kulturkampf » (combat pour la civilisation), ce sur quoi Anker s'est expliqué en personne : « Les têtes des curés m'ont intéressé, elles sont faites consciencieusement. Le paysage, par contre, est fait à la forêt, et ainsi les figures, faites à l'atelier, ne sont pas dans la même lumière. »[1] Lors de la vente du tableau en 1899, il a déclaré : « Ce tableau de l'époque du Kulturkampf est désormais enfin hébergé. En tant que membre du Grand Conseil, j'ai mené d'intéressantes discussions théologiques, à l'époque. [...] En réalité, je souhaitais à l'origine laisser une inscription sur le cadre : "Regardez, la Terre n'est pas damnée." »[2] L'expression des visages et la gestuelle montrent clairement que, des deux ecclésiastiques, seul le plus âgé, qui a retiré son chapeau devant le paysage rayonnant comme s'il était dans une église, est éclairé par la nature et sa lumière. La critique contemporaine l'a qualifié également de « vieil ecclésiastique protestant se passionnant pour des notions religieuses plus libres », et son compagnon entêté et figé, d'« élève jésuite fidèle à ses convictions »[3].

Le tableau *Soir* peint en 1888 associe également l'ambiance de la nature au personnage représenté, le pasteur protestant d'Anet, qui observe son jardin lors d'un coucher de soleil théâtral et médite sur le caractère éphémère de la vie, à la manière des personnages vus de dos de Caspar David Friedrich.

La toile *famille de réfugiés protestants* de 1886 fait à nouveau référence aux événements politico-ecclésiastiques en Suisse. Une famille de réfugiés du XVIIᵉ siècle fait une halte dans un paysage enneigé peint à la manière impressionniste. Comme toujours quand Anker s'empare de sujets historiques, les costumes de l'époque sont rendus avec soin et rigueur. La scène est pyramidale, une allusion évidente à la Sainte Famille – l'homme protège sa femme et son enfant, et la mère, son fils –, sans que la scène tombe pour autant dans le sentimentalisme. L'œuvre trouve sa source d'inspiration dans le débat autour de la naturalisation des derniers réfugiés français en 1885, lesquels avaient été accueillis dans les cantons protestants.

En 1893, Anker a représenté un autre théologien dans *Séminaire romain*. Le séminariste n'est pas un élève jésuite insensible à la splendeur de la nature. Debout

schen den Katholiken und Protestanten im sogenannten „Kulturkampf" neu an, was Anker selber deutlich machte: „Les têtes des curés m'ont intéressé, elles sont faites consciencieusement. Le paysage, par contre, est fait à la forêt, et ainsi les figures, faites à l'atelier, ne sont pas dans la même lumière. "[1] Als er das Bild 1899 verkaufte, äusserte Anker „Nun ist es also endgültig untergebracht, dieses Bild aus den Zeiten des Kulturkampfes. Als Mitglied des Grossen Rates verfolgte ich damals interessante theologische Diskussionen. (...) Eigentlich wollte erursprünglich auf den Rahmen eine Inschrift setzen: ‚Siehe, die Erde ist nicht verdammt."[2] Gesichtsausdruck und Gestik machen unweigerlich klar, dass von den beiden Geistlichen nur der ältere, der vor der strahlenden Landschaft wie in einer Kirche den Hut abgenommen hat, von der Natur und ihrem Licht erleuchtet wird. Diesen bezeichnet die zeitgenössische Kritik denn auch als einen „für freiere Religionsbegriffe schwärmenden alten protestantischen Geistlichen", sein maskenhaft-verstockter Gefährte jedoch als einen „überzeugungstreuen Jesuitenzögling."[3] Auch im 1888 entstandenen Gemälde *Der Abend (Soir)* korrespondiert die Naturstimmung mit der dargestellten Figur, dem protestantischen Inser Pfarrer, der in seinem Garten in das Spektakel eines dramatischen Sonnenuntergangs blickt und wie Caspar Davids Rückenfiguren über die Vergänglichkeit des Lebens meditiert.

Nochmals auf kirchenpolitische Ereignisse in der Schweiz spielt das Bild *Französische Protestanten auf der Flucht* von 1886 an. In einer impressionistisch gemalten Schneelandschaft rastet die Flüchtlingsfamilie aus der Zeit des 17. Jahrhunderts. Wie immer, wenn Anker historische Themen aufgreift, sind die Kostüme aus der Zeit sorgfältig-korrekt wiedergegeben. In offensichtlicher Anspielung auf die Heilige Familie zeigt er eine pyramidal konstruierte Szene, in welcher der Mann Frau und Kind und die Mutter ihr Kind beschützt, ohne dass die Szene ins Sentimentale kippt. Ausgelöst wurde die Bildfindung durch die Diskussion um die Einbürgerung der letzten Franzosenflüchtlinge 1885, die in den protestantischen Kantonen Aufnahme gefunden hatten.

Einen weiteren Theologen hat Anker 1893 dargestellt, den *Seminaristen*. Der Seminarist ist kein „Jesuitenzögling", der die Herrlichkeit der Natur nicht sieht. Er steht

---

[1] Albert Anker à François Ehrmann, lettre non datée, cité d'après Kuthy/Bhattacharya, p. 121.

[2] Albert Anker à E. Michaud, 31 janvier 1899, cité d'après Kuthy/Lüthy, p. 43.

[3] Beat von Tscharner, rapport annuel à la Société cantonale bernoise des beaux-arts lors de l'assemblée générale du 22 avril 1874, cité d'après Kuthy/Bhattacharya, p. 121.

[1] Albert Anker an François Ehrmann, Brief ohne Datum, zit nach: Kuthy/Bhattcharya, S. 121.

[2] Albert Anker an E. Michaud, 31. Jan. 1899, zit. nach: Kuthy/Lüthy, S. 43

[3] Beat von Tscharner, Jahresbericht dem bernischen Kantonal-Kunstverein in der Hauptversammlung am 22. April 1874, zit nach: Kuthy/Bhattacharya, S. 121.

sur un balcon, il tient le bréviaire du bout des doigts et regarde le Tibre en direction du Vatican, en profil perdu. La restitution de la soutane vibrant d'un rouge saisissant, ainsi que de la « Ville éternelle » perdue dans la brume, constitue un moment fort de la peinture d'Anker et est d'une intensité expressive qui rappelle les paysages de lagunes de Francesco Guardi.

auf einem Balkon, das Brevier gesenkt, und blickt in verlorenem Profil auf den Tiber Richtung Vatikan. Die Wiedergabe der magisch rot leuchtenden Soutane und der sich im Dunst verlierenden „ewigen Stadt" sind ein malerischer Höhepunkt in Ankers Schaffen und von einer Ausdrucksintensität, die an Francesco Guardis Lagunenlandschaften erinnert.

22
Albert Anker
La soirée | Der Abend
1888
Huile sur toile | Öl auf Leinwand
56 × 92 cm

23
Albert Anker
Séminaire romain | *Der Seminarist*
1893
Huile sur toile | Öl auf Leinwand
74,5 × 44 cm

24
Albert Anker
Famille de réfugiés protestants | Protestantische Flüchtilinge
1886
Huile sur toile | Öl auf Leinwand
81 × 65 cm

« Regardez, le monde n'est pas damné » Albert Anker

Matthias Frehner

„Sieh, die Welt ist nicht verdammt" Albert Anker

Matthias Frehner

Albert Anker s'est beaucoup intéressé à la peinture de genre néerlandaise du XVIIᵉ siècle et l'a mise à profit comme modèle pour des scènes analogues issues de ses propres expériences. À l'époque d'Anker, et aujourd'hui encore, « mège » était un terme à connotation négative pour qualifier quelqu'un qui prépare lui-même ses potions et les vend à des malades sans être formé pour ce faire. Dans son roman *Anne Bäbi Jowäger*, Jeremias Gotthelf dénonçait la crédulité naïve de la population rurale de l'Emmental qui tombe dans le panneau d'escrocs charismatiques et, ce faisant, risque sa vie. Dans son œuvre, Gotthelf fustigeait par des images d'horreur de l'Ancien Testament tant la malignité et la sournoiserie des charlatans que la bêtise de leurs victimes. Le tableau d'Anker ne peut certainement pas être interprété comme une accusation de tels abus dans une région reculée ; il donne plutôt l'exemple d'un guérisseur qui ne va visiblement causer aucun dommage. Dans la vision du monde d'Anker, le mège est monnaie courante. Les accusations, ça ne lui ressemblait pas. Il refusait tout ce qui était extrême ou exalté. Les scélérats, catastrophes et sanctions que le théologien Gotthelf, en colère, laissait s'abattre sur ses personnages faillibles ne se retrouvent pas dans l'art d'Anker. Anker croyait en la bonté de l'Homme et apportait à travers ses tableaux un témoignage de ses convictions. Ses représentations d'une réalité positive comportent ce message, le credo de son œuvre : « Regardez, le monde n'est pas damné. » Aussi les illustrations de l'œuvre de Gotthelf, qu'il s'était engagé à réaliser en échange d'une importante somme d'argent, l'ont-elles beaucoup accablé.

La première version, plus grande, du *Mège* a été exposée en 1880 au Salon de Paris, accompagnée de la remarque suivante, qui n'a certainement pas été écrite par Anker : « Charlatan exerçant illégalement la médecine », avant d'être achetée par le musée d'Art de Bâle[1]. Peu après, Anker a vendu une seconde version, moins peuplée de personnages, à son marchand d'art londonien Henry Wallis (Cat. 25). Gotthelf a fait de ce sujet une tragédie, Anker une comédie. En effet, il s'en est avant tout servi

Anker hat sich im Louvre intensiv mit der niederländischen Genremalerei des 17. Jahrhunderts beschäftigt und diese als Vorbild für analoge Szenen in seiner eigenen Erfahrungswelt verwendet. Ein Quacksalber war zu Ankers Zeit – und ist es heute noch – ein negativ konnotierte Bezeichnung für jemanden, der ohne entsprechende Berufsausbildung Kranken Medikamente selber braut und verkauft. Jeremias Gotthelf hat in seinem Roman *Anne Bäbi Jowäger* die naive Gutgläubigkeit der Emmentaler Landbevölkerung angeprangert, die charismatischen Betrügern auf den Leim geht und dabei ihr Leben riskiert. Dabei geisselt Gotthelf in alttestamentarischen Schreckensbildern die Bösartigkeit und Verschlagenheit der Betrüger ebenso wie die Dummheit ihrer Opfer. Als eine Anklage solcher Missstände in entlegenen Gegenden ist Ankers Bild wohl kaum aufzufassen, vielmehr postuliert er das Beispiel eines Naturheilers, der offenbar keinen Schaden anrichten wird. Der Quacksalber ist für Ankers Weltsicht typisch. Die Anklage lag ihm nicht. Alles Extreme, Exaltierte lehnte er ab. Bösewichte, Katastrophen, Strafen, die der in Rage versetzte Theologe Gotthelf über seine fehlbaren Gestalten hereinbrechen lässt, fehlen in seiner Kunst. Anker glaubte an das Gute in jedem Menschen und lieferte mit seinen Bildern den Beweis für seine Überzeugung. Seine Bilder einen guten Wirklichkeit haben Appellcharakter – „Sieh, die Welt ist nicht verdammt" ist das Credo seiner Kunst. Deshalb haben ihn die Gotthelf-Illustrationen, für die er sich für viel Geld verpflichtete, enorm belastet.

Die erste, grössere Fassung des *Quacksalbers* wurde 1880 am Pariser Salon mit dem sicher nicht von Anker stammenden Hinweis „Charlatan exerçant illégalement la médecine" gezeigt und anschliessend vom Kunstmuseum Basel erworben.[1] Auch die Zweitfassung mit weniger Figuren konnte Anker sogleich verkaufen, und zwar an seinen Londoner Kunsthändler Henry Wallis (Kat. 25). Gotthelf machte aus dem Stoff eine Tragödie, Anker ein Lustspiel. Ja, er benützte ihn wohl

[1] Kuthy/Bhattacharya, nᵒ 261, p. 146.

[1] Kuthy/Bhattacharya, Nr. 261, S. 146.

25
Albert Anker
Le mège II | Der Quacksalber II
1881
Huile sur toile | Öl auf Leinwand
72 × 87,5 cm

comme prétexte pour peindre une série de récipients et d'appareils, de matières, de livres, de bouteilles et de paniers tressés, ainsi qu'une tête de mort, dans une nature morte intérieure exubérante. Ces objets sont les protagonistes du tableau, dont le centre est occupé par une jarre en terre cuite avec une spatule en bois. Une peinture grandiose ! La mère avec l'enfant malade sur les genoux et la grande sœur de ce dernier, qui a le regard fixé sur le crâne au sommet de l'étagère sous le plafond, sont des personnages naïfs qu'Anker abandonne à leur sort, à la manière d'un photographe indifférent.

Dans le tableau *La Vente aux enchères* de 1891, Anker explore un côté manifestement obscur de la société, la mise à l'encan des possessions d'une famille de métayers dans l'incapacité de payer ses intérêts (Cat. 26). Courbet aurait pris position. À l'inverse, Anker a peint une scène de mœurs. Il montre que même une telle action de dépouillement, humiliante, peut se dérouler de façon ordonnée, ce qui donne de l'espoir aux victimes pour un nouveau départ, positif. Anker reste fidèle à lui-même : il ne peut faire autrement que de tabler sur la solidarité des concitoyens, même dans une situation tout à fait injuste du point de vue des personnes concernées. À la même époque, Gottfried Keller était désabusé par le capitalisme qui avait été instauré à l'époque des fondateurs (« Gründerzeit »). Ainsi, le personnage de Martin Salander, qui croit en la bonté de l'Homme, est longuement analysé dans le dernier roman naturaliste de Keller, paru en 1886. Les profiteurs exploiteurs ne connaissent pas la compassion, ce sont des gredins. Keller a exclu catégoriquement toute catharsis pour ce nouveau type de spéculateurs amoraux. Quant au tableau d'Anker sur la vente des objets saisis, c'est une commande passée par le collectionneur bâlois La Roche-Ringwald. Anker lui avait écrit qu'il voulait placer la bureaucratie vampirisante à côté de la famille touchée. Il n'a pas respecté cette intention. À la place, il a peint une scène de mœurs crédible et réaliste. Keller critiquait sans ménagement les problèmes de son époque. Anker, qui était de la même génération que lui, misait sur des stratégies réalistes, mais ne confrontait cependant pas ses interlocuteurs à la réalité refoulée par ces dernières. Il conférait plutôt une certaine crédibilité à un monde alternatif idéal. Si, dans une situation extrême, par exemple une vente aux enchères forcée, les hommes se comportent les uns envers les autres tel qu'il le montre, « le monde n'est pas encore perdu ». Anker a divisé la surface du tableau en deux parties égales au moyen d'une porte ouverte à l'arrière-plan. À gauche, nous voyons une foule compacte d'individus bruyants, dont personne ne se moque. Au contraire, tous ont un regard impassible et sérieux. Le commissaire-priseur se trouve derrière une table à droite. Étant donné le sérieux et la tension visibles sur les visages, les comportements des

in erster Linie als Vorwand, um eine Reihe von Gefässen und Geräten, Stoffen, Büchern, Flaschen und geflochtenen Körben sowie auch einem Totenschädel in lauter Binnenstillleben malen zu können. Diese Gegenstände sind die Hauptakteure auf dem Bild, dessen Mitte ein irdener Krug mit einer Holzkelle einnimmt. Grossartige Peinture! Die Mutter mit dem kranken Kind auf dem Schoss, dessen ältere Schwester auf den Totenkopf auf dem Regal starrt, sind Naive, die Anker wie ein unbeteiligter Fotograf ihrem Schicksal überlässt.

Im Gemälde *Der Geltstag* von 1891 greift Anker eine offensichtliche Schattenseite der Gesellschaft auf, die Zwangsversteigerung der Habe einer Pächterfamilie, die ihre Zinsen nicht aufbringen konnte (Kat. 26). Courbet hätte daraus eine Proklamation gemacht. Anker malte dagegen ein Sittenbild. Er zeigt, dass auch eine solch demütigende und entblössende Handlung in geordneten Bahnen ablaufen kann, was Hoffnung auf einen positiven Neustart der Opfer offen lässt. Anker ist Anker: Er kann nicht anders, als auch in einer aus der Sicht der Betroffenen absolut ungerechten Situation auf die Solidarität der Mitbürger zu setzen. Gottfried Keller war gleichzeitig desillusioniert vom Kapitalismus, der sich in der Gründerzeit etabliert hatte. Der auf das Gute im Menschen vertrauende Martin Salander wird in Kellers letztem, naturalistischen Roman, erschienen 1886, hemmungslos ausgenützt. Mitleid kennen die ausbeuterischen Profiteure nicht, sie sind Schurken. Eine Katharsis hat Keller für diesen neuen Typus des amoralischen Spekulanten kategorisch ausgeschlossen. Ankers Zwangsversteigerung ist ein Auftragswerk, bestellt vom Basler Sammler La Roche-Ringwald. Anker schrieb ihm, er wolle die blutsaugende Bürokratie neben die betroffene Familie stellen. Diesen Vorsatz hat er nicht eingelöst. Stattdessen malte er ein glaubwürdig realistisches Sittenbild. Keller kritisierte die Probleme seiner Zeit schonungslos, sein Generationsgenosse Anker setzte zwar ebenfalls auf realistische Strategien, aber er konfrontiert sein Gegenüber nicht mit der verdrängten Wirklichkeit, vielmehr verleiht er der idealen Gegenwelt realistische Glaubwürdigkeit. Wenn Menschen in einer Extremsituation wie einer Zwangsversteigerung so, wie er es zeigt, miteinander umgehen, „ist die Welt noch nicht verloren". Die Bildfläche hat Anker durch die offene Tür im Hintergrund in zwei gleich grosse Hälften getrennt. Links sehen wir eine dicht gedrängte Menge aus lauter Individuen, von denen sich keiner mokiert, vielmehr schauen alle gefasst und ernst aus. Rechts hinter einem Tisch agiert der Auktionator. Bei allem Ernst und aller Spannung, die sich auf den Gesichtern zeigt, unterscheiden sich die Figuren in ihrem Ver-

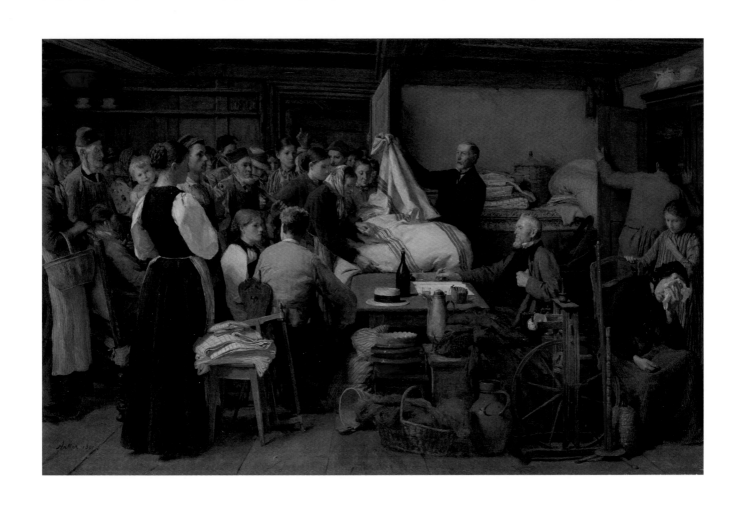

26
Ferdinand Hodler
La vente aux enchères | *Der Geltstag*
1891
Huile sur toile | Öl auf Leinwand
89,5 c 140,58 cm

personnages ne diffèrent pratiquement pas les uns des autres. Les profiteurs ne prennent pas leurs aises. Devant et derrière la table, la situation est le fait d'êtres civilisés, les visages sont impassibles et personne ne s'emballe de façon déplacée. Seule la grand-mère couvre son visage de honte et de chagrin. L'accentuation recherchée par Anker, qui aurait été exprimée par la représentation de la « bureaucratie vampirisante », est, comme l'écrit Kuthy, « étrangère à sa croyance artistique, et en réalité, le public, le commissaire-priseur et la famille concernée sont des membres du même ordre établi »[2]. Ici aussi, les objets peints minutieusement dans de fabuleux arrangements de nature morte, tels que des tissus et de la vaisselle, des jarres et des arrosoirs en fer blanc, des meubles et des outils, soulignent les contrastes entre les deux parties du tableau. L'ordre des objets confirme la légitimité des personnages. De cette manière, la toile évite de tomber dans le piège tentant du sentimentalisme.

halten kaum. Profiteure machen sich keine breit. Vor und hinter dem Tisch geht es gesittet zu und her, man ist gefasst und lässt sich nicht unüberlegt hinreissen. Nur die Grossmutter verdeckt aus Scham und Trauer ihr Gesicht. Die von Anker angestrebte Pointierung, die in der Darstellung der „blutsaugenden Bürokratie" gelegen hätte, liegt, wie Kuthy schreibt „ausserhalb seines künstlerischen Glaubens, und in Wirklichkeit sind Publikum, Auktionator und betroffene Familie eben Angehörige der gleichen festgefügten Ordnung".[2] Auch hier überspielen die wieder kostbar im Licht gemalten Gegenstände in grossartigen Stilllebenarrangements wie Stoffe und Geschirr, Krüge und Blechkannen, Möbel und Werkzeuge die Gegensätze der Bildhälften. Die Ordnung der Dinge bestätigt die Rechtmässigkeit der handelnden Figuren. Dadurch entgeht das Gemälde der naheliegenden Gefahr der Sentimentalität.

[2] Kuthy/Lüthy, p. 25.

[2] Kuthy/Lüthy, S. 25.

École, sport, loisirs
Albert Anker

Matthias Frehner

L'École en promenade compte parmi les œuvres les plus connues et les plus appréciées d'Albert Anker (Cat. 27). Il avait déjà créé une plaque en faïence avec le même motif sur commande de l'entreprise alsacienne Deck. Anker était très prisé comme peintre sur faïence ; de 1866 à 1892, il réalisa plus de cinq cents œuvres sur ce support. Avec *L'École en promenade*, il s'est emparé d'un sujet proche de la nostalgie de la nature chère aux préraphaélites. Cela explique que la plaque en faïence ait été achetée par le Victoria & Albert Museum de Londres peu après, en 1869. Les ébauches pour la faïence et le tableau révèlent dans leur linéarité une similitude frappante avec les illustrations de Ludwig Richter de livres publiés à l'époque. Sur le plan de la composition, *L'École en promenade* suit *Les Vendanges*. Ici aussi, le cortège d'enfants se subdivise en quelques groupes et individus qui bavardent, dansent ou cueillent des fleurs. En outre, là encore, un « chef d'orchestre » avance en tête d'un pas dansant et donne le rythme. Il s'agit d'un gamin qui, la main levée, se tourne vers la classe. Les enfants, qui commencent à peine leur scolarité, sont vêtus de diverses façons. Ils ne portent pas tous des chaussures. Toutefois, il n'existe apparemment pas de barrière sociale. Les pieds nus et les souliers en cuir forment un motif coloré. La cueillette de fleurs a-t-elle un but pédagogique ? Quand on se rappelle à quel point la région abondait en champs, arbres et fermes, il semble logique d'attribuer à cette excursion un objectif de découverte des lieux. Contrairement à *Une école de village dans la Forêt-Noire* de 1858 et à *L'Examen* de 1862 (tous deux au musée des Beaux-Arts de Berne), aucune figure autoritaire ne semble dominer *L'École en promenade*. En 1870, pendant la guerre franco-allemande, Anker a peint le tableau *Pestalozzi et les orphelins de Stans* (Kunsthaus Zürich). La tolérance de l'institutrice qui laisse faire les enfants ainsi que le fait qu'Anker ait représenté chaque écolier comme un personnage unique font référence à l'éducation holistique selon les préceptes de Pestalozzi.

La Gymnastique fut certainement l'entreprise la plus audacieuse d'Anker. En effet, ce qu'il a toujours cherché à éviter, si possible, ou à minimiser fortement,

Schule, Sport, Freizeitvergnügen
Albert Anker

Matthias Frehner

Der Schulspaziergang gehört zu Ankers bekanntesten und erfolgreichsten Bildschöpfungen (Kat. 267. Vor dem Bild schuf Anker im Auftrag der Elsässer Firma Deck eine Fayenceplatte mit dem gleichen Motiv. Als Fayencemaler war Anker sehr beliebt; von 1866 bis 1892 hat er in diesem Medium über fünfhundert Werke geschaffen. Mit dem *Schulspaziergang* hatte Anker ein Thema aufgegriffen, das der Natursehnsucht der Präraffaeliten nahe stand. Dies erklärt, dass die Fayenceplatte 1869 sogleich vom Victoria and Albert Museum in London erworben wurde. Die Vorzeichnung für die Fayence und das Gemälde offenbaren in ihrer Linearität eine frappante Ähnlichkeit zu den damals verbreiteten Buchillustrationen von Ludwig Richter. Kompositorisch folgt *Der Schulspaziergang* dem *Winzerfest*, denn auch hier zerfällt der Zug der Kinder in einzelne Gruppen und Individuen, die schwatzen, tanzen oder Blumen pflücken. Und auch hier gibt es einen „Dirigenten", der in tänzerischem Schritt vorauseilt und den Takt angibt. Hier ist es ein Knabe, der sich mit erhobener Hand zur Klasse umdreht. Die Kinder, die wohl alle ganz am Anfang ihrer Schulzeit stehen, sind unterschiedlich gekleidet. Nicht alle tragen Schuhe. Doch soziale Barrieren gibt es scheinbar keine. Nackte Füsse und Lederschuhe bilden ein buntes Muster. Ob das Blumenpflücken pädagogisch motiviert ist? Vergegenwärtigt man sich, wie reichhaltig die Gegend an Feldern, Bäumen, unterschiedlichen Bauernhäusern ist, liegt es nahe, dem Ausflug einen heimatkundlichen Zweck zuzuschreiben. Im Unterschied zur *Dorfschule im Schwarzwald* von 1858 und dem *Schulexamen* von 1862 (beide Kunstmuseum Bern) herrscht auf dem *Schulspaziergang* kein autoritärer Geist. 1870 hatte Anker während dem Deutsch-Französischen Krieg das Bild *Heinrich Pestalozzi und die Wasenkinder in Stans* gemalt. (Kunsthaus Zürich) Die Toleranz der Lehrerin, die die Kinder liebevoll gewähren lässt, sowie die Tatsache, dass Anker jedes Kind als einmaligen Charakter wiedergegeben hat, sind ein Verweis auf die ganzheitliche Erziehung in der Tradition Pestalozzis.

Die Turnstunde war wohl Ankers kühnstes Unterfan-

27
Albert Anker
L'Ecole en promenade |
Der Schulspaziergang
1872
Huile sur toile | Öl auf Leinwand
90 × 149 cm

pour le bien de la vie communautaire coutumière, est ici donné à voir : l'affrontement de l'ancien et du nouveau à travers des différences explicites (Cat. 29). Les structures villageoises traditionnelles rencontrent l'architecture et l'esprit de la nouvelle époque, laquelle est concrétisée, dans le petit village tortueux d'Anet que l'on aperçoit à l'arrière-plan, par la construction classique et sévère de l'école et la grande cour de récréation surélevée. La ferme à toit de chaume dans la partie gauche du tableau montre clairement que des maisons ont été rasées à cette fin. La ferme s'enfonce littéralement dans le sol en contrebas de la cour de récréation. Anker souligne les contrastes : le toit de chaume est un morceau de la nature, maintes fois réparé, recouvert de mousse et d'herbe et partiellement dissimulé par un majestueux tilleul. Par opposition, l'école est parfaitement lumineuse, les fenêtres sont fonctionnelles et les murs sont éclatants de propreté. Le tableau illustre la nouvelle leçon de gymnastique introduite le 13 septembre 1878, qui était la seule matière scolaire régulée pour l'ensemble de la Suisse dans le cadre de l'instruction militaire. L'activité physique, exclusivement réservée aux garçons, consistait en exercices. Les filles, quant à elles, apprenaient le travail manuel. Certaines d'entre elles se trouvent au bord de la cour et observent le spectacle de gymnastique. L'appartenance au groupe des différents protagonistes est déterminée de l'extérieur. Les garçons, répartis en deux rangées, s'entraînent au pas de marche militaire sous le commandement de leur instituteur. Pourtant, Anker a conféré à chaque enfant une individualité. À Anet, il est certain que chacun d'entre ceux représentés sur le tableau a pu se reconnaître. Les parents sont absents. Ils sont au travail. Seuls deux hommes plus âgés qui cherchent leurs petits-enfants du regard sont présents au premier plan. De retour des champs, l'un porte une faux sur l'épaule, l'autre a déjà posé sa brouette remplie d'herbe fraîchement coupée. Pour les théologiens, le vieil homme avec la faux est une référence au *Memento mori*. Anker évoque souvent la Faucheuse dans ses lettres, par exemple au printemps 1893 : « Il me semble que je me rapproche rapidement de la grande récolte. Si la grande Faucheuse devait venir, elle ne me surprendrait pas. »[1] Il était conscient d'avoir créé un tableau inhabituel pour son public avec cette *Gymnastique*, où s'affrontent deux univers. C'est pourquoi il était également convaincu que celui-ci était invendable, de telle sorte que ses héritiers retrouveraient un jour la « malheureuse gymnastique » dans son grenier[2]. Anker a abordé la thématique des enfants en baignade

gen (Kat. 29). Denn, was er sonst immer tunlichst vermieden oder doch zugunsten des herkömmlichen Dorflebens zumindest stark abgefedert hat, passiert hier: Alt und Neu prallen in harten Gegensätzen aufeinander. Traditionell-ländliche Dorfstrukturen treffen auf die Architektur und den Geist der neuen Zeit. Diese ist mit dem klassizistisch-strengen Schulhausbau und dem erhöhten grossen Pausenplatz ins kleinteilig verwinkelte Ins eingebrochen, das im Hintergrund noch sichtbar ist. Dass für das neue Schulhaus Platz geschaffen respektive Häuser abgebrochen worden waren, macht das strohgedeckte Bauernhaus auf der linken Bildhälfte deutlich. Neben dem erhöhten plafonierten Pausenplatz versinkt es buchstäblich im Boden. Anker betont die Gegensätze: Das Strohdach ist ein Stück Natur, oft geflickt, von Gras und Moos bewachsen und von einer mächtigen Linde teils verdeckt. Das Schulhaus dagegen makellos hell, die Fenster funktional, die Wände grell und sauber. Das Gemälde illustriert den am 13. September 1878 neu eingeführten Turnunterricht, der als einziges Schulfach in einer Militärinstruktion gesamtschweizerisch geregelt worden war. Die körperliche Ertüchtigung, die einzig den Knaben vorbehalten war, findet in Exerzierübungen statt. Mädchen wurden stattdessen in Handarbeit unterrichtet, einige von ihnen halten sich am Rand des Platzes als Zuschauerinnen des Turnspektakels auf. Auf diesem Bild ist die Gruppenzugehörigkeit der vielen Protagonisten fremdbestimmt. Die Knaben üben in zwei Reihen auf das Kommando ihres Lehrers militärischen Marschschritt. Trotzdem hat Anker jedes Kind individuell gemalt. In Ins hat sich wohl jedes der dargestellten Kinder auf dem Bild wiedererkannt. Die Eltern der Kinder fehlen. Sie sind an der Arbeit. Nur zwei ältere Männer, die nach ihren Enkel Ausschau halten, sind im Vordergrund präsent. Sie kommen von der Feldarbeit. Der eine schultert eine Sense, der andere hat gerade seinen Schubkarren mit dem frisch geschnittenen Gras abgestellt und blickt ebenfalls auf den Schulhausplatz. Der Alte mit der Sense ist für den Theologen ein Memento-Mori-Verweis. Vom Schnitter Tod spricht Anker in seinen Briefen oft, beispielsweise im Frühling 1893: „Es dünkt mich, dass ich rasch der grossen Ernte entgegenreife. Sollte der grosse Schnitter anrücken, so wird er mich nicht überraschen."[1] Anker war sich bewusst, dass er mit der *Turnstunde* ein für sein Publikum ungewöhnliches konfrontatives Bild geschaffen hatte. Er war deshalb auch überzeugt, es sei unverkäuflich, so dass seine Erben die „malheurese gymnastique" dereinst auf seinem Dachboden wiederfinden würden.[2] Das Thema Kinder beim Baden hat Anker 1865 und

[1] Albert Anker à Albert de Meuron, 5 avril 1893, cité d'après Meister, p. 127.
[2] Albert Anker à Albert de Meuron, décembre 1879, cité d'après Meister, p. 84.

[1] Albert Anker an Albert de Meuron, 5. April 1893, zit. nach Meister, S. 127.
[2] Albert Anker an Albert de Meuron, Dez. 1879, zit. nach: Meister, S. 84.

en 1865 et 1888. Les deux tableaux se trouvent dans la collection Blocher. La première version est plus intime. On y voit des enfants nus, dont deux femmes s'occupent, sur les berges boisées du lac de Neuchâtel. Cette toile a été présentée au Salon de Paris en 1865. La deuxième version *Les gamins qui se baignent à l'ancien Crêt de 1888* est consacrée à la baignade dans les bains publics pour garçons au pied du « Crêt », à Neuchâtel (Cat. 28). Ces bains publics furent abandonnés en raison de la baisse de niveau du lac de Neuchâtel à la suite de la correction des eaux du Jura de 1868 à 1891. L'« esplanade » avec la nouvelle académie y a été construite à la place. Sur ce tableau, Anker s'est à nouveau servi de la composition de groupe libre déjà en œuvre dans *Les Vendanges* et *L'École en promenade*. On y voit des garçons en train de se changer, de patauger sur le rivage, de prendre le soleil sur la passerelle, de faire impatiemment la queue sur le plongeoir, de sauter dans l'eau et de nager dans les eaux plus profondes. Le carcan de *La Gymnastique*, qui oblige chacun à effectuer des séquences de mouvements prédéfinies, a laissé place ici au jeu, à la joie de vivre, jeune et légère. Aucun autre tableau ne présente des personnages aussi pétulants et

1888 aufgegriffen. Beide Bilder befinden sich in der Sammlung Blocher. Die erste Fassung ist die intimere. Sie zeigt nackte Kinder, von zwei Aufpasserinnen betreut, in einer von Bäumen abgeschirmten Uferpartie des Neuenburgersees und *Das Bad in Crêt,* wurde 1865 im Pariser Salon ausgestellt. Das zweite von 1888 widmet sich dem offiziellen Badebetrieb in der Knabenbadeanstalt zu Füssen des „Crêt" in Neuenburg (Kat. 28). Diese Badeanstalt wurde wegen der Niveauabsenkung des Neuenburgersees infolge der Juragewässerkorrektion von 1868-1891 aufgegeben. An ihrer Stelle wurde die „Esplanade" mit der neuen Akademie errichtet. Auf diesem Bild bediente sich Anker erneut der freien Gruppenkomposition, die er bereits im *Winzerfest* und dem *Schulspaziergang* angewandt hatte. Zu sehen sind Knaben beim Umziehen, beim Planschen im seichten Uferwasser, beim Sonnenbad auf dem Steg, beim ungeduldigen Anstehen auf dem Sprungbrett, beim Sprung ins Wasser und beim Schwimmen im offenen Wasser. Das Korsett der *Turnstunde*, das alle zu vorgegeben Bewegungsabläufen zwingt, ist einem unbeschwerten Zusammenspiel junger, unbeschwerter Lebensfreude gewichen. Auf keinem Gruppenbild bewegen sich die

28
Albert Anker
Les gamins qui se baignent à l'ancien Crêt | *Das Bad in Crêt*
1888
Huile sur toile | Öl auf Leinwand
42,7 × 90,3 cm

insouciants que *Les gamins qui se baignent à l'ancien Crêt*. Anker a représenté le groupe des baigneurs à une distance plus éloignée que dans ses scènes précédentes et suivantes de personnages dans la nature. Cela met davantage en avant le paysage. La surface de l'eau, les berges et le ciel occupent pratiquement toute la surface du tableau. *Les gamins qui se baignent à l'ancien Crêt* est une toile importante dans l'œuvre d'Anker et une contribution significative sur le plan international à la thématique des baigneurs.

Figuren ausgelassener und so ganz auf sich selbst gestellt wie *Bad in Crêt*. Die Gruppe der Badenden hat Anker aus grösserer Distanz wiedergegeben als auf allen seinen früheren und späteren Figurenszenen in der natürlichen Landschaft. Umso mehr Wichtigkeit erlangt dafür die Landschaft. Wasserfläche, Uferpartie und Himmel nehmen fast ungestört die ganze Bildfläche ein. *Das Bad in Crêt* ist ein Höhepunkt in Ankers Werk und ein international bedeutender Beitrag zum Thema der Badenden.

29
Albert Anker
La gymnastique | *Turnstunde in Ins*
1879
Huile sur toile | Öl auf Leinwand
96 × 147,5 cm

La vraie vie pleine de sens : petits-enfants et grands-parents
Albert Anker

Matthias Frehner

Albert Anker a représenté des grands-parents et des petits-enfants dans toutes ses scènes familiales, presque sans exception. L'absence des parents peut s'expliquer par le fait que ceux-ci n'étaient pas présents dans son atelier à Anet pour lui servir de modèles. Même avec la meilleure volonté, ils n'en avaient pas le temps, car hommes et femmes travaillaient comme cultivateurs, artisans, ouvriers journaliers, femmes au foyer, lavandières du matin au soir, même le samedi, et le repos dominical était respecté à la lettre. Toutefois, ce n'était pas la seule raison pour laquelle Anker ne s'intéressait qu'aux enfants et aux grands-parents. Dans le roman à succès de Johanna Spyri *Heidi*, paru en 1880, la génération des parents est là aussi laissée de côté. Le fait qu'Anker et Spyri passent directement de l'enfance innocente au repos dénué de péché du grand âge est fondé sur une certaine idéologie. La rencontre intime de l'enfance insouciante et de la douceur reconnaissante de la vieillesse est un symbole de paradis terrestre. Depuis ses débuts, Anker a toujours été convaincu que le paradis perdu devait être représenté au moins dans des tableaux, grâce aux moyens de l'art, ce qu'il a exprimé par cette formule : « Le domaine de l'art m'apparaît comme un vrai paradis perdu. »[1] Le paradis de la rencontre entre petits-enfants et grands-parents aurait été compromis par les parents, marqués par leur travail quotidien. À Anet comme dans le chalet alpin de Heidi, le *bon vieux temps* n'est absolument pas révolu au sein de logis simples et archaïques, sur la banquette du poêle où petits-enfants et grands-parents vivent dans une communauté toute en harmonie et authenticité intemporelles, même s'ils se livrent à une activité ou que les enfants s'occupent en jouant, en lisant ou en tricotant.

Dans ses scènes de genre, Anker a représenté un certain type de personnes auxquelles il s'est intéressé de façon constante, ce qui supposait que ces dernières étaient prêtes à venir poser dans son atelier. Cependant, il a également réalisé des études de figures, de paysages

Das sinnvolle, wahre Leben: Enkel und Grosseltern
Albert Anker

Matthias Frehner

Anker hat auf seinen Familienszenen fast ausnahmslos Grosseltern und Enkelkinder dargestellt. Dass die Eltern fehlen, liesse sich damit erklären, dass diese ihm als Modelle in seinem Atelier in Ins nicht zur Verfügung standen. Dafür hatten sie beim besten Willen keinen Zeit, denn Männer und Mütter arbeiteten als Bauern und Bäuerinnen, als Handwerker, Taglöhner, Hausfrauen Wäscherinnen von morgens bis abends, auch samstags, und die Sonntagsruhe wurde strickte eingehalten. Doch diese Tatsache war nicht der eigentliche Grund für Ankers ausschliessliche Beschäftigung mit Kindern und deren Grosseltern. Auch in Johanne Spyris Erfolgsroman *Heidi* wird die Elterngeneration ausgeblendet. Dass Anker und Spyri die sündenfreie Kindheit und die unschuldige Ruhephase des Alters kurzschliessen, hat weltanschauliche Gründe. Das innige Zusammentreffen von unbeschwerter Kindheit und dankbarer Altersmilde ist ein Bild für das irdische Paradies. Dass das verlorene Paradies mit den Mitteln der Kunst wenigsten im Bild zurückzuholen sein müsste, war von Anbeginn an Ankers Überzeugung. Dies brachte er mit dem programmatischen Ausspruch „Wahrlich das Gebiet der Kunst kommt mir vor wie ein verlorenes Paradies."[1] zum Ausdruck. Das Paradies des Zusammenseins von Enkeln und Grosseltern hätten die vom Arbeitsalltag gezeichneten Eltern gestört. In Ins und in Heidis Alphütte war das *gute alte* Leben noch zu finden: in archaisch einfachen Behausungen auf der Ofenbank, wo Enkel und Grosseltern in einer Gemeinschaft zeitloser Harmonie und Ursprünglichkeit leben, auch wenn sie einer Tätigkeit nachgehen oder die Kinder sich mit einem Spiel, mit Lesen oder Stricken beschäftigen.

Anker hat auch bei Genredarstellungen immer bestimmte Menschen dargestellt, mit denen er sich intensiv auseinandersetzte. Dies bedingte, dass sie bereit waren, als Modelle in sein Atelier zu kommen. Er hat aber auch unterwegs Studien von Menschen, Landschaften und Interieurs gemacht, die er später im Atelier zu Kompositionen vereinigte. *Der Grossvater mit Enkelkindern*

---

[1] Albert Anker à Samuel Anker, 25 décembre 1853, cité d'après Meister, p. 28.

[1] Albert Anker an Samuel Anker, 25. Dez. 1853, zit. nach Meister, S. 28.

et d'intérieurs au cours de ses voyages, qu'il réunissait plus tard, dans son atelier, dans ses compositions (Cat. 30). *Vieillard et deux enfants* de 1881 le montre à l'acmé de sa vision de la communauté des hommes. Le grand-père tient sur ses genoux un jeune enfant endormi. La petite sœur s'appuie contre son genou, le visage tourné vers son frère. Anker était un grand admirateur de Johann Caspar Lavater, dont il lisait régulièrement les *Fragments physiognomoniques*. Tout au long de sa vie, il s'est reconnu dans la maxime de Lavater : « Le visage est la scène où l'âme s'expose… Qui ne la saisit pas à cet endroit-là ne peut pas la peindre, et qui ne peut pas la peindre n'est pas un peintre de portraits. »[2] Ces trois portraits démontrent qu'Anker savait capter par la peinture ce qu'il y a d'indicible dans les moindres traits des visages. Qu'est-ce que ceux-ci nous révèlent ? Qu'en ce moment précis, le grand-père ne pense à rien d'autre qu'aux enfants qui lui ont été confiés, qu'il leur accorde sa concentration absolue et que les petits lui témoignent une profonde confiance. Cette communauté est indissociable, elle ne s'oppose à personne. Anker a créé cette ambiance intime par sa formidable maîtrise des flux lumineux qui passent, relient, protègent, desquels se dégage une aura intemporelle.

Le tableau *Grand-mère au rouet et gamin sur la banquette du poêle* incarne un autre type de rencontre paisible (Cat. 31). L'aïeule surveille son petit-fils endormi sur la banquette du poêle tandis qu'elle travaille au rouet. Cette scène est profane, il s'agit plus d'un moment idyllique que d'un instant d'éternité. En effet, Anker indique que le temps passe ; l'horloge dont le pendule oscille révèle que c'est l'après-midi. La tension est horizontale. Le garçon se sera réveillé, la grand-mère aura filé une bonne quantité de fil. Les visages sont détournés. L'enfant endormi ne pense pas, l'ancêtre est absorbée par son travail. Le peintre-psychologue s'est efforcé de créer une atmosphère empreinte de sérénité, de sécurité et de calme. Celle-ci est générée par l'interaction des éléments du tableau, traités de façon égale.

von 1881 zeigt ihn auf der Höhe seiner Vergegenwärtigung menschlicher Gemeinschaft (Kat. 30). Der Grossvater hält auf seinen Knien ein schlafendes Kleinkind. Die kleine Schwester stützt sich auf seinem Knie auf und wendet ihr Gesichtchen dem schlafenden Kindchen zu. Anker war ein grosser Verehrer von Johann Caspar Lavater, dessen Physiognomische Fragmente zu seiner ständigen Lektüre gehörten. Lavaters Maxime „Das Gesicht ist der Schauplatz, auf dem sich die Seele zeigt – hier muss sie ergriffen werden – wer sie hier nicht malen kann, ist kein Porträtmaler."[2] bezog er zeitlebens auf sich selbst. Dass er das Unaussprechliche, das in innigen Gesichtszügen liegt, in Malerei fassen konnte, belegen diese drei Menschendarstellungen. Was kann man den Gesichtern entnehmen? Dass der Grossvater in diesem Moment an nichts anderes denkt, als an die ihm anvertrauten Kinder, dass er vollkommen auf sie konzentriert ist, dass die Kleine ihm ihr Urvertrauen entgegenbringt. Diese Gemeinschaft ist vollkommen bei sich, für sie gibt es kein Gegenüber. Dass diese intime Stimmung eintreten kann, hat Anker mit seiner grossartigen Handhabung der Lichtströme bewirkt, die überleiten, verbinden, abschirmen und eine zeitlose Aura erzeugen.

Das Bild *Die Grossmutter am Spinnrad und schlafender Enkel* verkörpert einen anderen Typus friedvollen Zusammenseins (Kat. 31). Diese Grossmutter beaufsichtigt ihren auf der Ofenbank eingeschlafenen Enkel, während sie am Spinnrad arbeitet. Diese Szene ist profaner, mehr Idylle als Ewigkeitsaugenblick. Anker gibt denn auch an, dass die Zeit hier verfliesst; die Uhr, deren Pendel ausschlägt, zeigt die nachmittägliche Stunde an. Die Spannung verläuft horizontal. Der Bub wird erwachen, die Grossmutter eine bestimmte Menge Garn gesponnen haben. Die Gesichter sind abgewandt. Der Schlafende denkt nicht, die Grossmutter ist durch ihre Arbeit absorbiert. Der Maler-Psychologe bemühte sich, eine Gesamtstimmung harmonischer Ruhe und Geborgenheit zu schaffen. Diese ergibt sich aus dem Zusammenspiel der Bildelemente, die gleichwertig behandelt sind.

[2] Johann Caspar Lavater, *Fragments physiognomoniques*, Winterthour, 1784, p. 75.

[2] Johann Caspar Lavater, Physiognomische Fragmente, Winterthur 1784, S. 75.

30
Albert Anker
Vieillard et deux enfants | *Grossvater mit zwei Enkelkindern*
1881
Huile sur toile | Öl auf Leinwand
99,5 × 75 cm

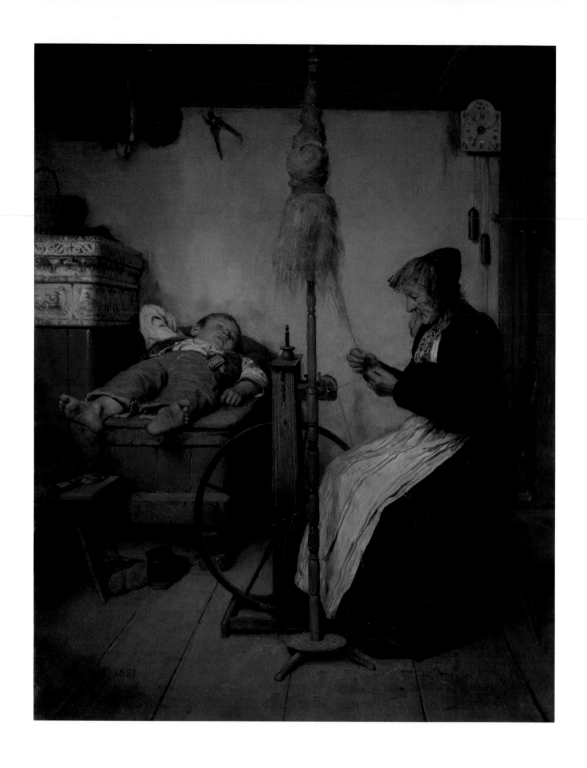

31
Albert Anker
Grand-mère au rouet et gamin sur la banquette du poêle | Grossmutter am Spinnrad und Schlafender Knabe auf der Ofenbank
1883
Huile sur toile | Öl auf Leinwand
99,5 × 75 cm

Portraits et symboles
Albert Anker

Matthias Frehner

Par ses lettres, par sa famille et par ses amis, nous savons qu'Albert Anker était un père aimant et qu'il s'entendait bien avec les enfants. Son intérêt pour ces derniers se portait sur la personnalité et l'unicité de chacun d'entre eux, qu'il cherchait à approfondir dans ses contacts personnels. Par empathie et intérêt scientifique, il s'est penché sur les questions de développement et d'éducation des enfants. Dans un texte paru en 1898 dans le journal *La Suisse libérale*, il a rapporté ses observations d'un nourrisson qui découvre les doigts de sa petite main et se met ainsi à palper, à saisir et à laisser tomber des objets. « [...] cette main si superflue d'abord, devient un précieux instrument. Il y a là un long apprentissage qu'on peut facilement observer. [...] La main saisit un objet au bout d'un instant, les doigts s'ouvrent machinalement et les objets disparaissent ! »[1] Ces notations des perceptions enfantines lui ont inspiré certains tableaux. Les étapes ultérieures du développement de l'enfant ont aussi grandement intéressé Anker : il a minutieusement scruté comment joue, écrit, lit, tricote, saute un enfant, et il a perçu, sur le plan psychologique, sa concentration mentale et son habileté manuelle. Une lettre rédigée peu après est révélatrice quant à l'application de ce type d'observation en peinture : Anker argumente que l'intérêt psychologique serait un reliquat de sa théologie. Puis il écrit : « Il m'a toujours semblé qu'un tableau sans cet intérêt est dénué de toute lumière. »[2] Cette formule permet de conclure que, pour le peintre Anker, la lumière lui permettait de traduire ses observations psychologiques.
Le public contemporain avait des attentes particulières en matière de scènes de genre figurant des enfants. Il voulait qu'on lui raconte des histoires, rire de gestes drôles, se laisser émouvoir par l'innocence enfantine et ressentir de la compassion pour la souffrance des petits. Et, bien entendu, les enfants devaient être montrés dans leur environnement, dans leur chambre, à

Bildnisse und Sinnbilder
Albert Anker

Matthias Frehner

Aus seinen Briefen, von seiner Familie, seinen Freunden ist bekannt, dass Anker ein liebevoller Vater und Kinderfreund war. Sein Interesse am Kind richtete sich auf dessen Persönlichkeit und Einmaligkeit, die er im persönlichen Kontakt zu ergründen trachtete. Mit Empathie und wissenschaftlichem Interesse befasste er sich mit Entwicklungsfragen wie auch mit der Erziehung von Kindern. Seine Beobachtungen eines Säuglings, der die Finger seines Händchens entdeckt, damit Gegenstände ertastet, ergreift und fallen lässt, beschrieb er in einem 1898 in der Zeitung *La Suisse libérale* veröffentlichen Text als einen Erkenntnisprozess. „Die Hand – für das Kind zunächst ein überflüssiges Ding, wird zum kostbaren Werkzeug. Eine lange Lernzeit steht dem Kleinen bevor; wir können sie mit Leichtigkeit beobachten. (…) Die Hand ergreift einen Gegenstand; nach einer Weile öffnen sich die Finger, und das Ding verschwindet."[1] Solche Beobachtungen kindlicher Wahrnehmungen haben ihn zu Gemälden inspiriert. Aber auch die späteren Entwicklungsstufen des Kindes haben Anker enorm interessiert: wie ein Kind spielt, schreibt, liest, strickt, springt hat er exakt beobachtet, wobei er geistige Konzentration und manuelle Geschicklichkeit psychologisch wahrnahm. Aufschlussreich für die Umsetzung psychologischer Beobachtung in Malerei, ist eine wenig später geschriebene Briefstelle: Anker argumentiert, das „psychologische Interesse" sei ein Überbleibsel seiner Theologie. Dann folgt der Satz: „Immer schien es mir, dass ein Bild ohne dies Interesse allen Lichtes entbehrt."[2] Daraus lässt sich in einem Umkehrschritt folgern, dass sich der Maler Anker der Lichtgestaltung bediente, um seine psychologischen Beobachtungen ausdrücken zu können.
Das zeitgenössische Publikum hatte bestimmte Erwartungen in Bezug auf Genredarstellungen mit Kindern. Es wollte Geschichten erzählt bekommen, über drollige Gebärden lachen, sich von kindlicher Unschuld rühren

---

[1] Albert Anker, « Le premier développement de l'enfant », dans *La Suisse libérale*, n° 102, 5 mai 1898, cité d'après Meister, p. 141.
[2] Albert Anker à Philippe Godet, 17 mai 1899, cité d'après Meister, p. 143.

[1] Albert Anker, « Le premier développement de l'enfant», in: *La Suisse libérale*, Nr. 102, 5. Mai 1898, zit. nach: Meister, S. 141.
[2] Albert Anker an Philippe Godet, 17. Mai 1899, zit. nach: Meister, S. 143.

l'aire de jeux. Anker savait satisfaire avec brio ces desiderata. Ses enfants jouant avec des poupées, des petites voitures, des dominos, des hochets, des pipeaux, des chats et des poules étaient de véritables aimants à public au Salon de Paris et lui étaient littéralement arrachés des mains par les collectionneurs. Un de ces chefs-d'œuvre qui répondaient avec maestria à cet intérêt est sans aucun doute *La Convalescente I* de 1878 qu'Anker a peint à Paris et présenté la même année au Salon avant de le vendre peu après par l'intermédiaire de son marchand d'art Adolphe Goupil (Cat. 33). Pour une fois, la scène se déroule non pas dans une petite ferme d'Anet, mais dans une chambre d'enfant somptueusement tapissée de la grande bourgeoisie parisienne. Une fillette joliment coiffée est représentée dans un petit lit recouvert d'un drap soyeux et frais. L'enfant joue avec des poupées et les meubles d'une maison de poupée. Son jeune frère l'observe. Le tableau baigne dans une symphonie de tons blancs et beiges qui répondent au bleu du ruban des cheveux, au bleu clair des bordures de la veste et aux différentes touches de rose et de rouge qui se trouvent sur les jouets et les draps du lit. La physionomie des visages révèle la concentration de la fillette sur son jeu et celle de son frère à ses côtés. Un tel tableau était un tour de force, les nombreux éléments narratifs à coordonner ne faisant pas oublier en fin de compte l'attention à la fois intime et fugace de la fillette à son jeu.

Dans le décor habituel d'Anet, les distractions étaient moins nombreuses. Le tableau *Appliquée* de 1886 confirme ce constat (Cat. 36). Une fillette d'environ huit ans est assise dans un intérieur sombre qui rappelle Rembrandt. Nous la voyons de biais, comme à travers le zoom d'un objectif photographique. Des modèles photographiques semblables ont été retrouvés dans l'atelier d'Anker, mais pas pour cette œuvre-ci. La stratégie du peintre est d'être au plus près du modèle sans que celui-ci ne ressente la présence d'un observateur ou ne se laisse distraire ou influencer. En effet, pour lui, il s'agit de pouvoir représenter un personnage dans un moment particulier, coupé du dehors, dans une attitude naturelle et authentique. Une des caractéristiques du paradis serait une vie sans distraction, que celle-ci provienne de l'extérieur ou de nos propres souvenirs. En effet, ce n'est que de cette manière qu'il est possible de se dévouer complètement à un instant, à une tâche, à un jeu ou à une autre personne. Ce tableau d'une fillette en train d'écrire exprime de manière convaincante cette capacité à se concentrer totalement sur soi-même. Le personnage peint avec une précision réaliste devant un arrière-plan diffus, sombre, pas totalement saisissable et donc mystérieux, produit une impression étrange d'intrusion. D'une part, elle est si proche que l'on croirait sentir ses cheveux et entendre sa respira-

lassen und mitleiden über kindlichen Schmerz. Und natürlich sollten Kinder dabei in ihrer Umgebung gezeigt werden, im Kinderzimmer, auf dem Spielplatz. Anker hat diese Erwartungen glänzend zu erfüllen gewusst. Seine mit Puppen, Wägelchen, Dominosteinen, Rasseln, Pfeifen Katzen und Hühnern spielenden Kinder waren am Salon in Paris Publikumsmagnete und wurden ihm von Sammlern buchstäblich aus den Händen gerissen. Ein Meisterwerk, das diese Erwartungen glänzend einlöste, ist ohne Zweifel *Die Genesende I* von 1878, die Anker in Paris malte, im gleichen Jahr im Salon präsentierte und sogleich über seinen Kunsthändler Adolphe Goupil verkaufen konnte (Kat. 33). Die Szene spielt für einmal nicht im einer Inser Bauernstube, sondern im kostbar tapezierten Kinderzimmer des Pariser Grossbürgertums. Wiedergegeben ist ein schön frisiertes Mädchen aus bürgerlichem Haus in einem mit glänzend frischer Bettwäsche bezogenen Bettchen. Das Kind spielt mit Püppchen und Möbeln aus einer Puppenstube. Beobachtet wird es vom kleinen Brüderchen. Das Bild differenziert sich in eine Sinfonie von Weiss-Beige-Tönen, die mit dem Blau des Haarbandes, dem Hellblau der Jäckchenbordüren und den verschiedenen Rosa- und Rottupfern, die sich auf Spielzeugen und Bettwäsche befinden, korrespondieren. Die Physiognomien der Gesichter verraten Konzentration auf das Spiel. Ein solches Bild war ein Parforceakt, fast zu viele erzählerische Elemente waren zu koordinieren, die letztlich alle von der ebenso intimen wie flüchtigen Hingabe des Mädchens an sein Spiel ablenkten.

Im Inser Milieu gab es weniger Ablenkung. Dies verdeutlicht das Gemälde *Fleissig* von 1886 (Kat. 36). Vor einem rembrandthaft dunklen Interieur sitzt das etwa acht Jahre alte Mädchen. Wir sehen es in Schrägansicht wie durch eine fotografische Linse herangezoomt. Entsprechende fotografische Vorlagen haben sich in Ankers Atelier erhalten, jedoch nicht zu diesem Werk. Einem Modell ganz nahe zu sein, ohne dass dieses die Anwesenheit eines Beobachters spürt respektive sich ablenken oder beeinflussen lässt, ist Ankers Strategie. Denn es geht ihm darum, ein Gegenüber in einem Moment ohne Fremdeinflüsse in vollkommener Natürlichkeit und Authenziät wiedergeben zu können. Ein Merkmal des Paradieses ist ein Leben ohne Ablenkung, weder von aussen noch durch die eigene Erinnerung. Denn nur so ist vollkommene Hingabe an den Augenblick, an eine Aufgabe, ein Spiel, an ein Gegenüber möglich. Dieses Ganz-bei-sich-sein-Können bringt dieses Gemälde einer Schreibenden überzeugend zum Ausdruck. Vor dem diffus dunklen nicht ganz erfassbaren und dadurch geheimnisvollen Hintergrund erweckt die realistisch präzise geschilderte Figur einen seltsam irritierenden Eindruck. Einerseits ist sie einem so nahe, dass man ihr Haar zu riechen, ihren Atem zu

32
Albert Anker
Ecolier | Schulknabe
1877
Huile sur toile | Öl auf Leinwand
81,5 × 52 cm

tion et, d'autre part, son absorption absolue par son travail la montre comme totalement détachée de la réalité. Camille Corot possédait un tableau d'Anker, *Portrait d'une Italienne*, de 1870[3]. Celle-ci se trouve elle aussi dans un espace vide dans lequel nous la voyons de très près sans qu'elle ne semble réagir à quoi que ce soit d'extérieur à son monde. Corot nimbait lui également de ce mélange atemporel de proximité et d'inaccessibilité ses femmes en train de lire ou de réfléchir. Tous deux ont créé cette sensation unique grâce à leur façon de peindre la lumière, une lumière qui ne se contente pas d'éclairer, mais qui pénètre dans les personnages et que ces derniers réverbèrent.

Le plus difficile est de faire du visage la « scène de l'âme » quand le personnage n'a pas de nom et qu'il y a une absence totale d'indication quant au comportement, l'activité, le goût ou l'interlocuteur du protagoniste. Anker a ainsi peint des enfants et des personnes âgées dans leur simple existence. Au XIXᵉ siècle, Corot et Anker ont réalisé ce type de représentations pures du « sentiment humain » (Vincent Van Gogh au sujet d'Anker) de la façon la plus impressionnante.

hören vermeint, andrerseits erweckt sie durch die alles andere ausschliessende Konzentration auf ihre Arbeit den Eindruck vollkommener Entrücktheit. Camile Corot besass ein Bild von Anker, das *Portrait d'une Italienne* von 1870.[3] Auch diese befindet sich gleichsam in einem Vakuumraum, in dem wir sie hautnah sehen, ohne dass sie auf irgendetwas ausser ihrer Welt reagiert. Mit diesem zeitlosen Fluidum von Nähe und Unerreichbarkeit hat auch Corot seine lesenden und sinnen Frauen umgeben. Dieses einzigartige Fluidum haben beide durch ihre Lichtmalerei geschaffen: durch Licht, das nicht nur beleuchtet, sondern eindringt und von ihnen zurückstrahlt.

Am Schwierigsten ist es, das Gesicht zum „Schauplatz der Seele" werden zu lassen, wenn die Person namenlos ist und Hinweise auf eine bestimmte Verhaltensweise, eine Tätigkeit, eine Vorliebe, ein Gegenüber vollkommen fehlen. Anker hat Kinder und alte Menschen so in ihrer blossen Existenz wiedergegeben. Solche reine Darstellungen „menschlichen Gefühls" (Vincent van Gogh über Anker) haben im 19. Jahrhundert am Eindrücklichsten Corot und Anker geschaffen.

[3] Kuthy/Bhattacharya, n° 133, p. 105.

[3] Kuthy/Bhattacharya, Nr. 133, S. 105.

33
Albert Anker
La convalescente | Die Genesende
1878
Huile sur toile | Öl auf Leinwand
59 × 85 cm

34
Albert Anker
Portrait d'une jeune fille | *Bildnis eines Mädchens*
1886
Huile sur toile | Öl auf Leinwand
52 × 40 cm

35
Albert Anker
Portrait d'une petite fille | *Mädchenbildnis*
1885
Huile sur toile | Öl auf Leinwand
38 × 32 cm

36
Albert Anker
Appliquée | Fleissig
1886
Huile sur toile | Öl auf Leinwand
61,5 × 50 cm

37
Albert Anker
Portrait d'une jeune dame | *Bildnis einer jungen Frau*
Vers | um 1860
Huile sur toile | Öl auf Leinwand
51 × 43 cm

117

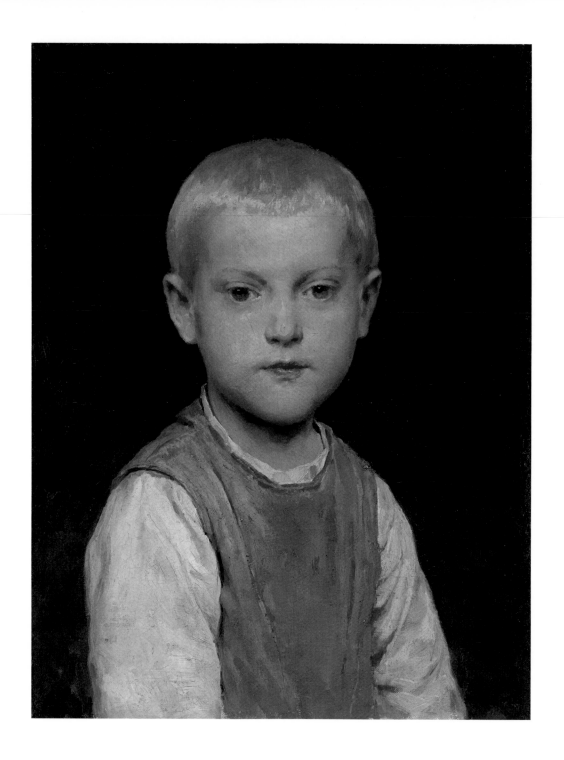

38
Albert Anker
Portrait d'un garcon | *Knabenbildnis*
Non daté
Huile sur toile | Öl auf Leinwand
32 × 42,5 cm

39
Albert Anker
Le Vieux Küffer moulant le café | *Alter Mann mit Kaffeemühle*
1886
Huile sur toile | Öl auf Leinwand
76,5 × 60 cm

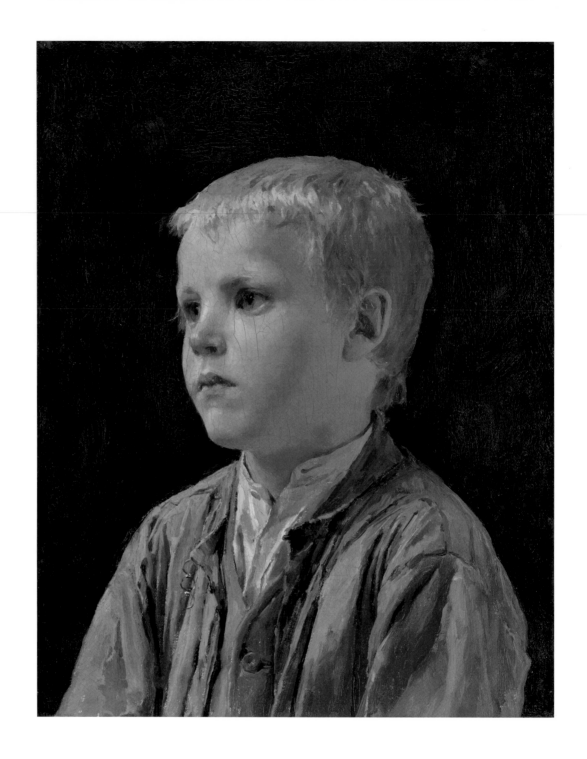

40
Albert Anker
Portrait d'un garcon | Knabenbildnis
Non daté
Huile sur toile | Öl auf Leinwand
40,5 × 32 cm

Les natures mortes d'Anker
Albert Anker

Therese Bhattacharya-Stettler / Matthias Frehner

« I wish I was a tea kettle. Why? Because I should have the bottom warm, the belly full and the cork handled by the maids. » Albert Anker a noté ce souhait humoristique d'être une théière dans un de ses carnets[1]. C'était comme si son âme avait parlé. Il a en effet souvent répété qu'à ses yeux, il n'existait rien de plus beau que de rentrer chez soi, dans sa maison chaude et lumineuse, pour profiter de la quiétude d'une existence tranquille. Ses scènes de genre évoquent cette aspiration, qui est certainement la raison pour laquelle il ne s'est jamais emparé de sujets ou de styles inconnus. Les œuvres les plus « modernes » d'Anker sont des natures mortes sans lien direct avec sa ville natale. En tant que peintre, elles étaient pour lui une pierre de touche, exactement au sens où l'entendait Édouard Manet qui demanda à une élève : « Apportez une brioche, je veux vous en voir peindre une : la nature morte est la pierre de touche du peintre. »[2] Aux côtés de celles de Francisco de Goya, de Manet et de Henri Fantin-Latour, les natures mortes d'Anker comptent parmi les principales œuvres de ce genre avant l'avènement de la modernité. Propos confirmés dans le cadre d'une exposition concernant les natures mortes de Manet : « Avant les grandes productions de la maturité de Cézanne, le seul peintre de l'époque dont les natures mortes – une trentaine environ – sont aussi stimulantes et évocatrices que celles de Manet est le Suisse Albert Anker. »[3]

En tant que peintre de natures mortes, Anker portait son attention sur les aliments de base d'un repas paysan : des pommes de terre, du fromage, du jambon, du pain, des noix ou des marrons, le tout accompagné de cafetières ou de pots à lait, ainsi que de bouteilles de vin ou de bière.

---

[1] « Basler Nachrichten » est inscrit à la fin de la note, ce qui laisse supposer qu'il s'agit d'une remarque dans un journal, mais « Indienne » est mentionnée comme titre, ce qui explique sans doute la langue anglaise. Nous ne connaissons ni la date de cette phrase ni aucun autre détail à son sujet.

[2] Jacques-Émile Blanche, *Propos de peintres, de David à Degas*, Paris, 1919, p. 123.

[3] George Mauner (éd.), *Manet, les natures mortes*, cat. exp., musée d'Orsay, Paris, 2000, p. 55.

Ankers Stillleben
Albert Anker

Therese Bhattacharya-Stettler / Matthias Frehner

"I wish I was a tea kettle. Why? Because I should have the bottom warm, the belly full and the cork handled by the maids." Diesen humoristischen Wunsch, ein Teekrug sein zu wollen, notierte Anker in einem seiner Notizhefte.[1] – Das war ihm aus der Seele gesprochen. Denn wie oft hat er geäussert, dass es für ihn nichts Schöneres gäbe, als heimzukehren in seine warme helle Wohnstube und dort die Ruhe stillen Daseins zu geniessen. Seine Genrethemen beschwören diese Sehnsucht, die wohl auch der Grund dafür ist, dass er nie unbekannten Themen und Stile aufgegriffen hat. Ankers „modernste" Werke sind die Stillleben, die keinen direkten Bezug zu seiner Heimat haben. Sie waren ihm als Maler ein Prüfstein, ganz im Sinne Edouard Manets, der zu einer Schülerin geäussert hatte: „Apportez une brioche, je veux vous en voir peindre une: la nature-morte est la pierre de touche du peintre."[2] Ankers Stillleben zählen neben denen von Francisco de Goya, Manet und Henri Fontain-Latour zu den wichtigsten Werken dieser Gattung vor dem Anbruch der Moderne. Diese Wertung bestätigt eine Ausstellung über Manets Stillleben: „Avant les grandes productions de la maturité de Cézanne, le seul peintre de l'époque dont les natures mortes - une trentaine environ - sont aussi stiumulantes et évocatrices que celles de Manet est le Suisse Albert Anker."[3]

Ankers Augenmerk als Stilllebenmaler galt einerseits den Grundnahrungsmitteln eines bäuerlichen Mahls: Kartoffeln, Käse, Schinken, Brot, Nüsse oder Kastanien, begleitet von Kaffee- und Milchkannen sowie Wein- oder Massflaschen. Diese Gegenstände sind auf

---

[1] Am Schluss des Eintrags steht „Basler Nachrichten", was vermuten lässt, dass es sich um eine Zeitungsnotiz handelt, wobei als Überschrift „Indianerin" vermerkt ist, was möglicherweise die englische Sprache erklärt. Datum und weitere Einzelheiten kennen wir indes nicht.

[2] Jacques-Emile Blanche, *Propos de peintres, de David à Degas*, Paris 1919, S. 123.

[3] George Mauner (Hrsg.), *Manet, les natures mortes*, Ausst.-Kat. Musée d'Orsay, Paris 2000, S. 55.

Sur ses représentations, ces objets sont d'un coloris extrêmement subtil et d'une richesse de nuances incroyable. Équilibre et finesse des couleurs qui se retrouvent dans les scènes qui ont pour sujet le tête-à-tête bourgeois, où du thé est servi dans de la délicate porcelaine de Copenhague ou de Chine et où des pâtisseries sont accompagnées de cognac contenu dans des carafes en cristal. La composition suit souvent un même principe : les objets sélectionnés sont soigneusement positionnés dans le tiers inférieur de la surface du tableau, sur une table en bois, généralement parallèle à cette dernière, recouverte ou non d'une nappe blanche. Les formes, éclairées par une lumière harmonieuse, ressortent distinctement sur l'arrière-plan neutre, d'ordinaire monochrome et sombre ou, plus rarement, clair. Tout est agencé avec soin.

Anker veillait à respecter un naturalisme sans failles, en particulier dans ses natures mortes. Sur son premier couple de natures mortes célèbres, en 1866, *Petit déjeuner : Riche* et *Petit déjeuner : Pauvre*, un somptueux service à thé dressé sur du damas blanc est opposé à un repas constitué de pain, de café et de lait posé sur une table en bois austère[4]. Ces différents accessoires représentent les deux mondes que l'artiste avait l'habitude de réunir lui-même en un ensemble harmonieux : les milieux bourgeois et paysan. La vaisselle et la table en bois provenaient directement de la maison d'Anker. On les voit sur de nombreuses natures mortes ultérieures. Nombre de ces objets se trouvent encore aujourd'hui dans la maison d'Anker à Anet. Quand, en 1872, Anker exposa sa première nature morte à Berne, elle fut achetée pour 350 francs[5]. Cela a certainement encouragé l'artiste à poursuivre dans cette voie. En effet, à partir de ce moment, il s'est régulièrement tourné vers la peinture de natures mortes. Les sujets portent systématiquement sur la nourriture et les boissons. On ne dénombre que très peu de natures mortes florales[6]. Au total, nous connaissons aujourd'hui trente-cinq natures mortes peintes à l'huile par Anker.

Les natures mortes d'Anker ne sont pas toujours datées ; occasionnellement, les entrées de son « Livre de vente » permettent d'estimer une période de création approximative, mais il peut tout aussi bien s'agir de « rossignols » (c'est ainsi qu'Anker dénommait ses œuvres invendables). En novembre 1896, il a vendu « deux natures mortes, la Tempérance et l'Intempérance », pour 500 francs à un collectionneur bernois, à en croire son livre de compte (Cat. 45, 46). Ce couple de tableaux tardifs est légèrement différent de la plupart de ses natures mortes précédentes. Comme c'est le cas dans plusieurs de ses mises en paral-

allen seinen Stillleben von einem äusserst subtilen Kolorit und einem wunderbaren Nuancenreichtum. Dieselbe farbliche Ausgewogenheit und Feinheit findet sich auch in jenen Stillleben, die das bürgerliche Tête-à-tête zum Inhalt haben und wo in feinem Kopenhagener oder chinesischem Porzellan Tee eingeschenkt und Gebäck mit Cognac aus Kristallkaraffen serviert wird. Oft folgt die Anordnung demselben Prinzip: Auf einem zumeist bildparallelen Holztisch, mit oder ohne weissem Tischtuch, sind die ausgewählten Objekte im unteren Drittel der Bildfläche sorgfältig gestaffelt. Die von harmonischem Licht erhellten Formen heben sich deutlich vom neutral gehaltenen Hintergrund ab, der häufig monochrom dunkel, seltener hell ist. Alles ist bewusst komponiert.

Anker achtete, ganz besonders im Stillleben, auf einen untrüglichen Naturalismus. Auf seinem ersten bekannten Stillleben-Paar von 1866 – *Frühstück: Reich: Riche* und *Frühstück: Arm* – ist ein üppiges Teegedeck auf weissem Damast einer Mahlzeit mit Brot, Kaffee und Milch auf kargem Holztisch gegenübergestellt.[4] Diese unterschiedlichen Requisiten verkörpern die zwei Welten, die der Künstler selbst nahtlos vereinigte - das bürgerliche und das bäuerliche Milieu. Das Geschirr und der Holztisch stammten aus Ankers eigenem Haushalt. Diese Requisiten finden sich auch auf vielen späteren Stillleben. Im Ankerhaus in Ins sind viele dieser Gegenstände heute noch vorhanden. Als Anker 1872 in Bern erstmals ein Stillleben ausstellte, fand es für 350 Franken einen Käufer.[5] Dies mag für den Künstler eine aufmunternde Wirkung gehabt haben, denn von nun an hat er sich regelmässig der Stilllebenmalerei zugewandt. Stets handelt es sich um die Wiedergabe von Ess- und Trinkbarem – Blumenstillleben kommen nur selten vor.[6] Insgesamt sind 35 in Öl gemalte Stillleben von Anker bekannt.

Nicht immer sind Ankers Stillleben datiert; gelegentlich kann aus den Einträgen in seinem Verkaufsbuch, dem „Livre de vente", auf eine ungefähre Entstehungszeit geschlossen werden, wobei es sich durchaus auch um sogenannte „rossignols" handeln kann – so bezeichnete Anker selbst seine „Ladenhüter". Im November 1896 verkaufte er gemäss seiner Buchführung „deux natures mortes, la Tempérence et l'Intempérence" für 500 Franken an einen Berner Sammler. (Kat. 45, 46) Das späte Bildpaar unterscheidet sich leicht von den meisten seiner früheren Stillleben. Wie bei diversen

---

[4] Ill. cf. Kuth/Bhattacharya, nos 104 et 103, p. 95.

[5] Cf. Livre de vente, 6 novembre 1872.

[6] Cf. *Nature morte : une branche de lilas/Stillleben: Fliederzwei*, dans Kuthy/Bhattacharya, n° 460, p. 208.

[4] Abb. vgl. Kuth/Bhattacharya, Nrn. 104 u. 103, S. 95.

[5] Vgl. Livre de vente, 6. Nov. 1872.

[6] Vgl.: *Stillleben: Fliederzweig/Nature Morte : une branche de lilas,* in: Kuthy/Bhattacharya, Nr. 460, S. 208.

41
Albert Anker
Nature morte : bière | *Stillleben mit Bier und Rettich*
1872
Huile sur toile | Öl auf Leinwand
33 × 48 cm

lèle des mondes bourgeois et paysan, ici aussi, un repas est présenté sur une nappe dans l'une des toiles et sans dans l'autre, mais les éléments ne sont pas les mêmes que d'habitude. Les ingrédients sont choisis plus particulièrement et les deux tableaux sont chargés d'allusions allégoriques supplémentaires. Anker conçoit pour la Tempérance un repas frugal, sans viande : à gauche se trouve une haute coupe élégante garnie de pommes, de poires, de prunes et de noix, le tout accompagné d'une miche de pain découpée, d'une carafe d'eau et d'une bouteille de vin. Le rouge de la tomate posée au-dessus des fruits rappelle la couleur claire du vin dans le verre. Les coques de noix sur la nappe blanche et la pomme découpée en quartiers sur l'assiette laissent deviner la présence d'une personne attablée, non représentée. Le pendant de cette toile, l'Intempérance, est dominé par un imposant jambon à la chair rose pâle entourée de graisse, ainsi que par une grosse miche de pain ; des morceaux de jambon et de graisse sont visibles sur l'assiette : ici aussi, tout semble indiquer qu'une personne est en train de « ripailler ». Plusieurs bouteilles de vin et de gnôle scintillent contre le sombre arrière-plan, la fenêtre de l'atelier s'y reflétant. Des cigares, une boîte d'allumettes et un tire-bouchon guident le regard vers le centre du tableau depuis la gauche, et un couteau et une fourchette depuis la droite.

De façon générale, il faut constater que les divergences stylistiques des natures mortes d'Anker, depuis son premier essai en 1866 jusqu'à sa période tardive, sont pour la plupart minimes. Le point de vue frontal est quasi omniprésent, seuls les couverts, les boissons, les mets et les confiseries diffèrent. Anker représente toujours les différents objets de façon à pouvoir percevoir par les sens leur texture et leur matière. On est tenté d'essuyer la poussière sur la bouteille de bourgogne, de se saisir du verre de vin bourru, d'ouvrir les marrons bruns ou les noix. Les natures mortes semblent avoir été sa véritable « pierre de touche », comme pour Manet. Contrairement à nombre de ses tableaux de genre et de ses portraits, Anker ne réalisait pas ses natures mortes sur commande, mais pour lui-même. Ce sont des témoins de son quotidien, du changement, ainsi qu'un défi destiné à remettre constamment à l'épreuve son savoir-faire artistique. Il ne les a exposées que très rarement. Aucune d'entre elles n'a jamais été aperçue au Salon de Paris. Ses dernières natures mortes datent de 1902, dont deux ont même été « peintes avec la main gauche », autrement dit après son attaque cérébrale de 1901 ; il s'est donc entraîné en peignant des natures mortes afin de pouvoir à nouveau exercer son cher métier[7]. Les « modèles » patients de ses na-

Gegenüberstellungen von bürgerlicher und bäuerlicher Welt ist auch hier die eine Mahlzeit mit und die andere ohne Tischtuch ausgebreitet, doch ist es nicht die übliche Ausstattung. Die Ingredienzen sind gezielter ausgewählt, und die beiden Bilder sind mit zusätzlicher allegorischer Anspielung aufgeladen. *Mässigkeit* stellt sich Anker als eine frugale, fleischlose Mahlzeit vor: links eine hohe elegante Glasschale mit Äpfeln, Birnen, Pflaumen und Nüssen, zudem ein angeschnittener Brotlaib, eine Wasserkaraffe und eine Weinflasche. Dem Rot der Tomate auf dem Früchteberg antwortet der helle Rotwein im Glas. Die Nussschalen auf dem weissen Tischtuch und der in Stücke geschnittene Apfel auf dem Teller lassen auf die abwesende Person schliessen, die sich am Tisch verköstigt. Das Gegenstück, die *Unmässigkeit*, wird von der grossen Schinkenkeule mit ihrem blassrosa, fettumrandeten Fleisch und dem grossen Brot dominiert; Schinkenstücke und Fettreste liegen auf dem Teller - alles weist auch hier auf unmittelbare Präsenz eines Essenden. Mehrere Wein- und Schnapsflaschen glänzen vor dem dunklen Grund, das Atelierfenster spiegelt sich in ihnen, Zigarre, Zündholzschachtel und Korkenzieher weisen den Blick von links ins Bild, Messer und Gabel von rechts.

Generell ist festzustellen, dass die stilistischen Abweichungen in Ankers Stillleben - seit seinem ersten Versuch 1866 bis in die Spätzeit - meist nur klein sind. Der frontale Blickwinkel verändert sich kaum, lediglich die Gedecke, die Getränke, die Speisen, die Süssigkeiten differieren. Immer gibt Anker die einzelnen Gegenstände in ihrer materiellen Beschaffenheit sinnlich fassbar wieder. Man ist versucht, den Staub von der Oberfläche der Burgunderflasche abzuwischen, das Glas mit frischem Sauser zu ergreifen, die braunen Kastanien oder Nüsse zu öffnen. Die Stillleben scheinen ihm wie Manet die wahre „pierre de touche" gewesen zu sein. Anker schuf seine Stillleben im Unterschied zu vielen seiner Genrebilder und Porträts nicht im Auftrag, sondern für sich selbst. Sie sind Zeitzeugen seines Alltags, auch Abwechslung und Herausforderung, um sein malerisches Können immer wieder aufs Neue zu erproben. Nur selten hat er sie an Ausstellungen gezeigt, am Salon in Paris war nie eines seiner Stillleben zu sehen. Die letzten Stillleben entstanden um 1902, zwei gar „peint avec la main gauche" wurden also nach seinem Schlaganfall von 1901 gemalt; er trainierte somit den Wiedereinstieg in sein geliebtes Metier mittels der Stilllebenmalerei.[7] Die geduldigen „Modelle" für seine Stillleben waren

---

[7] La remarque inscrite dans le Livre de vente, « peint avec la main gauche », est associée à la nature morte *Café et pommes de terre/Stillleben: Kaffee und Kartoffeln*, 1902, Kuthy/Bhattacharya, n° 596, p. 251.

[7] Der Vermerk im Livre de vente „peint avec la main gauche" findet sich beim Stillleben *Kaffee und Kartoffeln/Nature morte: café et pommes de terre*, 1902, Kuthy/Bhattacharya, Nr. 596, S. 251.

42
Albert Anker
Nature morte : thé et madeleines | Stillleben : Tee und Schmelzbrötchen – auch Teegedeck
1873
Huile sur toile | Öl auf Leinwand
33 × 48 cm

tures mortes étaient toujours disponibles : il pouvait à loisir aller les chercher à la cuisine et dans son garde-manger.

La principale inspiration des natures mortes d'Anker était Jean Siméon Chardin, tombé dans l'oubli après sa mort avant d'être redécouvert par l'avant-garde aux alentours de 1860. Son contemporain Denis Diderot avait qualifié Chardin de « grand mage » qui « ne peint pas d'après nature », mais qui « génère lui-même de la nature »[8]. La rétrospective Chardin, qui eut lieu en 1860 à Paris, a permis à Manet de copier ses œuvres au Louvre.
Anker s'est également laissé entraîner par cet enthousiasme à l'égard de Chardin. Non seulement son sens de la forme, de la couleur et de la tonalité dans ses natures mortes, mais aussi ses motifs, par exemple dans *Appliquée* (Cat. 36), témoignent de cette influence.

Quand, en 1866, il a pour la première fois réalisé deux natures mortes de repas différents comme pendants l'un de l'autre, représentant l'opposition entre l'opulence et la frugalité, il a réussi à associer la perfection de son classicisme à la peinture lumineuse de Chardin. Aussi ses natures mortes sont-elles construites de façon équilibrée et classique, mais réalisées avec une sensibilité picturale et sensuelle. Anker ne laissait rien au hasard dans leur composition. Elles sont fréquemment structurées en triangle, à la manière classique, en particulier les compositions de grand format (Cat. 47, 48), et sont caractérisées par le rythme calme des lignes répétées. Il avait coutume d'utiliser les ustensiles de sa propre maison (jarres, sucriers, théières et tasses) et les « réarrangeait ». La nappe décorée de broderie raffinée et de plis apparaît ainsi plusieurs fois. Anker était fasciné par les mêmes éléments, que ce soit les reflets satinés jaunes des petits pains fondants tout juste sortis du four ou la délicate glaçure de la vaisselle en porcelaine. Grâce à la brillance transparente due à un travail subtil sur la lumière, il donnait vie aux objets, voire les animait. Son don particulier était, comme le souligne Max Huggler, la « restitution de la discrétion des objets et de la texture des surfaces »[9].

Ses natures mortes induisent un sentiment de tranquillité. Cela est également le cas de nombre de ses portraits, qui ressembleraient à première vue à des natures mortes, si ce n'est que des êtres humains y ont pris la place des services à thé et autres corbeilles de fruits comme sujets de l'œuvre. Les personnages semblent

stets verfügbar, er konnte sie jederzeit aus der Küche und der Vorratskammer holen.

Das wichtigste Vorbild für Ankers Stillleben war Jean-Simeon Chardin, der nach seinem Tod in Vergessenheit geraten war, um 1860 jedoch von der Avantgarde wiederentdeckt wurde. Sein Zeitgenosse Denis Diderot hatte Chardin als einen „grossen Magier" gefeierte, der „nicht nach der Natur malt", sondern „selbst Natur erzeugt"[8]. Die grosse Chardin-Retrospektive, die 1860 in Paris gezeigt wurde, veranlasste Manet, im Louvre dessen Werke zu kopieren.
Von dieser Chardin-Begeisterung wurde Anker ebenfalls mitgerissen. Nicht nur dessen Sinn für Form, Farbe und Tonalität in den Stillleben, auch Motive wie *Fleissig* (Kat. 36) zeugen von diesem Einfluss.

Als er 1866 erstmals zwei Stillleben unterschiedlicher Gedecke als Pendant schuf, die den Gegensatz von Überfluss und Kargheit darstellten, war es ihm gelungen, die Perfektion seines Klassizismus mit der malerischen Lichtmalerei Chardins zu synthetisieren. Seine Stillleben sind deshalb klassisch-ausgewogen komponiert und mit sinnlich-malerischer Sensibilität realisiert. In der Komposition eines Stilllebens überliess Anker nichts dem Zufall. Häufig sind seine Stillleben nach klassischer Manier – insbesondere die hochformatigen Kompositionen – in ein Dreieck gebettet (Kat. 47, 48) und gekennzeichnet von einem besonnenen Rhythmus sich wiederholender Linien. Es sind die Utensilien seines eigenen Haushalts - Krüge, Zuckerdosen, Teekannen und Tassen -, die er dazu oft hervorholte und neu anordnete. Das Tischtuch mit feiner Stickerei und Bügelfalten kommt mehrmals vor. Offensichtlich faszinierte Anker auch immer wieder dasselbe – sei es der gelbe Schimmer auf frisch gebackenen Schmelzbrötchen oder die zarte Glasur auf dem Porzellangeschirr. Durch den transparenten Glanz seiner subtilen Lichtregie verlebendigte, ja beseelte er die Objekte. Seine besondere Fähigkeit war, wie Max Huggler betont, die „Wiedergabe der Verschwiegenheit der Dinge und der Beschaffenheit der Oberfläche"[9].

Seine Stillleben erzeugen Stille. Dies gilt auch für viele seiner Bildnisse, in denen man auf den ersten Blick ein Stillleben wähnt, nur dass an Stelle eines Teegedecks oder einer Fruchtschale Menschen als Bildgegenstän-

[8] Cité d'après Eberhard König, Christiane Schön, (éd.), *Stillleben*, Berlin, 1996, p. 64.
[9] Max Huggler, *Albert Anker. Katalog der Gemälde und Ölstudien*, musée des Beaux-Arts de Berne, 1962, p. 12.

[8] Zit. nach: Eberhard König, Christiane Schön, (Hrsg.), *Stillleben*, Berlin 1996, S. 64
[9] Max Huggler, *Albert Anker. Katalog der Gemälde und Ölstudien*, Kunstmuseum Bern, Bern 1962, S. 12.

43
Albert Anker
Nature morte : café | Stillleben : Kaffee
1882
Huile sur toile | Öl auf Leinwand
47,5 × 66,5 cm

souvent se recueillir, leurs gestes sont presque toujours marqués par une grande retenue. Tous se concentrent sur ce qu'ils font, activité domestique ou encore lecture. Dans le tableau *Le vieux Küffer moulant le café* de 1886, le personnage a même déployé devant lui un merveilleux petit arrangement de nature morte sur un tabouret (Cat. 39).

Dans toutes les natures mortes d'Anker, le calme lui-même, les non-dits de l'existence deviennent le message essentiel du tableau. James Rubin a intitulé son étude approfondie de Manet « Manet's silence or the poetics of bouquets ». S'il a choisi ce titre, c'est que les représentations de Manet faisaient de la prise de conscience du processus pictural le propos même de ses créations, mais l'artiste nous offrait parallèlement une description poétique de ce qu'il voyait. « Manet's silence combines both wonder and regret. »[10] Cette combinaison semble, malgré les différences qui caractérisent ces deux artistes, se retrouver chez Anker. Son émerveillement tout comme sa mélancolie et ses velléités, qui semblent envahir les personnes qui contemplent ses œuvres, sont certainement l'une des raisons d'une popularité toujours vivace.

de fungieren. Die Personen ruhen häufig in sich, die Gesten sind fast immer von grosser Zurückhaltung. Alle diese Menschen konzentrieren sich auf ihr Tun, auf die häusliche Tätigkeit, Lesen, bis hin zum Gemälde *Alter Mann mit Kaffeemühle* von 1886, der vor sich auf einem Schemel ein wunderbares kleines Stilllebenarrangement ausgebreitet hat. (Kat. 39)

In allen Stillleben Ankers wird die Stille selbst, das Unausgesprochene im menschlichen Dasein zur primären Bildaussage. „Manet's silence or the poetics of bouquets" überschrieb James Rubin seine eindringliche Studie zu Manet. Den Titel wählte er, weil Manets Darstellungen die Bewusstwerdung des Malprozesses als Aussage des Bildes schlechthin thematisieren, der Künstler uns aber zugleich eine poetische Beschreibung des Gesehenen liefert. „Manet's silence combines both wonder and regret."[10] Diese Kombination scheint – bei aller Differenz zwischen den beiden – auch bei Anker vorhanden, sein Staunen wie auch seine Wehmut, Regungen, die sich offensichtlich auf viele Betrachter seines Werks zu übertragen vermögen, mitunter ist dies wohl ein Grund für die seine anhaltende Popularität.

[10] James H. Rubin, *Manet's Silence and the Poetics of Bouquets*, Londres, 1994, p. 27.

[10] James H. Rubin, *Manet's Silence and the Poetics of Bouquets*, London, 1994, S. 27.

44
Albert Anker
Nature morte : thé et biscuits | Stilleben mit Teekanne, zwei Tassen, Zuckerschale, Rahmrüglein und Biskuits
Non daté
Huile sur toile | Öl auf Leinwand
33,5 × 52 cm

45
Albert Anker
Nature morte : la tempérance | *Mässigkeit*
1896
Huile sur toile | Öl auf Leinwand
48 × 62 cm

46
Albert Anker
Nature morte : l'intempérance | *Unmässigkeit*
1896
Huile sur toile | Öl auf Leinwand
48 × 62 cm

47
Albert Anker
Nature morte : la cérémonie du thé | Stillleben : Gediegener Tee
1897
Huile sur toile | Öl auf Leinwand
51 × 42 cm

48
Albert Anker
Nature morte : Café et pommes de terre | Stillleben : Kaffee und Kartoffeln
1897
Huile sur toile | Öl auf Leinwand
51 × 42 cm

Réalisme des premières œuvres
Ferdinand Hodler

Monika Brunner

Realismus im Frühwerk
Ferdinand Hodler

Monika Brunner

À dix-sept ans, Ferdinand Hodler quitte l'atelier du peintre védutiste Ferdinand Sommer à Thoune, où il a réalisé des dizaines de paysages de petit format sur carton. Pendant ses trois années d'apprentissage, il a appris à copier exactement les modèles que lui propose son maître. Ce procédé artisanal monotone et ces méthodes routinières ne suscitent guère d'enthousiasme chez le jeune assistant, qui n'a que rarement l'occasion de se confronter directement et intensément à la nature réelle.[1] À cela vient s'ajouter le fait que Hodler ne peut pas signer ses œuvres, puisqu'il ne s'agit pas de ses propres créations. Pour le futur artiste, le passage au statut de peintre indépendant sera sans doute vécu comme une véritable libération. En 1872, au lieu des vues banales de chalets devant le Wellhorn ou le Wetterhorn, ou du château de Schadau au bord du lac de Thoune, destinées aux touristes, il copie un tableau d'Alexandre Calame *L'Orage à la Handeck*, d'une atmosphère dramatique, conservé au Musée Rath de Genève, ainsi que l'impressionnante chute d'eau (114 mètres!) de *Pissevache* à Martigny de François Diday.[2] C'est dans les salles de ce musée que le jeune Hodler rencontrera son futur professeur, Barthélemy Menn. Chez ce dernier, qui avait peint sur le motif à Barbizon près de Fontainebleau, il approfondira l'étude de la nature qui avait été négligée durant ses années d'apprentissage chez Ferdinand Sommer. Hodler célèbre son premier grand succès en 1874, avec la peinture du *Nant de Frontenex* pour laquelle il se voit décerner le Premier prix du concours Calame.[3] Il avait réalisé

Mit siebzehn Jahren verliess Ferdinand Hodler die Veduten-Werkstatt von Ferdinand Sommer in Thun, wo er dutzende kleinformatige Landschaftsansichten auf Karton angefertigt hatte. Während seiner dreijährigen Lehre lernte er das exakte Kopieren nach Vorlagen des Meisters. Dieses monotone, handwerksmässige Verfahren stiess jedoch beim Gehilfen auf wenig Begeisterung, erlaubten die routinemässigen Arbeitsprozesse doch kaum eine intensive Auseinandersetzung mit der realen Natur.[1] Hinzu kam, dass Hodler seine Werke nicht signieren durfte, weil es sich um keine eigenen Arbeiten handelte. Der angehende Künstler musste deshalb den Weg in die Selbständigkeit als wahren Befreiungsschlag erlebt haben. Statt der unspektakulären Ansichten von Chalets mit Well- und Wetterhorn oder vom Schloss Schadau am Thunersee kopierte er 1872 im Genfer Musée Rath Alexandre Calames dramatische Wetterstimmung *Gewitter bei der Handeck* und François Didays beeindruckender 114 Meter hohe Wasserfall *Pissevache* bei Martigny.[2] In den Räumen des Museums begegnete der junge Hodler seinem künftigen Lehrer Barthélemy Menn. Bei Menn, der in Barbizon nahe bei Fontainebleau im Freien gemalt hatte, vertiefte er das Naturstudium, das in den Lehrjahren bei Sommer zu kurz gekommen war. Seinen ersten grossen Erfolg feierte er 1874 mit dem Wettbewerbsbild *Waldinneres (Le Nant de Frontenex)*, für das ihm der erste Preis des

---

[1] Monika Brunner, « Herkommen », in : *Ferdinand Hodler. Catalogue raisonné der Gemälde*, vol. 4 : *Biografie und Dokumente*, [publ.] Institut suisse pour l'étude de l'art, Zurich, éd. Scheidegger & Spiess, 2018 (Institut suisse pour l'étude de l'art, Catalogues raisonnés d'artistes suisse, vol. 23/4), pp. 21–32. C[arl] A[lbert] Loosli, *Ferdinand Hodler. Leben, Werk und Nachlass*, 4 vol., Berne, éd. Suter, 1921–1924, vol. 1, pp. 10, 12–15.

[2] *Ferdinand Hodler. Catalogue raisonné der Gemälde*, vol. 1 : *Die Landschaften*, [publ.] Institut suisse pour l'étude de l'art, Zurich, éd. Scheidegger & Spiess, 2008 (Institut suisse pour l'étude de l'art, Catalogues raisonnés d'artistes suisses, vol. 23/1) [2 tomes], CR n° 38 (*La cascade, « Pissevache », copie d'après François Diday*, vers 1872), CR n° 39 (*L'Orage à la Handeck, copie d'après Alexandre Calame*, vers 1872).

[3] *Id.* CR n° 43

[1] Monika Brunner, «Herkommen», in: *Ferdinand Hodler. Catalogue raisonné der Gemälde*, Band 4: *Biografie und Dokumente*, [hrsg. vom] Schweizerischen Institut für Kunstwissenschaft, Zürich: Scheidegger & Spiess, 2018 (Schweizerisches Institut für Kunstwissenschaft, Œuvrekataloge Schweizer Künstler 23/4), S. 21–32. C[arl] A[lbert] Loosli, *Ferdinand Hodler. Leben, Werk und Nachlass*, 4 Bde, Bern: Suter, 1921–1924, Bd. 1, S. 10, 12–15.

[2] *Ferdinand Hodler. Catalogue raisonné der Gemälde*, Band 1: *Die Landschaften*, [hrsg. vom] Schweizerischen Institut für Kunstwissenschaft; Zürich: Scheidegger & Spiess, 2008 (Schweizerisches Institut für Kunstwissenschaft, Œuvrekataloge Schweizer Schweizer Künstler 23/1) [2 Teilbänden], CR Nr. 38 (*Der Wasserfall, «Pissevache», Kopie nach François Diday*, um 1872), CR Nr. 39 (*Gewitter bei der Handeck, Kopie nach Alexandre Calame*, um 1872).

49
Ferdinand Hodler
Moutons sur le sentier des Saules | *Schafe am Sentier des*
Saules
1878
Huile sur toile | Öl auf Leinwand
72,5 × 113,3 cm

au préalable plusieurs esquisses de petit format sur place. À partir de 1878, l'artiste se rendra souvent dans la zone de la Jonction, au confluent de l'Arve et du Rhône en aval de Genève, que l'on appelait alors le « Barbizon genevois », en référence à la célèbre colonie de peintres pré-impressionnistes de la région de Fontainebleau. C'est là qu'il peindra une toile d'une grande subtilité, *Moutons sur le sentier des Saules* (Cat. 49). Pour cette scène champêtre, Hodler choisit le cadre bucolique des bords du Rhône et, pour la rendre plus vivante, il y ajoute des moutons paissant et une bergère cueillant des fleurs. Du point de vue de la composition, l'imposant saule éclairé par une lumière rasante sur la gauche fait contrepoids au groupe compact d'arbres ombragés sur la droite. Bien que la transition douce de la lumière à l'ombre et le rendu réaliste des détails s'orientent sur le style pictural de Menn, le goût de Hodler pour des compositions équilibrées est déjà manifeste.[4] Après 1890, dans ses paysages, le peintre supprimera ces personnages jouant le rôle de repoussoir, comme la bergère au premier plan et le pêcheur à l'arrière-plan, dont la silhouette se réduit à un point rouge. Le fait que Barthélemy Menn ait acheté plus tard ce tableau témoigne de la grande estime dans laquelle le maître tenait son ancien élève.

Outre le concours Calame dédié à la peinture de paysage, le concours Diday offrait aux artistes une plate-forme leur permettant de démontrer leur talent dans la peinture de figures. En 1880, Hodler se voit attribuer le premier prix pour la scène de la fable de La Fontaine *Le meunier, son fils et l'âne*.[5] Chronologiquement, la variante conservée dans la Collection Blocher (Cat. 50) suit la peinture soumise au concours, dont l'arrière-plan représente le Plateau St-Georges à Genève. Le concierge du Musée Rath, Adrien Tornier, a servi de modèle pour la figure du meunier.[6] Cette scène de genre que Hodler appelait « histoire anecdotique » a été exposée dans diverses villes suisses dans le cadre de l'exposition itinérante de la Société suisse des beaux-arts en 1882. Comme le sujet du tableau lui faisait espérer de bonnes opportunités de ventes, il en réalisera quatre autres versions jusque dans les années 1890.[7] Le motif du *Taureau* (Cat. 51), un animal que le

Concours Calame zugesprochen wurde.[3] Hodler hatte zuvor mehrere kleinformatige Entwürfe vor Ort ausgeführt. Ab 1878 begab sich der Künstler häufig in die Gegend der Jonction, dem Zusammenfluss von Arve und Rhone unterhalb von Genf, die in Anlehnung an die französische Malerkolonie als «Genfer Barbizon» bezeichnet wurde. Dort malte er sein stimmungsvolles Bild *Schafe am Sentier des Saules* (Kat. 49). Hodler wählte dafür einen Standort am Ufer der Rhone und belebte die Szene mit weidenden Schafen und einem blumenpflückenden Hirtenmädchen. Links bildet ein im Streiflicht leuchtender, grosser Weidebaum ein kompositionelles Gegengewicht zur kompakten, schattigen Baumgruppe rechts. Die weichen Übergänge von Licht und Schatten und die realistische Detailtreue orientieren sich an Menns Malweise, während sich im Bildaufbau bereits Hodlers Affinität für ausgewogene Kompositionen manifestiert.[4] Staffagefiguren, wie das Hirtenmädchen und den als roten Punkt wiedergegebenen Fischer im Hintergrund, verbannte Hodler nach 1890 aus seinen Landschaftsdarstellungen. Dass Menn das Bild später erwarb, zeugt von der grossen Anerkennung, die der Meister seinem ehemaligen Schüler entgegenbrachte.

Neben dem Concours Calame für Landschaftsmalerei bot der Concours Diday den Künstler eine Plattform, ihr Können in der Figurenmalerei unter Beweis zu stellen. 1880 erhielt Hodler den ersten Preis für die Szene aus der Fabel von Jean de la Fontaine *Müller, Sohn und Esel* zugesprochen.[5] Die in der Sammlung Blocher aufbewahrte Variante (Cat. 50) folgt zeitlich auf das Wettbewerbsbild, dessen Hintergrund das Plateau von Saint-Georges bei Genf wiedergibt. Als Modell für den Müller diente Adrien Tornier, der Abwart im Musée Rath.[6] Das von Hodler als «Anekdotengeschichte» bezeichnete Genrebild wurde 1882 im Rahmen der Turnus-Ausstellung in verschiedenen Schweizer Städten gezeigt. Weil er sich vom Sujet gute Verkaufschancen erhoffte, fertige er bis in die 1890er Jahre vier zusätzliche Fas-

[4] *Id.* CR n° 63

[5] *Ferdinand Hodler. Catalogue raisonné der Gemälde*, vol. 3 : Die Figurenbilder, [publ.] Institut suisse pour l'étude de l'art, Zurich, éd. Scheidegger & Spiess, 2017 (Institut suisse pour l'étude de l'art, Catalogues raisonnés d'artistes suisses, vol. 23/3), CR n° 1113.

[6] *Ferdinand Hodler. Catalogue raisonné der Gemälde*, vol. 2 : *Die Bildnisse*, [publ.] Institut suisse pour l'étude de l'art, Zurich, éd. Scheidegger & Spiess, 2012 (Institut suisse pour l'étude de l'art, Catalogues raisonnés d'artistes suisses, vol. 23/2), p. 162.

[7] Monika Brunner, « Meilensteine einer Künstlerkarriere », in : *Ferdinand Hodler. Maler der frühen Moderne*, Bonn, cat. exp., Bundeskunsthalle, 8 septembre 2017 – 28 janvier 2018, Bielefeld/Berlin, Kerber Art, 2017, pp. 13–25 ; ici p. 21.

[3] Ebd. CR Nr. 43.

[4] Ebd. CR Nr. 63.

[5] *Ferdinand Hodler. Catalogue raisonné der Gemälde*. Band 3: Die Figurenbilder, [hrsg. vom] Schweizerischen Institut für Kunstwissenschaft, Zürich: Scheidegger & Spiess, 2017 (Schweizerisches Institut für Kunstwissenschaft, Œuvrekataloge Schweizer Künstler 23/3), CR Nr. 1113.

[6] *Ferdinand Hodler. Catalogue raisonné der Gemälde*. Band 2: *Die Bildnisse*, [hrsg. vom] Schweizerischen Institut für Kunstwissenschaft; Zürich: Scheidegger & Spiess, 2012 (Schweizerisches Institut für Kunstwissenschaft, Œuvrekataloge Schweizer Künstler 23/2), S. 162.

50
Ferdinand Hodler
Le meunier, son fils et l'âne | *Müller, Sohn und Esel*
Vers | um 1883
Huile sur toile | Öl auf Leinwand
94,5 × 68 cm

peintre eut l'occasion d'étudier attentivement lors de son séjour au le Moléson fribourgeois en 1882, se vendait également bien. Quelques années plus tard, il ajoutera le taureau comme « pièce rapportée » dans plusieurs vues des lacs de Thoune et de Brienz.[8]

Certains éléments sont déterminants pour le choix du sujet. C'est après avoir trouvé le lieu idéal pour planter son chevalet, au-dessus du village de Därlingen, que Hodler décide de peintre la *Vue sur les lacs de Thoune et de Brienz* (Cat. 52). Il lui permet, d'une part, un vaste cadrage de l'image, d'autre part, de saisir le reflet de la montagne dans l'eau. Les effets de miroir lui servent à visualiser les répétitions dans la nature, qui illustrent sa théorie du « parallélisme ». On trouve d'autres exemples de répétitions formelles dans des tableaux comme les *Châtaigniers* (Cat. 53), où la composition est dominée par le motif parallèle des troncs et de leurs reflets dans l'eau, ou encore *Au pied du Salève* (Cat. 54), avec les lignes verticales des roseaux du marais près de Veyrier. Les lignes parallèles de la route de St-Georges (cf. tableau éponyme, Cat. 51), bordée de châtaigniers, avaient aussi attiré l'attention du peintre. Sinon, Hodler choisissait certains sites alpins d'où les sommets qu'il souhaitait brasser présentaient des formes régulières. C'est le cas, par exemple, du *Gantrisch* (Cat. 57), où la colline triangulaire couverte de prés au premier plan correspond aux sommets qui se dressent à l'horizon. Dans le *Paysage d'été au Pays-d'Enhaut* (Cat. 56) également, les parties horizontales, composées des prairies au premier plan, mais aussi la courbe du lit de la Sarine ainsi que des parties boisées et des traînées de nuages suivent le principe du parallélisme. Hodler exprimait son idée de l'unité au moyen de répétitions de formes et de couleurs, comme il l'expliquera lors d'une conférence tenue à Fribourg en 1897 à l'exemple d'une prairie de fleurs de pissenlit ou dents-de-lion (Cat. 58). Souvent, il répétait aussi ses propres compositions ; c'est ainsi qu'il existe une autre version, pratiquement identique, du *Petit lilas* (Cat. 59). Des analyses technologiques ont montré que la version de la Collection Blocher avait été réalisée en premier, tandis que la deuxième présente des traces de décalque qui résultent du transfert du motif de la main même du peintre sur la toile.[9]

sungen an.[7] Auch das Motiv des *Stiers* (Kat. 51) fand guten Absatz, nachdem Hodler 1882 während seines Aufenthalts im Freiburgischen Moléson Gelegenheit gehabt hatte, das Tier genauer zu studieren. Einige Jahre später fügte er den Stier als Versatzstück in mehreren Ansichten vom Thuner- und Brienzersee ein.[8] Anreiz für das Sujet *Blick auf Thuner-und Brienzersee* (Kat. 52) bildeten einerseits der erhöhte Standort über dem Dorf Därligen, der einen weiträumigen Bildausschnitt erlaubte und andererseits die Spiegelung im Wasser. Spiegelbilder dienten Hodler dazu, die Wiederholungen der Natur, die er als Parallelismus bezeichnete, zu visualisieren. Weitere Beispiele von Formwiederholungen finden sich in der Darstellung *Die Kastanienbäume* (Kat. 53), die vom parallelistischen Motiv der Baumstämme und der Spiegelung bestimmt wird, sowie in den senkrecht verlaufenden Linien des Schilfs im Sumpfgebiet bei Veyrier in der Ansicht *Am Fusse des Salève* (Kat. 54). Ebenso erregten die parallelen Linien der mit Kastanienbäumen gesäumten *Strasse von St-Georges* (Kat. 51) Hodlers Aufmerksamkeit. Der Künstler wählte gezielt Standorte in den Alpen, von denen aus die Gipfel als regelmässige Formen erschienen. So im Gemälde *Der Gantrisch* (Kat. 57), in dem die grasbewachsene, dreieckförmige Erderhebung im Vordergrund mit den Bergspitzen am hohen Horizont korrespondiert. Auch bei *Sommerlandschaft im Pays d'Enhaut* (Kat. 56) folgen die horizontalen Ebenen, bestehend aus der Wiesenfläche im Vordergrund, dem bogenförmigen Flusslauf der Saane (la Sarine), den bewaldeten Abschnitten und den Wolkenstreifen, dem Prinzip des Parallelismus. Mit Form- und Farbwiederholungen brachte Hodler seine Idee von Einheit zum Ausdruck, wie er anlässlich eines Vortrags in Freiburg 1897 am Beispiel einer Löwenzahnwiese (Kat. 58) erläuterte. Häufig wiederholte der Künstler auch seine eigenen Kompositionen; vom Gemälde *Fliederbäumchen* (Kat. 59) etwa existiert eine weitere, praktisch identische Fassung. Kunsttechnologische Untersuchungen ergaben, dass es sich bei dem Bild aus der Sammlung Blocher um die erste Fassung handelt, während die zweite Fassung Pausspuren aufweist, die sich bei Hodlers eigenhändiger Übertragung des Motivs auf die Leinwand ergeben haben.[9]

[8] Hodler 2008 (cf. note 2), CR n°s 150–158

[9] Karoline Beltinger, « (...) Ferdinand Hodler als sein eigener Kopist », in : *Hodler malt. Neue kunsttechnologische Forschungen zu Ferdinand Hodler*, [publ.] Institut suisse pour l'étude de l'art, Zurich, éd. Scheidegger & Spiess, 2019 (KUNSTmaterial 5), pp. 111–136 ; ici, p. 116, 119.

[7] Monika Brunner, «Meilensteine einer Künstlerkarriere», in: *Ferdinand Hodler. Maler der frühen Moderne*, Ausst.-Kat. Bundeskunsthalle, Bonn, 8. 9. 2017–28. 1. 2018, Bielefeld/Berlin: Kerber Art, 2017, S. 13–25, hier, S. 21.

[8] Hodler 2008 (wie Anm. 2), CR Nrn. 150–158.

[9] Karoline Beltinger, «(...) Ferdinand Hodler als sein eigener Kopist», in: *Hodler malt. Neue kunsttechnologische Forschungen zu Ferdinand Hodler*, hrsg. vom Schweizerischen Institut für Kunstwissenschaft, Zürich: Scheidegger & Spiess, 2019 (KUNSTmaterial 5), S. 111–136, hier S. 116, 119.

51
Ferdinand Hodler
Le taureau | *der Stier*
Vers | um 1885
Huile sur toile | Öl auf Leinwand
28 × 36 cm

52
Ferdinand Hodler
Vue sur le lac de Thoune et le lac de Brienz | *Blick auf Thuner - und Brienzersee*
1887 - 1888
Huile sur toile | Öl auf Leinwand
68,5 × 105 cm

53
Ferdinand Hodler
Les châtaigniers | *Die Kastanienbäume*
1889
Huile sur toile | Öl auf Leinwand
35,5 × 28 cm

54
Ferdinand Hodler
Au pied du Salève | Am Fuss des Salève
Vers | um 1888
Huile sur toile | Öl auf Leinwand
71 × 106,5 cm

55
Ferdinand Hodler
La route de Saint-Georges | Die Strasse von St-Georges
Vers | um 1890
Huile sur toile | Öl auf Leinwand
35,5 × 28 cm

56
Ferdinand Hodler
Paysage d'été du Pays-d'Enhaut | Sommerlandschaft im Pays-d'Enhaut
1907
Huile sur toile | Öl auf Leinwand
61,5 × 46 cm

57
Ferdinand Hodler
Gantrisch | Der Gantrisch
Vers | um 1901
Huile sur toile | Öl auf Leinwand
50,5 × 52 cm

58
Ferdinand Hodler
Le pré de fleurs | *Die Blumenwiese*
Vers | um 1901
Huile sur toile | Öl auf Leinwand
38,5 × 46 cm

59
Ferdinand Hodler
Arbuste de lilas | *Fliederbäumchen*
Vers | um 1890
Huile sur toile | Öl auf Leinwand
54 × 37 cm

Peintures d'histoire et représentations symboliques
Ferdinand Hodler

Monika Brunner

Historienbilder und symbolistische Dastellungen
Ferdinand Hodler

Monika Brunner

Dès son entrée à l'école de dessin et de peinture de Barthélemy Menn à Genève, en 1872, Hodler commence à s'intéresser de plus près à la figure humaine. Dans son cours, les élèves étudient les différentes séquences d'un mouvement, les proportions et la composition d'après le modèle vivant, des moulages en plâtre, peintures, gravures ou autres. En dehors des cours, le jeune Hodler trouve ses modèles dans son environnement familial et son cercle d'amis. Il représente des artisans dans leur atelier, montre des femmes accomplissant des tâches domestiques et des enfants en train de jouer. Si les sujets étaient, au départ, considérés comme de purs exercices, ses portraits d'ouvriers revêtiront une importance symbolique accrue à partir des années 1880. L'artiste connaissait les difficiles conditions de vie et de travail des artisans, pour en avoir fait l'expérience. Son père, décédé prématurément, était menuisier, tandis que sa mère travaillait comme cuisinière et teinturière, et, à l'instar de son mari, fera faillite. Entre 1860 et 1879, Hodler perd successivement son père et ses quatre frères, tous atteints de tuberculose. Jusqu'au début du XXe siècle, la phtisie, comme on l'appelait alors, frappait surtout les familles les plus démunies. Les logements insalubres et les carences alimentaires favorisaient l'apparition de cette maladie alors mortelle. Les expériences précoces de la pauvreté, de la maladie et de la mort avaient sensibilisé le peintre aux dures conditions de vie de la classe ouvrière. Dans des tableaux comme *Un pauvre hère* (vers 1887), où l'on voit un ivrogne dans une auberge, l'artiste montre la misère matérielle et sociale.[1] Le dessin du *Vieillard assis* (Cat. 61) représente un vieil homme au visage soucieux, les mains jointes, assis sur un banc en plein air. La mimique et la posture rappellent les portraits d'ouvriers peints par Hodler en 1887.[2] Comme ceux-ci, le *Vieillard assis* illustre, lui aussi, le passage du genre réaliste aux thèmes symbolistes de compositions figurées, telles *Les âmes déçues*

Mit dem Eintritt in Menns Zeichen- und Malschule in Genf begann sich Hodler ab 1872 eingehender mit der menschlichen Figur zu befassen. Im Unterricht wurden Bewegungsabläufe, Proportionen und Komposition an lebenden Modellen, Gipsabgüssen und anderen Vorlagen einstudiert. Ausserhalb der Malklasse fand der junge Hodler seine Modelle im familiären Umfeld und im Freundeskreis. Er porträtierte Handwerker in ihrer Werkstatt, zeigte Frauen bei der Verrichtung der Hausarbeit und spielende Kinder. Waren die Sujets zunächst als Übung an der Figur gedacht, gewinnen insbesondere die Arbeiterdarstellungen ab den 1880er Jahren vermehrt an sinnbildlicher Bedeutung. Hodler kannte die harten Lebens- und Arbeitsbedingungen des Handwerkerstandes aus eigener Erfahrung. Sein früh verstorbener Vater war Schreiner, während seine Mutter als Köchin und Wäscherin arbeitete und wie ihr Mann, Konkurs anmelden musste. Bis 1879 hatte Hodler seinen Vater und seine vier Brüder durch Tuberkulose verloren. Die damals als Schwindsucht bezeichnete Krankheit trat bis Anfang des 20. Jahrhunderts mehrheitlich in mittellosen Familien auf. Schlechte Wohnverhältnisse und die mangelhafte Ernährung förderten den Ausbruch der tödlichen Krankheit. Die frühen Erfahrungen mit Armut, Krankheit und Tod hatten Hodler für die harten Lebensbedingungen des Arbeitermilieus sensibilisiert. Mit Darstellungen wie dem Gemälde *Eine arme Seele* (um 1887), das einen unglücklichen Trinker im Wirtshaus zeigt, veranschaulichte der Künstler die materielle und soziale Not.[1] Die Zeichnung *Sitzender Greis* (Kat. 61) gibt einen alten Mann mit besorgter Miene und gefalteten Händen auf einer Bank im Freien wieder. Mimik und Körperhaltung erinnern an Hodlers Arbeiterdarstellungen von 1887.[2] Wie jene bildet auch *Sitzender Greis* den Übergang vom realistischen Genre zu den symbolistischen Themen der Figurenkompositionen

---

[1] Hodler 2017 (cf. note 5), CR n° 1193
[2] Hodler 2012 (cf. note 6), CR n°s 756–762

[1] Hodler 2017 (wie Anm. 5), CR Nr. 1193.
[2] Hodler 2012 (wie Anm. 6), CR Nrn. 756–762.

60
Ferdinand Hodler
Retraite de Marignan | *Rückzug von Marignano*
1897
Huile sur toile | Öl auf Leinwand
45× 67 cm

149

et les *Fatigués de la vie*. Dans ces tableaux, Hodler visualise son ambition d'exprimer des sentiments et des sensations au moyen des gestes et de la mimique. C'est ainsi que sa réflexion concernant les effets de la nature sur l'être humain le conduira à réaliser la scène allégorique intitulée *La Sensation*. Il y transpose efficacement au moyen de gestes les émotions de femmes parcourant un champ de fleurs.[3] On peut supposer que, pour ces figures symbolistes, il avait demandé à ses modèles de se mouvoir librement dans l'atelier, jusqu'à ce qu'il trouve la pose appropriée au sujet.[4] Comme les six autres versions de ce tableau, celle-ci – la première (Cat. 62) – comptait à l'origine également quatre figures. En partageant la toile par le milieu, l'artiste obtient deux peintures ornées chacune de deux figures.

En 1897, lorsque la Commission fédérale des beaux-arts lui passa commande du décor de la salle d'armes du Musée national, Hodler n'aurait pu imaginer combien les années suivantes seraient fastidieuses et démoralisantes. Ses esquisses avaient séduit le jury de la Commission et il s'était imposé parmi les 19 autres concurrents. Pourtant, aucune œuvre de Hodler n'a été aussi chèrement acquise et critiquée que la peinture murale en trois panneaux de *La Retraite de Marignan*.[5] Ce conflit que l'on dénommera bientôt la « querelle des fresques » était dû à des conceptions artistiques différentes. Les forces conservatrices souhaitaient une image fidèle de la réalité historique et une peinture historique narrative, tandis que les autres plaidaient pour la liberté artistique. Hodler devra exécuter au total quatre esquisses sur toile, les fameux « cartons », jusqu'à ce que la Commission soit satisfaite. Le tableau présenté ici (Cat. 60) est une esquisse à l'huile pour le troisième carton, où le registre supérieur comporte davantage de figures que les autres versions. Cette peinture appartenait au conseiller fédéral Adrien Lachenal, qui soutint Hodler dans cette querelle. Les esquisses réalisées pour *La retraite de Marignan* lui vaudront en Allemagne la réputation d'être l'un des représentants de la peinture monumentale les plus novateurs de son temps. Ce genre de composition conçue pour être vue de loin et créer un effet spectaculaire au moyen de formes claires, de couleurs contrastées et de figures particulièrement expressives, était considéré comme le symbole même du modernisme aux alentours de 1900

Die enttäuschten Seelen und *Die Lebensmüden*. Hodler visualisierte mit ihnen sein Bestreben, Gefühle und Empfindungen mittels Gebärden und Mimik zum Ausdruck zu bringen. So führte etwa seine Frage nach der Wirkung der Natur auf den Menschen zur allegorischen Darstellung *Die Empfindung*. Darin setzte er die Emotionen der über eine Blumenwiese schreitenden Frauen durch Gebärden wirkungsvoll um.[3] Es ist anzunehmen, dass er seine Modelle für die symbolistischen Darstellungen frei im Raum bewegen liess, bis er die für sein Thema geeigneten Posen fand.[4] Wie die übrigen sechs Fassungen der *Empfindung* enthielt auch diese erste Version (Kat. 62) ursprünglich vier weibliche Figuren. Hodler schuf durch die Teilung in der Mitte daraus zwei Gemälde mit je zwei Figuren.

Als der Künstler 1897 von der Schweizerischen Kunstkommission mit der Ausschmückung der Waffenhalle im Landesmuseum beauftragt wurde, konnte er nicht ahnen, wie langwierig und zermürbend die folgenden Jahre für ihn verlaufen sollten. Er hatte die Jury der Eidgenössischen Kunstkommission von seinen Entwürfen überzeugt und sich gegen 19 Konkurrenten durchgesetzt. Kein anderes Werk von Hodler war so hart umkämpft und kritisiert worden wie das dreiteilige Wandbild *Rückzug von Marignano*.[5] Bei dem als Freskenstreit bezeichneten Konflikt ging es um unterschiedliche Kunstauffassungen. Konservative Kräfte zielten auf ein getreues Abbild, historische Wahrheit und eine erzählerische Historienmalerei, während die anderen für die künstlerische Freiheit eintraten. Hodler musste im Ganzen vier Entwürfe auf Leinwand, sogenannte Kartons, ausführen, bis die Kommission mit der Lösung zufrieden war. Bei der vorliegenden Darstellung (Kat. 60) handelt es sich um eine Ölskizze zum dritten Karton, wo das obere Register gegenüber den anderen Entwürfen mehr Figuren verdeckt. Das Bild gehörte Bundesrat Adrien Lachenal, der den Künstler beim Streit um die Marignano-Fresken unterstützte. Hodlers Entwürfe zu *Rückzug von Marignano* begründeten in Deutschland seinen Ruf als einen der innovativsten zeitgenössischen Monumentalmaler. Der Monumentstil, eine auf Fernwirkung angelegte Komposition, die durch klare Formen, getrennte Farben und ausdrucksstarke Figuren eine monumentale Wirkung er-

---

[3] Introduction à *Sensation*, cf. note 5, p. 305

[4] Monika Brunner, « Modelle », in : Hodler 2018 (cf. note 1), pp. 157–176 ; ici pp. 169–171.

[5] Hodler 2017 (cf. note 5), introduction au *Retour de Marignan*, pp. 263–267

[3] Einleitung zur *Die Empfindung*, wie Anm. 5, S. 305.

[4] Monika Brunner, «Modelle», in: Hodler 2018 (wie Anm. 1), S. 157–176, hier S. 169–171.

[5] Hodler 2017 (wie Anm. 5), Einleitung zu «Rückzug von Marignano», S. 263–267.

61
Ferdinand Hodler
Vieillard homme assis avec les mains jointes | Sitzender Greis mit gefalteten Händen
vers | um 1890
Huile sur toile | Öl auf Leinwand
61 × 46 cm

62
Ferdinand Hodler
L'Émotion | *Die Empfindung*
1901-1902
Huile sur toile | Öl auf Leinwand
115 × 76 cm

63
Ferdinand Hodler
Etude pour Regard vers l'infini | Studie zu Blick ins Unendliche
1914-1916
Huile sur toile | Öl auf Leinwand
121,5 × 60,5 cm

et suscitera un vif intérêt chez les critiques et marchands d'art allemands. Cette année-là, la Sécession berlinoise expose deux cartons en plus des panneaux latéraux de la peinture murale, à savoir *Le porte-drapeau Hans Baer blessé* et *Dietegen couvrant la retraite*.[6] La grande exposition d'art annuelle de Dresde organisée en 1912, où Hodler est représenté par plusieurs peintures, dont deux cartons de la *Retraite de Marignan*, montre combien le thème de la peinture monumentale était alors d'actualité.[7]

zeugt, galt um 1900 als Inbegriff der Moderne und stiess bei den Kritikern und beim deutschen Kunsthandel auf grosses Interesse. Die Berliner Secession stellte 1900 zwei Kartons zu den Seitenfeldern des Wandbildes aus, nämlich *Der verletzte Bannerträger Hans Baer* und *Dietegen, den Rückzug deckend*.[6] Wie präsent das Thema Monumentalmalerei war, belegt die *Grosse Kunstausstellung* von 1912 in Dresden, an der Hodler mit mehreren Bildern vertreten war, darunter zwei Kartons zu *Rückzug von Marignano*.[7]

---

[6] *Id.*, CR nos 1302 et 1304

[7] *Grosse Kunstausstellung Dresden 1912*, cat. exp., Dresde, Städtischer Ausstellungspalast an der Stübelallee, éd. Baensch, 1912, nos 1751 et 1752.

---

[6] Ebd., CR Nrn. 1302 und 1304.

[7] *Grosse Kunstausstellung Dresden 1912*, Ausst.-Kat. Städtischer Ausstellungspalast an der Stübelallee, Dresden: Baensch, 1912, Nrn. 1751 und 1752.

L'univers du lac Léman
Ferdinand Hodler

Monika Brunner

Dans l'œuvre de Ferdinand Hodler, aucun autre thème de paysage ne présente une aussi grande diversité de formes que ses vues du Léman. Au cours des quelque 50 ans que durera sa carrière, le peintre produira une multitude de tableaux représentant ce lac sous les angles les plus divers et à toutes les saisons. Ils permettent de suivre son évolution artistique, d'une reproduction fidèle de la nature à des toiles d'une grande abstraction. Le sujet lui avait été suggéré à l'occasion d'un concours organisé en 1875 par l'Institut national genevois, qui demandait aux candidats d'illustrer le thème « Un beau soir sur les rives du Léman ».[1] La vue de Hodler, minutieusement peinte, montre des voiliers, des cygnes, une passerelle (le môle des Pâquis), ainsi que des maisons sur la rive opposée, en direction de Coligny. Le lac occupe environ un bon tiers de l'image, comme dans les différentes versions du *Clair de lune sur le lac Léman* que l'artiste réalisera quatre ans plus tard.[2] Vers 1890, il commence à explorer les alentours de Genève, et bientôt, le lac prendra de plus en plus d'importance dans ses tableaux. Des sites à proximité d'Hermance ou de Lutry lui offrent d'autres perspectives qui l'amèneront à des compositions où les pâturages, le lac et le ciel se déploient en parallèle. En 1895, dans la toile intitulée *Le lac Léman vu de Chexbres, le soir*, que le peintre présente au concours Calame sur le thème « Un lac suisse », l'espace s'ouvre prodigieusement.[3] La courbe du pré qui s'étend dans la partie inférieure du tableau – « l'ici-bas » – et l'arc dessiné par les nuages dans le ciel – « l'au-delà » – forment une ellipse, laquelle a pour effet d'agrandir optiquement la surface de l'eau. Hodler reprendra une autre fois le même principe de composition, qui est à la base de ses paysages de Chexbres, dans la version plus tardive de cette vue (Cat. 64) que Georges Wagnière (1862–1948), vice-chancelier de la Confédération, lui avait commandée. Afin d'intensifier l'impression de vastitude et d'ho-

[1] Hodler 2008 (cf. note 2), CR n° 50

[2] *Id.*, CR n⁰ˢ 93–95

[3] *Id.*, p. 235 et CR n⁰ˢ 261

Universum Genfersee
Ferdinand Hodler

Monika Brunner

Kein anderes Landschaftssujet in Hodlers Œuvre weist eine so grosse Formenvielfalt auf wie die Ansichten vom Genfersee. In den rund 50 Jahren seiner Karriere malte Hodler eine Vielzahl an Genferseebildern aus unterschiedlichen Blickwinkeln und zu verschiedenen Jahreszeiten. An der Reihe lässt sich seine künstlerische Entwicklung von der naturalistischen, detailgetreuen Wiedergabe bis hin zu den stark abstrahierenden Darstellungen verfolgen. Anstoss für das Sujet gab der 1875 vom Institut national genevois ausgeschriebene Wettbewerb, der als Thema *Ein schöner Abend am Genfersee* vorgab.[1] Hodlers detailliert ausgeführte Ansicht zeigt Segelboote, Schwäne, einen Steg (Mole von Pâquis), sowie Häuser des gegenüber liegenden Seebeckens Richtung Cologny. Die Seefläche nimmt gut ein Drittel des Bildes ein, so auch die vier Jahre später gemalten Darstellungen *Mondschein am Genfersee*.[2] Nachdem Hodler um 1890 begonnen hatte, die nähere Umgebung von Genf zu erkunden, gewann der See in seinen Bildern an Fläche. Standorte bei Hermance oder bei Lutry ermöglichten andere Perspektiven und führten zu Kompositionen mit bildparallelen Wiesen-, See- und Himmelspartien. 1895 erfolgte die erstaunliche Raumöffnung mit dem Bild *Genfersee am Abend von Chexbres aus*, das Hodler für den Concours Calame unter dem Motto «Un lac Suisse» ausführte.[3] Das Gemälde zeigt ein diesseitiges gekrümmtes Wiesenbord und einen Wolkenbogen, die zusammen eine Ellipse formen, welche die Wasserfläche optisch vergrössert. Das elliptische Kompositionsschema, das zur Grundform der Chexbres-Landschaften werden sollte, wiederholte Hodler ein weiteres Mal für die später ausgeführte Version (Kat. 64), die Georges Wagnière (1862–1948), Vizekanzler der Eidgenossenschaft, in Auftrag gegeben hatte. Um den Eindruck von Weite und Einheit zu intensivieren, erprobte er verschiedene Lösungen,

[1] Hodler 2008 (wie Anm. 2), CR Nr. 50.

[2] Ebd., CR Nrn. 93–95.

[3] Ebd., S. 235 und CR Nr. 261.

mogénéité, il essaiera différentes solutions, notamment dans la vue de 1904, avec la bande nuageuse galbée qui se reflète dans le lac (Cat. 65). Cet élément décoratif appartient au répertoire des formes ornementales de l'Art Nouveau. Comme de nombreux artistes aux alentours de 1900, Hodler s'intéresse à l'ornementation et aux effets décoratifs fondés sur les aplats. Grâce à des moyens stylistiques ornementaux, comme la symétrie qui, ici, est créée par le reflet, l'aplanissement de la surface et les lignes rythmiques, le peintre réussit à transposer son principe de l'unité. Dans les versions du *Lac Léman vu de Chexbres*, qu'il peint en 1911 (Cat. 66), il accentue l'impression d'infinitude dans sa composition, en agrandissant encore davantage la surface de l'eau et en utilisant un vocabulaire visuel réduit à l'essentiel. Le peintre expliquera à son biographe Carl Albert Loosli qu'avec son paysage du Lavaux, il avait l'intention de transmettre le sentiment d'un espace incommensurable : « Avec un paysage, on peut exprimer un sentiment, donner, au moyen de l'étendue de l'espace – par exemple, à partir du lac Léman à Chexbres – un sentiment plus élevé de l'humain. »[4] La symbolique cosmique s'en trouve accrue dans le tableau du *Lac Léman avec les Alpes savoyardes* (Cat. 67), que Hodler a réalisé dans la région de Chamby, au-dessus de Montreux. L'atmosphère brumeuse fait apparaître les Alpes comme en apesanteur et leur confère une légèreté flottante. Pour définir ces paysages éthérés, Hodler aurait inventé la notion de « paysages planétaires ».[5] Le groupe des tableaux du Léman, de loin le plus important, est constitué de compositions parallèles que le peintre réalise sur la rive sud du lac, avec vue sur le Jura français et suisse, entre 1908 et 1918. L'une des caractéristiques frappantes de ces paysages stratifiés, tel le *Lac Léman avec le Jura* (Cat. 68, 69), est leur structure horizontale générée par les reflets, les vagues et les nuages. *Le lac Léman avec les Alpes savoyardes* (Cat. 70) s'inscrit dans la continuité de ce principe.

Cette vue peinte dans la région de Lausanne représente les montagnes de Savoie du sommet de la Dent d'Oche à gauche jusqu'au Mont Billiat, à l'extrême droite de l'image. Les répétitions de couleurs apparaissent dans la lumière solaire reflétée par l'eau et dans l'alternance des bandes horizontales jaunes et bleues à l'horizon.

Lorsqu'il peignait des chaînes de montagnes, Hodler était notamment confronté au problème du cadrage. Dans ces paysages à l'horizon illimité, une question se posait : par où commencer, et où devait-il les « tron-

etwa die 1904 gemalte Ansicht mit dem gespiegelten, geschwungenen Wolkenband (Kat. 65). Das dekorative Element geht auf das ornamentale Formenrepertoire des Jugendstils zurück. Wie viele Künstler um 1900 zeigte Hodler ein Interesse für die Ornamentik und für eine flächig-dekorative Bildwirkung. Mit ornamentalen Stilmitteln wie Symmetrie, die hier durch die Spiegelung erzeugt wird, Flächigkeit und rhythmisierende Linien brachte er sein Prinzip von Einheit zum Ausdruck. Bei den 1911 gemalten Versionen vom *Genfersee von Chexbres aus* (Kat. 66) verstärkte Hodler den Eindruck einer kompositionell unbegrenzten Landschaft mittels Vergrösserung der Wasserfläche und einer reduzierten Formensprache. Gegenüber Loosli erläuterte Hodler die Absicht, mit der Seelandschaft im Lavaux, die Empfindung von Weiträumigkeit zu vermitteln: «Mit einer Landschaft kann man ein Gefühl ausdrücken, durch die Weite des Raumes – zum Beispiel der Genfersee von Chexbres aus – ein höheres Gefühl des Menschlichen.»[4] Die kosmische Symbolik des Unermesslichen erfährt in der Darstellung *Genfersee mit Savoyer Alpen* (Kat. 67), die Hodler in der Gegend von Chamby oberhalb von Montreux malte, eine Steigerung. Die dunstige Atmosphäre lässt die Alpen schwerelos erscheinen und verleiht ihnen eine schwebende Leichtigkeit. Für diese der Erde entrückten Landschaften soll Hodler den Begriff «paysages planétaires» geprägt haben.[5] Die weitaus grössere Gruppe der Genferseelandschaften stellen die bildparallelen Kompositionen dar, die Hodler zwischen 1908 und 1918 vom südlichen Ufer aus mit Blick auf den französisch-schweizerischen Jura festhielt. Auffallendes Merkmal dieser *Genfersee mit Jura* betitelten Streifenlandschaften (Kat. 68, 69) ist die horizontale Gliederung durch Spiegelungen, Wellen und Wolken. *Genfersee mit Savoyer Alpen* (Kat. 70) knüpft an dieses Schema an.

Der Ausschnitt entstand in der Gegend von Lausanne und gibt die Savoyer Berge von der Spitze der Dent d'Oche links zum Mont Billiat rechts aussen wieder. Farbwiederholungen manifestieren sich im gespiegelten, hellen Sonnenlicht im Wasser und im Wechsel der gelben und blauen horizontalen Streifen am Firmament.

Hodler sah sich insbesondere bei Gebirgsketten mit dem Problem des Bildausschnitts konfrontiert. Bei diesen unbegrenzten Landschaften stellte sich ihm die Frage, wo er diese anfangen und wo er sie «abschnei-

---

[4] Loosli 1921–1924, (cf. note 1), vol. 4, p. 183

[5] Johannes Widmer, *Von Hodlers letztem Lebensjahr*, Zurich, éd. Rascher & Cie, 1919, pp. 9, 10–11.

[4] Loosli 1921–1924, (wie Anm. 1), Bd. 4, S. 183.

[5] Johannes Widmer, *Von Hodlers letztem Lebensjahr*, Zürich: Rascher & Cie. Verlag, 1919, S. 9, 10–11.

64
Ferdinand Hodler
Le lac Léman vu de Chexbres | *Genfersee von Chexbres aus*
Vers | um 1898
Huile sur toile | Öl auf Leinwand
100 × 130,5 cm

65
Ferdinand Hodler
Le lac Léman vu de Chexbres | *Genfersee von Chexbres aus*
vers | um 1904
Huile sur toile | Öl auf Leinwand
81 × 100 cm

quer » afin de susciter une impression d'infinitude?[6] Il utilise par ailleurs les lignes parallèles des massifs montagneux et de l'eau pour symboliser l'être humain. Selon lui, chaque objet tendait à l'horizontalité, le corps humain également, et finalement, à la disparition : « La montagne s'abaisse, s'arrondit par les siècles jusqu'à ce qu'elle soit plane comme la surface de l'eau. L'eau va de plus en plus vers le centre de la terre, ainsi que tous les corps. »[7] Il accentuait par conséquent la structure horizontale de la chaîne de montagnes ou de la surface d'eau en utilisant des formats oblongs, comme dans *Le Grammont* (Cat. 71) vu de Vevey, qu'il peint en 1905.

den» müsste, um den Eindruck von Unendlichkeit zu erwecken.[6] Im Weiteren setzte er die bildparallelen Linien des Gebirgszugs und des Wassers in Analogie zum Mensch. Nach seiner Auffassung tendierte jeder Gegenstand, also auch der menschliche Körper zur Horizontalität und letztlich zum Verfall: «La montagne s'abaisse, s'arrondit par les siècles jusqu'à ce qu'elle soit plane comme la surface de l'eau. L'eau va de plus en plus vers le centre de la terre, ainsi que tous les corps.»[7] Entsprechend akzentuierte er den horizontalen Bildaufbau von Bergkette und Wasserfläche mit langen rechteckigen Formaten, so beim 1905 von Vevey aus gemalten Massiv *Der Grammont* (Kat. 71).

[6] Loosli 1921–1924 (cf. note 1), vol. 2, p. 83
[7] *Id.*, (cf. note 1), vol. 4, p. 215

[6] Loosli 1921–1924 (wie Anm. 1), Bd. 2, S. 83.
[7] Ebd., (wie Anm. 1), Bd. 4, S. 215.

66
Ferdinand Hodler
Le lac Léman vu de Chexbres | *Genfersee von Chexbres aus*
Vers | um 1911
Huile sur toile | Öl auf Leinwand
71 × 89 cm

67
Ferdinand Hodler
Le Lac Léman et les Alpes savoyardes | *Genfer See mit Savoyer Alpen*
Vers | um 1906
Huile sur toile | Öl auf Leinwand
64 × 48,5 cm

68
Ferdinand Hodler
Le Lac Léman avec le Jura | *Genfersee mit Jura*
Vers | um 1911
Huile sur toile | Öl auf Leinwand
52,5 × 72 cm

69
Ferdinand Hodler
Le Lac Léman avec le Jura | *Genfersee mit Jura*
Vers | um 1911
Huile sur toile | Öl auf Leinwand
45,5 × 56,5 cm

70
Ferdinand Hodler
Le Lac Léman avec les montagnes savoyardes | Genfersee mit Savoyer Alpen
1911
Huile sur toile | Öl auf Leinwand
52,5 × 72,5 cm

71
Ferdinand Hodler
Le Grammont | *Der Grammont*
1905
Huile sur toile | Öl auf Leinwand
64,5 × 105,5 cm

Rythme et force
Ferdinand Hodler

Monika Brunner

Rythmus und Kraft
Ferdinand Hodler

Monika Brunner

En septembre 1908, la Banque nationale suisse et le Conseil fédéral confient à Hodler la conception des nouveaux billets de cinquante et de cent francs. Ceux-ci devaient représenter le travail en Suisse « dans un geste puissant et généreux », l'artiste ayant cependant toute liberté quant au choix du motif.[1] Pour le verso du billet de 100 francs, il choisit le thème du faucheur, et pour celui de cinquante francs, le bûcheron. À la demande de Theodor Reinhart, membre de la commission instituée par le Conseil fédéral, il réalisera peu après plusieurs variantes à l'huile des petites esquisses du *Faucheur* (Cat. 72) et du *Bûcheron* (Cat. 73). On peut y voir les deux personnages en pleine action, dans une attitude caractéristique et avec les instruments de leur métier. Toutefois, Hodler ne se contente pas de leur attribuer une fonction représentative – alors qu'il conçoit son bûcheron comme le symbole même de la force, il associe les mouvements réguliers et répétitifs du faucheur à la notion de rythme. Le peintre a développé cette idée en élaborant ses compositions de figures et de paysages, par exemple *Le Jour* (1899–1904) symbolisé par plusieurs personnages, ainsi que dans sa vue du *Lac Léman et des Alpes suisses* (Cat. 70), où il s'intéresse aux mouvements ascendants et descendants de la crête des montagnes. De 1910 à 1918, il essaiera de saisir les étapes du mouvement dans d'innombrables études pour des compositions ou des figures isolées, comme *Le Regard dans l'infini* (Cat. 63), essayant de créer un effet rythmique dans la pose ainsi que dans la position de la tête et des bras de ses figures. Inverse-ment, il exprime la force au moyen d'un langage corpo-rel et d'une mimique caractéristiques. Hodler associait la force à l'effort physique, mais aussi à la lutte contre l'adversité, comme dans la *Femme courageuse* de 1886, qui se bat contre la violence des éléments, ainsi que

Im September 1908 betrauten die Schweizerische Na-tionalbank und der Bundesrat Hodler mit der Gestal-tung der neuen Fünfzig- und Hundertfrankennote. Die neuen Banknoten sollten die Arbeit in der Schweiz in «kraftvoller und grosszügiger Geste» darstellen, wobei der Künstler in der Wahl der Sujets freie Hand hatte.[1] Für die Rückseite der Hunderternote wählte er den Mäher, für jene der Fünfzigfrankennote den Holzfäller. Auf Wunsch von Theodor Reinhart, ein vom Bundes-rat eingesetztes Kommissionsmitglied, führte Hodler die kleinformatigen Entwürfe zum *Mäher* (Kat. 72) und *Holzfäller* wenig später in mehreren Varianten in Öl aus (Kat. 73). Er stellte beide Figuren bei der Verrich-tung ihrer Arbeit in typischer Körperhaltung und mit ihren Werkzeugen dar. Doch schrieb er ihnen mehr als nur eine repräsentative schweizerische Tätigkeit zu, vielmehr brachte er die gleichmässig sich wieder-holenden Bewegungen des Mähens mit Rhythmus in Verbindung, während er den Holzfäller als Sinnbild für die Kraft verstand. Hodler entwickelte seine Vorstellung von Rhythmus während der Beschäftigung mit seinen rhythmisierten Figuren- und Landschaftskompositio-nen, etwa in der mehrfigurigen Darstellung *Der Tag* (1899–1904) und in der Ansicht *Genfersee mit Savoyer Alpen* (Kat. 70), wo er sich für die Auf- und Abwärtsbe-wegungen des Gebirgskamms interessierte. In unzäh-ligen Kompositionsstudien und Einzelfiguren erprobte er zwischen 1910 und 1918 Bewegungsabläufe wie für *Blick ins Unendliche* (Kat. 63), in der die Pose sowie die Kopf- und Armhaltung der Figuren eine rhythmisie-rende Wirkung erzeugen. Im Gegensatz dazu stehen die markante Körpersprache und Mimik, mit denen er die Kraft zum Ausdruck brachte. Hodler verband Kraft sowohl mit körperlicher Anstrengung und Überwin-dung von Widerständen, etwa beim *Mutigen Weib* von

[1] Lettre de Theodor Reinhart à Rodolphe de Haller du 9 octobre 1909, Archives fédérales, citée dans : Michel de Rivaz, *Ferdinand Hodler, Eu-gène Burnand und die schweizerischen Banknoten*, Berne, éd. Benteli, 1991, p. 132. Les billets de cinq cent francs et de mille francs devaient représenter l'Industrie.

[1] Brief Theodor Reinhart an Rodolphe de Haller vom 9.10.1909, Bundesarchiv, zitiert in: Michel de Rivaz, *Ferdinand Hodler, Eugène Burnand und die schweizerischen Banknoten*, Bern: Benteli, 1991, S. 132. Die Fünfhunderter- und die Tausendernoten sollten die In-dustrie darstellen.

dans des poses masculines marquantes, comme celle du héros national *Guillaume Tell*.[2] L'effort physique du bûcheron était pour lui le symbole même de la force : « Chaque muscle est tendu ; c'est comme si ce type voulait se détacher lui-même du sol et s'envoler, en suivant l'élan de la hache vers le haut. »[3] Sa peinture du *Bûcheron* (Cat. 73), d'une grande puissance d'expression, dont il existe 19 versions de formats différents, produit un effet monumental. Elle suscitera un vif intérêt en Allemagne, où Hodler sera célébré et tenu en haute estime comme le chef de file de la peinture monumentale.[4] En 1908, il reçoit ainsi commande d'une peinture murale pour l'Université d'Iéna. Avec le *Départ des étudiants allemands pour la guerre de libération de 1813*, il réussit un chef-d'œuvre qui ne restera pas inaperçu dans les cercles d'artistes et de collectionneurs. Le peintre allemand Max Liebermann (1847–1935) avait manifesté la grande admiration qu'il éprouvait pour les peintures de Hodler à l'occasion de la VIIe exposition d'art internationale de Munich, en 1897. Il recommandera l'artiste suisse au bourgmestre de Hanovre Heinrich Tramm, qui prévoyait une peinture d'histoire de grand format sur l'époque de la Réforme pour la paroi de la salle de réunion de l'Hôtel de Ville, de 17 mètres de haut. En 1911, Hodler se voit confier la commande d'une composition à plusieurs figures, *L'Unanimité*. Cette gigantesque peinture murale (475 x 1517 cm) sera solennellement inaugurée en 1913, en présence de l'empereur Guillaume II. Elle traite d'un événement religieux important, lorsque les bourgeois de Hanovre se rassemblèrent le 26 juin 1533 pour prêter serment d'adhésion à la Réforme. Au centre, on peut voir l'orateur, Dietrich Arnsborg (vers 1475–1558), qui l'index levé, le bras gauche replié contre sa poitrine et la jambe droite s'avançant de manière provocatrice, affiche sa détermination, soulignant ainsi la solennité de la scène. Dans la version du projet qui a été exécutée, les yeux courroucés et la bouche ouverte du jureur donnent encore plus de poids à cette démonstration de force.

Replacé dans le contexte historique, *L'Orateur* (Cat. 74), pour lequel Hector, le fils de Hodler, a posé, incarne avec son attitude pleine d'assurance et son langage corporel actif une figure de héros classique. *Le Jureur* (Cat. 75) appartient également à la catégorie des poses viriles : sa fermeté et sa volonté sont soulignées par le pas en avant et le bras replié. Alors que certains des

1886, das gegen die Naturgewalt ankämpft, als auch mit ausgeprägten, männlichen Posen wie beim Nationalhelden *Wilhelm Tell*.[2] Der Körpereinsatz des Holzfällers war für ihn der Inbegriff von Kraft: «Jeder Muskel ist angespannt; es ist, als ob sich der Kerl, dem Schwung der Axt nach oben folgend, selber vom Erdboden lösen und empor schnellen wollte (…).»[3] Sein ausdrucksstarker *Holzfäller* (Kat. 73), von dem 19 Fassungen unterschiedlichen Formats existieren, erzeugte eine monumentale Wirkung und stiess in Deutschland, wo Hodler als wichtiger Vertreter des monumentalen Stils gefeiert wurde, auf reges Interesse.[4] 1908 wurde er aufgrund seiner hochgeschätzten Monumentalmalerei mit dem Wandbild für die Universität in Jena beauftragt. Mit dem *Auszug deutscher Studenten in den Freiheitskrieg von 1813* gelang ihm ein Meisterstück, das in Künstler- und Sammlerkreisen nicht unbemerkt blieb. Der deutsche Maler Max Liebermann (1847–1935), der 1897 anlässlich der VII. Internationalen Kunstausstellung in München grosse Anerkennung für Hodlers Werke entgegengebracht hatte, empfahl den Schweizer Künstler dem Stadtdirektor von Hannover Heinrich Tramm, der für die 17 Meter breite Wand des Sitzungssaals ein grossformatiges Historienbild aus der Reformationszeit vorsah. 1911 erhielt Hodler den Auftrag für die mehrfigurige Komposition *Einmütigkeit*. Das Wandbild (475 x 1517 Zentimeter) wurde 1913 in Anwesenheit von Kaiser Wilhelm II. feierlich eingeweiht. Das Sujet greift das Ereignis des Reformationsschwurs auf, als die Bürger von Hannover am 26. Juni 1533 zusammentrafen und auf die evangelische Lehre schworen. Im Zentrum steht der Redner Dietrich Arnsborg (um 1475–1558), der mit erhobenem Zeigefinger, angewinkeltem Arm und provokativ vorangestelltem Springbein Entschlossenheit demonstriert und damit die Feierlichkeit der Handlung unterstreicht. Die Machtdemonstration wird in der ausgeführten Fassung durch die zornigen Augen und den geöffneten Mund verstärkt.

Im historischen Kontext gesehen verkörpert der *Redner* (Kat. 74), für den Hodlers Sohn Hector Modell stand, durch die selbstbewusste Haltung und die aktive Körpersprache eine klassische Heldenfigur. In die Kategorie der männlichen Pose passt auch der *Schwörende* (Kat. 75): Standhaftigkeit und Willenskraft werden durch den Ausfallschritt und den angewinkelten Arm hervorgehoben. Während einige der Hannoveraner stolz und

[2] Gabriela Christen, « Die weibliche und die männliche Pose », in : *Ferdinand Hodler. Die Forschung – Die Anfänge – Die Arbeit – Der Erfolg – Der Kontext*, dir. Oskar Bätschmann, Matthias Frehner et Hans-Jörg Heusser, Zurich, SIK-ISEA, 2009 (outlines, 4), p. 135–148 ; ici 135–138.

[3] Loosli 1921–1924 (cf. note 1), vol. 3, pp. 105–109

[4] Brunner 2017 (cf. note 7), p. 17

[2] Gabriela Christen: «Die weibliche und die männliche Pose», in: *Ferdinand Hodler. Die Forschung - Die Anfänge - Die Arbeit - Der Erfolg - Der Kontext*, hrsg. von Oskar Bätschmann, Matthias Frehner und Hans-Jörg Heusser. Zürich: SIK-ISEA, 2009 (outlines, 4), S. 135–148, hier S. 135–138.

[3] Loosli 1921–1924 (wie Anm. 1), Bd. 3, S. 105–109.

[4] Brunner 2017 (wie Anm. 7), S. 17.

72
Ferdinand Hodler
Le faucheur | *Der Mäher*
Vers | um 1910
Huile sur toile | Öl auf Leinwand
83,5 × 106 cm

bourgeois de Hanovre prêtent serment avec fierté et dignité, la tête levée, d'autres demeurent immobiles, comme le *Jureur* (Cat. 75) de la Collection Blocher, dans une attitude intériorisée, le regard dirigé vers le sol. Il s'agit de la quatrième figure principale du groupe de droite dont Hodler a conçu treize versions à partir de 1912, qui varient légèrement au niveau des attitudes et de l'arrière-plan. L'idée de l'unité, qui s'impose dans la figure du *Jureur*, compte tenu de son esprit patriotique, est mise en relief par le couronnement en forme d'arc avec lequel l'artiste exprimait en général une idée universelle.

ehrfürchtig den Schwur mit erhobenem Haupt tätigen, verharren andere, wie der *Schwörende* (Kat. 75) aus der Sammlung Blocher, in einer verinnerlichten Pose mit nach unten gerichtetem Blick. Es handelt sich um die vierte Hauptfigur der rechten Gruppe, von der Hodler ab 1912 dreizehn Fassungen schuf, die in Haltung und Hintergrund leicht variieren. Der Gedanke der Einheit, die sich beim *Schwörenden* aufgrund seiner patriotischen Gesinnung aufdrängt, wird durch den bogenförmigen Abschluss hervorgehoben, mit dem der Künstler für gewöhnlich eine universelle Idee zum Ausdruck brachte.

73
Ferdinand Hodler
Le bûcheron | *Der Holzfäller*
1909
Huile sur toile | Öl auf Leinwand
45 × 31 cm

74
Ferdinand Hodler
Unanimité, l'orateur |
Einmütigkeit, Redner
1913
Huile sur toile | Öl auf Leinwand
125 × 75,5 cm

75
Ferdinand Hodler
Unanimité, le jureur | *Einmütigkeit, Schwörender*
1912-1913
Huile sur toile | Öl auf Leinwand
120 × 60 cm

173

Visions de l'Oberland bernois
Ferdinand Hodler

Monika Brunner

Berner Oberland-Visionen
Ferdinand Hodler

Monika Brunner

Schynige Platte, Merligen, Heimwehfluh, Leissigen, Zweilütschinen pour n'en citer que quelques-unes – telles sont les stations que Ferdinand Hodler a choisies pour exprimer ses impressions de l'Oberland bernois. Dès sa jeunesse et depuis son apprentissage, le futur artiste est fortement attiré par cette région. Le chemin qui mène de Steffisburg, où l'adolescent de 14 ans habitait avec son beau-père Gottlieb Schüpbach, à l'atelier du védutiste Ferdinand Sommer à Thoune, l'avait profondément marqué : « Pour la première fois, je voyais alors la haute montagne de près et me réjouissais chaque jour de marcher de Steffisburg à Thoune, et vice-versa. Je me serais privé de tout plutôt que de ces randonnées, car j'étais comme enivré de la beauté de ces paysages. Je ne me lassais pas de les contempler et de les admirer. La splendeur majestueuse de la chaîne du Stockhorn, du Niesen, de la haute montagne éclatante, me fascinait tellement que je ne pensais plus ni à manger, ni à boire, ni à d'autres plaisirs. J'absorbais toutes ces impressions comme une éponge sèche et je n'en avais jamais assez. »[1]

Le groupe d'œuvres du *Lac de Thoune avec la chaîne du Stockhorn*, qui comprend 33 peintures, compte parmi les paysages les plus populaires de Hodler. Comme pour les vues de Chexbres, un concours portant sur le thème de la « nature alpestre » qui avait permis à Hodler de remporter le premier prix du concours Calame en 1883 lui inspirera ce motif. L'artiste répétera la forme allongée de la chaîne de montagnes au moyen d'un pochoir, réalisant plusieurs compositions pratiquement identiques, dont le coloris et les conditions de luminosité varient. La version peinte en 1904 (Cat. 76), avec son coloris bleu-vert éclatant et les sommets enneigés restitue l'atmosphère d'une matinée d'hiver glaciale. Hodler rend les répétitions de formes dans la nature au moyen du reflet dans le lac et des vaguelettes peintes à l'aide de brefs coups de pinceau. D'après les plus récentes analyses technologiques, il s'agit de la première

Schynige Platte, Merligen, Heimwehfluh, Leissigen, Zweilütschinen sind nur einige der Stationen, die Hodler als Standort für seine Berner-Oberland Impressionen wählte. Seit seiner Jugend- und Lehrzeit übte die Gegend eine grosse Anziehungskraft auf den angehenden Künstler aus. Prägend für den 14-Jährigen war der Fussweg von Steffisburg, wo er mit seinem Stiefvater Gottlieb Schüpbach wohnte, zu Ferdinand Sommers Veduten-Werkstatt in Thun: «Zum ersten Mal sah ich damals das Hochgebirge aus der Nähe und freute mich jeden Tag, von Steffisburg nach Thun und wieder zurück zu laufen. Ich hätte lieber alles entbehrt als diese Gänge, denn ich war wie berauscht von der Schönheit dieser Landschaft. Ich konnte nie genug bewundern und schauen. Die gewaltige Pracht der Stockhornkette, des Niesens, des leuchtenden Hochgebirges fesselten mich derart, dass ich gar nicht mehr an Essen, Trinken und andere Genüsse dachte. Alle diese Eindrücke sog ich auf wie ein trockener Schwamm und konnte nie genug davon kriegen.»[1]

Mit 33 Gemälden zählt die Werkgruppe *Thunersee mit Stockhornkette* zu den populärsten Landschaftsbildern. Wie bei den Chexbres-Landschaften diente ein Wettbewerb mit dem Thema *Nature alpestre*, mit dem Hodler 1883 den ersten Preis des Concours Calame gewonnen hatte, als Inspiration für das Motiv. Der Künstler wiederholte die langgezogene Gebirgskette mit einer Schablone, so dass fast identische Kompositionen entstanden, die im Kolorit und in den Lichtverhältnissen variieren. Die 1904 gemalte Version (Kat. 76) gibt mit ihrem klaren blau-grünen Kolorit und den schneebedeckten Gipfeln die Atmosphäre eines kühlen Wintermorgens wieder. Mit der Spiegelung und der in kurzen Pinselstrichen ausgeführten, gekräuselten Wasseroberfläche visualisierte Hodler die Wiederholungen gleichwertiger Formen der Natur. Nach neusten kunsttechnologischen Untersuchungen handelt es sich um die erste Fassung der Serie *Thunersee*

[1] Loosli 1921–1924 (cf. note 1), vol. 1, pp. 10–11

[1] Loosli 1921–1924 (wie Anm. 1), Bd. 1, S. 10–11.

version de la série.[2] Un an plus tard, l'artiste trouve une autre solution et trace des bandes parallèles sur la surface du tableau (Cat. 77). Les pierres disséminées sur le rivage au premier plan et les sommets du massif montagneux qui se succèdent constituent une sorte de contour rythmé, dans lequel le point culminant du Stockhorn est déplacé à proximité du centre de l'image. La peinture conservée au Kunstmuseum de Berne a servi de modèle à la version qui était jadis en possession de l'homme d'affaires et collectionneur Richard Kisling (1862–1917).[3] Le format du tableau, presque carré, ainsi que sa conception décorative rappellent les paysages de Gustav Klimt dont l'artiste suisse connaissait l'œuvre.[4] À l'hiver 1912/1913, Hodler reprendra ce motif (Cat. 78) durant le séjour de son amante Valentine Godé-Darel dans une maison de repos à Hilterfingen. À la différence des précédentes versions, il place le Stockhorn dans l'axe central et accentue la plasticité de la montagne au moyen de couleurs contrastées.

Le motif de *La Lütschine noire* (Cat. 79), rendu avec un luxe de détails, présente, à l'inverse des *Paysages du Stockhorn au bord du lac de Thoune*, une alternance de parties claires et foncées, exécutées au moyen de petites touches fragmentées et de larges coups de pinceau, qui lui confèrent une extraordinaire vivacité. Pour ce tableau réalisé en 1905, l'artiste a choisi un site à environ trois kilomètres en aval de Grindelwald, près du Buechiwald et de la Lütschenthal, offrant une vue vers l'est et le Wetterhorn à l'arrière-plan. La Lütschine noire, qui sort du glacier du Grindelwald, rejoint la Lütschine blanche à Zweilütschinen. Bien que la rivière soit le principal motif du tableau, les autres éléments du paysage ne sont pas relégués à l'arrière-plan ; au contraire, l'image est équilibrée, aussi bien sur le plan de la couleur que sur le plan formel. L'œil se dirige ainsi sur les rochers de teinte lilas-rose, le bleu froid de la partie ombragée du ruisseau, ainsi que sur les montagnes à l'arrière-plan, puis s'attarde sur les troncs d'arbres en filigrane et leur feuillage délicatement esquissé. Dans ses paysages, Hodler, qui n'avait guère le sens des mises en scène dramatiques de la nature, cherche à combiner les éléments similaires et les contrastes. La confrontation de la pierre et de l'eau renvoie aux différentes propriétés de ces deux éléments naturels, à savoir le calme et le mouvement. L'ordre et le chaos – représentés ici au moyen des formations nuageuses bien ordonnées

mit Stockhornkette.[2] Ein Jahr später fand er zu einer anderen Lösung und durchzog das Bild mit bildparallelen Streifen (Kat. 77). Die Abfolge der Steine am diesseitigen Ufer und der Gipfel im Gebirgszug bildet eine rhythmisch bewegte Kontur, in der das Stockhorn als höchste Erhebung in die Nähe der Bildmitte gerückt ist. Für die Fassung, die ehemals in Besitz des Zürcher Kaufmanns und Kunstsammlers Richard Kisling (1862–1917) war, diente das im Kunstmuseum Bern aufbewahrte Gemälde als Vorlage.[3] Sowohl das annähernd quadratische Bildformat als auch die dekorative Gestaltung sind Gustav Klimts Landschaften verwandt, mit dessen Werk der Schweizer Künstler vertraut war.[4] Im Winter 1912/1913 griff Hodler das Motiv wieder auf (Kat. 78), als seine Geliebte Valentine Godé-Darel zur Erholung in Hilterfingen weilte. Anders als in den früheren Darstellungen setzte Hodler das Stockhorn auf die Mittelachse und verstärkte die Plastizität des Gebirges durch kontrastreiche Farben. Das detailreich wiedergegebene Motiv *Die Schwarze Lütschine* (Kat. 79) entfaltet im Unterschied zu den *Stockhornlandschaften am Thunersee* ein lebhaftes Wechselspiel von hellen und dunklen Partien, die mit kleinteiligen und breiten Pinselstrichen ausgeführt sind. Der Künstler wählte für die 1905 gemalte Landschaft einen etwa drei Kilometer unterhalb von Grindelwald beim Buechiwald entfernten Standort zwischen Gündlischwand und Lütschenthal mit Blick gegen Osten und dem Wetterhorn im Hintergrund. Die schwarze Lütschine, die dem Grindelwaldgletscher entspringt, fliesst bei Zweilütschinen mit der Weissen Lütschine zusammen. Obwohl der Fluss das Hauptmotiv ist, rücken die anderen Landschaftselemente nicht in den Hintergrund, vielmehr ist das Bild in koloristischer und formaler Hinsicht ausgewogen. So richtet sich das Auge auf die rosa-lilafarbenen Gesteinsblöcke, auf das kühle Blau des schattigen Wassers, auf die Berge im Hintergrund und bleibt an den filigranen Ästen und am fein skizzierten Blattwerk hängen. Hodler, der wenig Sinn für dramatische Naturinszenierungen besass, suchte in seinen Landschaftsschilderungen, Gemeinsamkeiten und Gegensätze miteinander zu verbinden. Die Gegenüberstellung von Gestein und Wasser verweist auf unterschiedliche Eigenschaften der beiden Naturelemente, so auf Ruhe und Bewegung. Auch Ordnung

---

[2] Karoline Beltinger *et al.*, « (...) Die Hilfslinien in Ferdinand Hodlers Gemälden », in : Hodler 2019 (cf. note 10), pp. 31–82 ; ici pp. 58–59.

[3] Hodler 2008 (cf. note 2), CR n° 310

[4] Le tableau *À l'intérieur de la forêt de Reichenbach* qui fut exposé en 1904 sous le titre *Chant de la forêt* lors de la Sécession de Vienne présente également un format carré, cf. Hodler 2008 (note 2), CR n° 293

[2] Karoline Beltinger et al., «(...) Die Hilfslinien in Ferdinand Hodlers Gemälden», in: Hodler 2019 (wie Anm. 10), S. 31–82, hier S. 58–59.

[3] Hodler 2008 (wie Anm. 2), CR Nr. 310.

[4] Das im Jahr 1904 unter dem Titel *Waldlied* an der Secession in Wien ausgestellte Gemälde *Waldinneres bei Reichenbach* hat ebenfalls quadratische Bildmasse, siehe Hodler 2008 (wie Anm. 2), CR Nr. 293.

76
Ferdinand Hodler
Le Lac de Thoune et la chaîne du Stockhorn |
Der Thunersee mit Stockhornkette
1904
Huile sur toile | Öl auf Leinwand
71 × 105 cm

et du débit irrégulier de la rivière – sont des thèmes récurrents que l'artiste s'efforce de concilier en recourant à une composition équilibrée. Le *Lac de Thoune vu de Leissigen* (Cat. 80), dans lequel la composition symétrique du Harder à gauche, de la Schynige Platte à droite et de la chaîne du Brienzer Rothorn au centre, forme un tout avec les lignes des vagues et la bande blanche des nuages, atteste de son penchant pour des solutions harmonieuses. À partir de 1908, l'attention du peintre se concentrera davantage sur les sommets des Alpes bernoises. Avec le *Männlichen* (Cat. 81), Hodler réalise l'une de ses premières représentations d'un sommet isolé. Les nuages, disposés en forme d'auréole, confèrent au sujet une signification presque sacrée. Tels des îlots appartenant à une autre planète, les trois sommets de *L'Eiger, le Mönch et la Jungfrau au-dessus de la mer de brouillard* (Cat. 82), qu'il a peints depuis la Schynige Platte, sont les seuls points d'orientation visibles de ce paysage de montagne. Dans sa vue *Nuit de lune*, pour laquelle il s'était rendu sur le Heimwehfluh, entre Wilderswil et Interlaken, l'artiste renforce l'impression d'une atmosphère détachée de toutes contingences au moyen d'une composition en aplats, presque abstraite, et d'un coloris tendant à la monochromie.

und Chaos – hier als geordnete Wolkenformationen und unregelmässiger Flusslauf dargestellt– sind ein wiederkehrendes Thema, dem der Künstler mit einer ausgewogenen Komposition beizukommen suchte. Hodlers Hang zum harmonischen Gleichgewicht belegt auch *Thunersee von von Leissigen aus* (Kat. 80), worin die symmetrische Komposition von Harder links, Schynigen Platte rechts und der Brienzer-Rothorn-Kette in der Mitte zusammen mit den Wellenlinien und dem Wolkenband eine Einheit bilden. Ab 1908 richtete sich Hodlers Aufmerksamkeit vermehrt auf die Berner Berggipfel. Mit *Der Männlichen* (Kat. 81) schuf er eines seiner ersten isolierten Gipfelbilder. Die aureolenartig angeordneten Wolken weisen dem Sujet eine beinahe sakrale Bedeutung zu. Wie der Erde entrückte Inseln markiert das Dreigestirn *Eiger, Mönch und Jungfrau über Nebelmeer* (Kat. 82), das Hodler von der Schynigen Platte aus festhielt, die einzigen sichtbaren Orientierungspunkte in der Gebirgslandschaft. In der Ansicht *Mondnacht*, für die sich der Künstler auf die zwischen Wilderswil und Interlaken gelegene Heimwehfluh begeben hatte, steigerte er den Eindruck der entrückten Atmosphäre durch eine flächige, abstrahierende Komposition und eine zur Monochromie tendierenden Farbgebung.

77
Ferdinand Hodler
Le Lac de Thoune et la chaîne du Stockhorn | Thunersee mit Stockhornkette
1905
Huile sur toile | Öl auf Leinwand
80,5 × 90,5 cm

78
Ferdinand Hodler
Le Lac de Thoune et la chaîne du Stockhorn enneigée |
Der Thunersee mit Stockhorkette
Vers | um 1913
Huile sur toile | Öl auf Leinwand
60,5 × 89,5 cm

F. Hodler.

79
Ferdinand Hodler
La Lütschine noire | *Die Schwarze Lütschine*
1905
Huile sur toile | Öl auf Leinwand
101 × 90 cm

80
Ferdinand Hodler
Le Lac de Thoune vu de Leissigen | Thunersee von Leissigen aus
Vers | um 1909
Huile sur toile | Öl auf Leinwand
55,5 × 46 cm

81
Ferdinand Hodler
Le Männlichen | *Der Männlichen*
1908
Huile sur toile | Öl auf Leinwand
57 × 71 cm

82
Ferdinand Hodler
L'Eiger, Le Mönch et la Jungfrau au-dessus de la mer de brouillard | *Eiger, Mönch und Jungfrau über dem Nebelmeer*
1908
Huile sur toile | Öl auf Leinwand
69 × 93 cm

83
Ferdinand Hodler
Clair de Lune – Eiger, Mönch et Jungfrau | *Mondnacht – Eiger, Mönch und Jungfau*
Vers | um 1909
Huile sur toile | Öl auf Leinwand
32 × 41,2 cm

Engadine (1907), Alpes vaudoises et valaisannes
Ferdinand Hodler

Monika Brunner

De mars au début d'avril 1907, Hodler séjourne au Palace Hotel de St-Moritz. Du Kulm Park, il réalise trois somptueux paysages d'hiver présentant une composition symétrique analogue intitulés *Neige dans l'Engadine*. En septembre, il passe à nouveau plusieurs semaines en Engadine et choisit les sites des lacs de Silvaplana et du Champfèr pour ses six vues. Son collègue peintre, Willy F. Burger (1882–1964), qui l'accompagne dans ces excursions, raconte comment Hodler était subjugué par la lumière de ce début de saison automnale : « Je n'ai encore jamais vu une lumière comme celle d'ici, au sommet : c'est fantastique. »[1] Les descriptions de Burger, qui pose son chevalet à côté de celui de Hodler sur le plateau de Surlej, donnent un aperçu de la manière dont ce dernier traite artistiquement le paysage des Grisons : « Et maintenant, l'observation suivante, faite au début de son travail : pourquoi ces lignes rouges et bleues fortement appuyées dans son esquisse préliminaire? Il me dit qu'il séparait tout clairement dès le début. »[2] Il semble avoir suivi ce principe également pour la peinture du *Lac de Silvaplana* (Cat. 83). Celle-ci ne montre pas, comme on l'a supposé par erreur, la vue sur le Piz Corvatsch, mais un contrefort du massif, l'Alpe Surlej.[3] La composition est divisée en deux registres horizontaux clairement définis, constitués d'arêtes rocheuses vertes et rouges s'inclinant légèrement vers la droite, que le lac vert émeraude clôture dans le tiers inférieur de l'image. Le reflet dans l'eau disparaît, supplanté par le bleu-vert de la surface du lac. Les délicates taches jaunes, à droite et à gauche de la colline boisée, annoncent déjà les teintes automnales des feuilles en automne. Dans cette série de vues de l'Engadine, la couleur qui sépare les différentes zones du tableau, telles que le lac, la forêt et la paroi rocheuse, est

Engadin (1907) und Waadtländer und Walliser Alpen
Ferdinand Hodler

Monika Brunner

Von März bis Anfang April 1907 weilte Hodler im Palace Hotel in St. Moritz, wo er vom Kulm Park aus drei kompositorisch ähnliche prachtvolle Winterlandschaften mit symmetrischer Anlage schuf, die den Titel *Schnee im Engadin* tragen. Im September verbrachte er ein weiteres Mal mehrere Wochen im Engadin und wählte den Silvaplanersee und den Champfèrsee als Standort für seine sechs Ansichten. Sein Malerkollege Willy F. Burger (1882–1964), der ihn bei einem seiner Ausflüge begleitete, berichtet, wie sehr Hodler vom Licht des Frühherbsts überwältigt war: «Ich habe noch nie so ein Licht gesehen wie hier oben: Es ist fantastisch.»[1] Die Schilderungen Burgers, der seine Staffelei neben jene von Hodler bei der Ebene von Surlej aufstellte, geben Einblick in Hodlers künstlerische Auseinandersetzung mit der Engadiner Landschaft: «Und nun zum Beginn seiner Arbeit folgende Beobachtung: Warum bei seiner Vorarbeit die starken Rot- und Blaulinien? Er sagte mir, dass er alles klar trenne, gleich zu Beginn.»[2] Dieses Prinzip schien der Künstler auch beim Gemälde *Der Silvaplanersee* (Kat. 83) befolgt zu haben. *Der Silvaplanersee* zeigt nicht wie irrtümlicherweise angenommen die Sicht auf den Piz Corvatsch, sondern einen Ausläufer des Massivs mit der Alp Surlej.[3] Die Komposition ist in zwei klare, waagrechte Schichten aus grünem und rotem, nach rechts leicht abfallenden Bergrücken gegliedert, die im unteren Drittel mit dem smaragdgrünen See abschliesst. Die Spiegelung ist zugunsten des grün-blauen Kolorits des Wassers zurückgenommen. Die feinen gelben Tupfen rechts und links des bewaldeten Hügels künden die einsetzende herbstliche Färbung der Blätter an. Überhaupt stellt die Farbe in der Serie der Engadiner Landschaften ein tragendes kompositorisches Element dar, das die einzelnen Zonen

[1] Jura Brüschweiler, « Ferdinand Hodler (Bern 1853–Genf 1918). Chronologische Übersicht : Biographie, Werk, Rezensionen », in : *Ferdinand Hodler*. Berlin, cat. exp., Nationalgalerie (Est) 2 mars – 24 avril 1983 ; Paris, Musée du Petit Palais, 11 mai – 24 juillet 1983 ; Zurich, Kunsthaus, 19 août – 23 octobre 1983, pp. 43–170 ; ici, p. 140.

[2] Cité par Loosli 1921–1924 (cf. note 1), vol. 2, 1922, p. 86

[3] Hodler 2008 (cf. note 2), CR n° 345

[1] Jura Brüschweiler: «Ferdinand Hodler (Bern 1853–Genf 1918). Chronologische Übersicht: Biographie, Werk, Rezensionen», in: *Ferdinand Hodler*. Ausst.-Kat., Nationalgalerie Berlin (Ost) 2.3.–24.4.1983; Paris, Musée du Petit Palais, 11.5.–24.7.; Kunsthaus Zürich, 19.8.–23.10.1983, S. 43–170, hier S. 140.

[2] Zitiert bei Loosli 1921–1924, (wie Anm. 1), Bd. 2, 1922, S. 86.

[3] Hodler 2008 (wie Anm. 2), CR Nr. 345.

du reste un élément constitutif de la composition. Le segment d'arc de la rive au premier plan est un autre moyen visuel auquel Hodler recourt souvent dans ses paysages. Avec l'arc du ciel, il forme ici une ellipse, laquelle a pour effet d'harmoniser la composition.

En juillet 1912, le peintre passe avec sa femme Berthe et sa nièce Albertine Bernhard quelques jours dans la station thermale vaudoise de Chesières. Du haut-plateau, on découvrait une vue attrayante sur le Grand-Muveran qui domine le lieu à 3051 mètres d'altitude, les Dents-de-Morcles et les Dents-du-Midi. Hodler dont le regard se concentrait volontiers sur les sommets, choisit le Grand-Muveran comme motif principal. Il peindra six versions, trois avec un horizon plus bas, trois avec un cadrage plus étroit. Sur la version présente (Cat. 85), on peut voir la chaîne de montagnes qui s'étend à l'horizon, de la Tête-à-Pierre-Grept jusqu'à la Dent Favre. La montagne apparaît à contre-jour, les parties ombragées étant représentées en bleu, tandis que les endroits illuminés sont peints dans des teintes de violet. Les parois rocheuses se composent de surfaces de couleur presque monochromes, non structurées. Une tendance aux aplats et à la monochromie s'était déjà manifestée un an plus tôt chez Hodler. Dans le *Massif de la Jungfrau vu de Mürren*[4], le Schwarzmönch est rendu sous la forme d'une silhouette aux surfaces lisses, peintes dans des teintes bleu foncé, qui se profile devant le massif montagneux de la Jungfrau couvert de neige et éclairé par le soleil. Le peintre aimait particulièrement les contrastes de couleurs, ainsi qu'on le constate dans le *Grand-Muveran*, où le jaune-rougeâtre du ciel met en valeur le bleu-violet de la chaîne de montagnes. Par rapport aux trois autres variantes, le ciel occupe ici les trois quarts de l'image, si bien que la montagne semble relativement petite. Toutefois, en adoptant un cadrage plus ample, ce n'est pas tant la monumentalité des montagnes et des collines que Hodler thématise, mais plutôt leur « rythmisation ». Dans ce paysage, la nature avait également prédéterminé certains éléments rythmiques, dont il était friand.[5] En dehors des vues du Grand-Muveran, il réalisera cinq peintures de la vallée du Rhône et des montagnes valaisannes aux alentours des Dents-du-Midi. Son tableau intitulé *La Vallée du Rhône et les Dents-du-Midi* (Cat. 86) représente la vue de Chesières sur ladite vallée, les Dents-du-Midi se dressant sur la droite, et les Dents-de-Morcles sur la gauche. La vallée et le panorama des montagnes sont saisis dans un vaste cadrage. Le rideau de nuages et le brouillard créé par la distance ont pour effet de repousser le paysage alpin à l'arrière-plan, tout en rehaussant la plasticité du massif montagneux.

wie See-, Wald- und Felspartien deutlich voneinander abgesetzt. Der Segmentboden des vorderen Uferstreifens ist ein von Hodler häufig verwendetes Gestaltungsmittel und bildet hier zusammen mit dem bogenförmigen Himmel eine Ellipse, die der Komposition eine ausgewogene harmonische Wirkung verleiht.

Im Juli 1912 verbrachte Hodler mit seiner Frau Berthe und seiner Nichte Albertine Bernhard einige Tage im Waadtländer Kurort Chesières. Vom Hochplateau aus bot sich dem Künstler eine reizvolle Sicht auf den 3051 Meter hohen Grand Muveran, die Dents de Morcles und die Dents du Midi. Hodler, der seinen Blick gerne auf die Berggipfel fokussierte, wählte den Grand Muveran als Hauptmotiv. Er malte sechs Fassungen, drei mit einem tiefer liegenden Horizont, drei mit einem engeren Bildausschnitt. Die vorliegende Version (Kat. 85) gibt eine langgezogene Gebirgskette wieder, die von der Tête à Pierre Grept bis zur Dent Favre reicht. Der Berg erscheint im Gegenlicht, die beschatteten Partien sind in Blau ausgeführt, während die belichteten Stellen in violetten Tönen gemalt sind. Die Felspartien bestehen aus unstrukturierten, beinah monochromen Farbflächen. Hodlers Tendenz zur flächigen Malweise und Monochromie zeichnete sich bereits ein Jahr zuvor ab. In der Ansicht *Jungfraumassiv von Mürren aus*[4] ist der Schwarzmönch als flächige, dunkelblautonige Silhouette vor dem beleuchteten, schneebedeckten Bergmassiv der Jungfrau wiedergegeben. Hodlers Vorliebe für den Komplementärkontrast zeigt sich beim *Grand Muveran* im blau-violetten Kolorit der Bergkette, die vom gelb-rötlichen Firmament hinterfangen wird. Gegenüber den drei anderen Varianten nimmt der Himmel hier Dreiviertel der Darstellung ein, sodass das Gebirge relativ klein erscheint. Thema ist weniger die Monumentalität als die Rhythmisierung der Berge und Hügel, die hier dank des grösseren Bildausschnitts besser zur Geltung kommt. Auch bei diesem Landschaftsmotiv hatte die Natur rhythmisierende Elemente vorgegeben, nach denen Hodler eifrig Ausschau hielt.[5] Neben den Ansichten des Grand Muveran malte der Künstler fünf Bilder vom Rhonetal und von der Walliser Bergwelt rund um die Dents du Midi. *Rhonetal mit Dents du Midi* (Kat. 86) gibt den Blick von Chesières über das Rhonetal wieder, rechts erhebt sich die Dents du Midi, links die Dents de Morcles. Tal und Bergpanorama sind in einem weit gefassten Bildausschnitt festgehalten. Durch die Distanz schaffenden Wolken- und Nebelschleier wird die Bergwelt etwas mehr in den Hintergrund gerückt und die Plastizität der Gebirgsgruppe hervorgehoben.

[4] Hodler 2008, CR 438.

[5] Loosli 1921–1924 (cf. note 1), vol. 4, p. 284

[4] Hodler 2008, CR 438.

[5] Loosli 1921–1924, (wie Anm.1), Bd. 4, S. 284.

84
Ferdinand Hodler
Le lac de Silvaplana | Der Silvaplanersee
1907
Huile sur toile | Öl auf Leinwand
66 × 89 cm

Hodler séjourne à plusieurs reprises pour quelques jours à Montana en août et en septembre 1915, où son fils Hector, malade des poumons, est en cure, tandis que sa femme et sa fille Paulette passent leurs vacances au chalet des Fougères. Le funiculaire de Sierre-Montana-Crans avait été inauguré quatre ans plus tôt, et donc l'artiste pouvait se rendre facilement sur les hauteurs avec son matériel de peinture et son chevalet. De Montana et de Crans qui fait partie du haut-plateau, il a réalisé 17 paysages avec vue vers le nord-est, le sud et le sud-ouest. Le *Paysage valaisan* (Cat. 87), ainsi que Hodler a sobrement intitulé cette œuvre exceptionnelle en raison de son style et de sa composition, donne un aperçu du haut-plateau de Montana en remontant la vallée en direction du Haut-Valais, avec le Bietschhorn sur la gauche et la Bella Tolla sur la droite. La combinaison du paysage de montagnes et de prairies sous une telle forme est unique en son genre. L'artiste indiquait généralement son emplacement au moyen d'une étroite bande de pré devant un ample paysage de lac ou d'alpage. Ici, le premier plan ocre jaune se voit doté d'une présence inhabituelle, qui a pour effet de repousser la zone montagneuse peinte en bleu vers le fond du tableau. Cette peinture, qui présente une facture sommaire sur toute la surface, se distingue nettement des autres vues de Montana. La composition conçue sous le signe de la réduction des formes et des éléments constitutifs du tableau tend à simplifier le motif. Cette recherche est confirmée par l'image résultant d'une spectroscopie infrarouge par transmission, où l'on peut voir que Hodler avait prévu une rangée de sapins sur la ligne délimitant la chaîne de montagnes, mais qu'il avait ensuite rejeté cette idée.[6] Le chemin en diagonale, qui, au premier abord, paraît étrange dans ce tableau harmonieusement structuré à l'horizontale, crée toutefois une tension au niveau de la composition. Ce *Paysage valaisan* compte parmi les expériences artistiques les plus audacieuses de Hodler, qui cherche ici à générer un certain effet d'abstraction en réduisant drastiquement le chromatisme et les formes. Par son économie de moyens stylistiques, cette peinture anticipe les paysages du Léman de 1917/1918 et leurs vastes aplats colorés. À Montana, le peintre avait découvert par hasard une ancienne zone de marais désormais asséchée, dernier vestige des Étangs longs de Crans. Il a représenté l'unique lac existant encore aujourd'hui, avec une vue sur les Alpes valaisannes vers le sud-ouest, dans trois versions presque identiques. Dans l'*Étang long à Montana* (Cat. 88), le plan d'eau est limité à droite par la rive en forme d'arc, qui se transforme en horizontale au centre du tableau. L'artiste avait déjà essayé ce schéma de composition de l'ellipse ouverte d'un côté dans ses paysages de Chexbres. À la différence de ses tableaux des *Étangs*

Hodler hielt sich im August und September 1915 mehrmals einige Tage in Montana auf, wo sein lungenkranker Sohn Hector zur Kur weilte und seine Frau und seine Tochter Paulette im Chalet Les Fougères ihre Ferien verbrachten. Vier Jahre zuvor war die Standseilbahn Sierre-Montana-Crans eröffnet worden, der Künstler konnte also bequem mit seinen Malutensilien und seiner Staffelei in die Höhe gelangen. Von dort und dem zum Hochplateau gehörigen Crans aus entstanden 17 Landschaften mit Blick in die nordöstliche, südliche und südwestliche Richtung. *Walliser Landschaft* (Kat. 87), so der schlichte Bildtitel des in stilistischer und kompositioneller Hinsicht aussergewöhnlichen Werks, gibt den Blick über das Hochplateau von Montana talaufwärts Richtung Oberwallis wieder und zeigt links das Bietschhorn und rechts La Bella Tolla. Die Kombination von Berg- und Wiesenlandschaft ist in dieser Form einzigartig. Hodler markierte seinen Standort meist mit einem schmalen Wiesenstreifen vor einer ausladenden See- oder Alpenlandschaft. Hier erhält der ockergelbe Vordergrund eine ungewöhnliche Präsenz, welche die in Blau gehaltene Gebirgszone zurückdrängt. Mit ihrer summarischen, grossflächigen Malweise hebt sich diese Darstellung deutlich von den übrigen Montana-Landschaften ab. Auch tendiert die auf formale und motivische Reduktion bedachte Komposition zu einer Vereinfachung des Motivs. Dieses Bestreben bestätigt eine Infrarottransmissionsaufnahme, in der zu erkennen ist, dass Hodler an der Begrenzungslinie zur Gebirgskette eine Reihe von Tannen vorgesehen hatte, die er wieder verwarf.[6] Der diagonal verlaufende Weg, der in der ausgewogenen horizontal gegliederten Bildfläche befremdlich wirkt, schafft eine spannungsvolle Komposition. *Walliser Landschaft* zählt zu Hodlers kühnsten malerischen Experimenten, eine abstrahierende Wirkung mittels Farb- und Formreduktionen zu erzeugen. Die reduzierten Stilmittel weisen das Bild als Vorläufer der mit breiten Farbflächen komponierten Genferseelandschaften von 1917/1918 aus. In Montana stiess Hodler auf das trockengelegte, ehemalige Sumpfgebiet, einem Überbleibsel der Etangs longs in Crans. Er hielt den einzigen noch heute bestehenden See mit Blick gegen die Walliser Alpen in südwestlicher Richtung in drei fast identischen Fassungen fest. In *Etang long bei Montana* (Kat. 88) ist das Gewässer rechts von einem bogenförmigen Uferbord begrenzt, das in der Mitte in eine Horizontale übergeht. Das Kompositionsschema der einseitig geöffneten Ellipse hatte Hodler in den Chexbres-Landschaften erprobt. Im Unterschied zu

[6] Hodler 2008 (cf. note 2), CR n° 527

[6] Hodler 2008 (wie Anm. 2), CR Nr. 527.

85
Ferdinand Hodler
Le Grand Muveran | Der Grand Muveran
1912
Huile sur toile | Öl auf Leinwand
64 × 87 cm

longs à Montana[7], dans lesquels le coloris et la forme dominent, Hodler choisit des éléments de conception plus subtils pour les répétitions formelles de son sujet.

Alors que l'*Étang long à Montana* offre un aspect éthéré en raison de ses couleurs claires et de son absence de plasticité, les vues des montagnes de Champéry témoignent de la fascination de Hodler pour la présence sculpturale des Dents Blanches. Le peintre s'était rendu à plusieurs reprises dans le village valaisan pour visiter sa femme et sa fille Paulette, qui y séjournèrent de juin à septembre 1916. Bien qu'il ne se sente pas suffisamment proche de la nature dans cette région, il réalisera lors de ces visites plusieurs vues des montagnes et des paysages de ruisseaux. [8] Il choisira quatre fois la chaîne des Dents Blanches, qui se dresse vers le sud, à la périphérie de Champéry, comme motif. Dans l'une de ces peintures (Cat. 89), on la découvre dans une lumière matinale qui tombe latéralement sur le sommet de la Dent-de-Bonaveau au premier plan et le flanc des Dents Blanches situé derrière. La prédilection de Hodler pour les répétitions formelles dans la nature se révèle également dans l'échelonnement des deux sommets. Leur redoublement renforce l'impression de grandeur et confère au massif montagneux un aspect majestueux. La monumentalité de la représentation des Dents-du-Midi est également frappante. En juillet 1912, Hodler avait peint cette chaîne de montagnes depuis Chesières, à 20 kilomètres de distance. À Champéry, il aura la possibilité de réaliser à proximité immédiate une vue frontale du flanc nord de ce massif qui culmine à 3200 mètres d'altitude au-dessus de la vallée de la Vièze (Cat. 90). L'imposante montagne, enchâssée entre l'étroite bande du ciel et la crête de la vallée en bas, occupe presque toute la surface du tableau. Les sommets bleu foncé se profilent devant une bande de nuages claire qui souligne le contraste avec la silhouette de la montagne et fait ressortir l'importance du motif. La lumière matinale jaune pâle, qui tombe sur la crête de la vallée et les parties en saillie de la montagne en face, est rendue au moyen de puissantes lignes de contour, tandis que les nuances de bleu délicates et transparentes évoquent la dissolution de la matérialité du massif due à la luminosité. En 1917, Hodler transposera les vastes formations rocheuses des Dents-du-Midi et des Dents Blanches, qui couvrent la surface du tableau, dans sa peinture du *Grammont sous le soleil matinal* (Cat. 91). Dans cette toile qu'il a réalisée à une altitude de 1094 mètres, il peint la montagne sous la forme d'une pyramide rocheuse, dans des teintes de jaune verdâtre lumineux et de bleus ombrageux.

den Darstellungen der *Les Etangs longs bei Montana*[7], in denen Kolorit und Form dominieren, wählte Hodler für die formalen Wiederholungen von *Etang longs bei Montana* subtilere Gestaltungsmittel.

Während *Etang long bei Montana* durch die helltonigen Farben und die fehlende Plastizität entmaterialisiert erscheint, zeugen die Bergansichten bei Champéry von Hodlers Faszination für die plastische Präsenz der Dents Blanches. Der Maler besuchte seine Frau und seine Tochter Paulette mehrmals von Genf aus im Walliser Bergdorf Champéry, wo sich die beiden von Juni bis September 1916 aufhielten. Obwohl er sich in dieser Gegend der Natur zu wenig nahe fühlte, malte er während seiner Besuche mehrere Gebirgsansichten und Bachlandschaften. [8] Vier mal wählte er die Gipfelkette der Dents Blanches, die sich in südlicher Richtung am Dorfrand von Champéry erhebt als Motiv. Die eine Darstellung (Kat. 89) zeigt die Ansicht im Morgenlicht, das seitlich auf den vorderen Gipfel der Dent de Bonaveau und die dahinterliegende Flanke der Dents Blanches fällt. Hodlers Affinität für Formwiederholungen in der Natur, offenbart sich an den beiden gestaffelten Gipfeln. Ihre Verdoppelung verstärkt den Eindruck von Grösse und verleiht dem Bergmassiv eine monumentale Wirkung. Die Monumentalität der Darstellung der Dents du Midi fällt ebenso ins Auge. Hodler hatte die Bergkette im Juli 1912 aus einer Distanz von 20 Kilometern von Chesières aus gemalt. In Champéry bot sich ihm die Gelegenheit die Nordflanke der 3200 m hohen Gebirgslandschaft über dem Tal der Vièze in unmittelbarer Nähe frontal zu erfassen (Kat. 90). Der imposante Berg, der durch den schmalen Streifen der Himmelszone und der Krete unten eingefasst ist, nimmt fast die ganze Bildfläche ein. Die dunkelblauen Gipfel werden von einem hellen Wolkenband hinterfangen, das den Kontrast zur Bergsilhouette verstärkt und die Bedeutung des Motivs hervorhebt. Das hellgelbe Morgenlicht, das auf die diesseitige Krete und auf die gegenüberliegenden Vorsprünge trifft, ist in kraftvollen Linien wiedergegeben. Während die zart blauen, transparenten Farbtöne, die Auflösung der Materialität durch Licht evozieren. Die breiten, bildfüllenden Bergformationen der Dents de Midi und Dents Blanches übertrug Hodler 1917 auf den *Grammont in der Morgensonne* (Kat. 91), den er aus einer Höhe von 1094 Metern als Bergpyramide in leuchtendem Gelbgrün und in schattigem Blau malte.

---

[7] *Id.*/EBd. CR 531-535.
[8] *Id.*, p. 430

[7] *Id.*/EBd. 531-535.
[8] Ebd., S. 430.

86
Ferdinand Hodler
Vallée du Rhône et Les Dents du Midi | *Rhonetal mit Dents du Midi*
1912
Huile sur toile | Öl auf Leinwand
66 × 89 cm

87
Ferdinand Hodler
Paysage Valaisan | *Walliser Landschaft*
1915
Huile sur toile | Öl auf Leinwand
65 × 80 cm

88
Ferdinand Hodler
l'Etang long | Etang long bei Montana
1915
Huile sur toile | Öl auf Leinwand
65 × 80 cm

89
Ferdinand Hodler
Les Dents Blanches | *Die Dents Blanches*
1916
Huile sur toile | Öl auf Leinwand
69,5 × 87,6 cm

90
Ferdinand Hodler
Les Dents du Midi vu de Champéry | Die Dents du Midi von Champéry aus
1916
Huile sur toile | Öl auf Leinwand
64 × 100 cm

91
Ferdinand Hodler
Le Grammont ensoleillé le matin | *Der Grammont in der Morgensonne*
1917
Huile sur toile | Öl auf Leinwand
64 × 100 cm

Portraits et autoportraits
Ferdinand Hodler

Monika Brunner

L'œuvre complet de Hodler comprend environ 500 portraits peints, dont une cinquantaine d'autoportraits. Lui-même décrivait le portrait comme le « fruit de l'observation individuelle de l'artiste ».[1] C'est dans l'atelier de Barthélemy Menn, qui incitait ses élèves à se dessiner mutuellement, que le jeune homme commence à s'intéresser au portrait. Il se prenait, lui aussi, souvent comme modèle : pendant sa formation, il peindra huit autoportraits qui résument les différentes formes de représentation. En dehors des élèves du cours, des membres de sa famille, comme sa nièce Albertine Bernard, son frère August ou son oncle Friedrich Neukomm, lui servirent de modèles ; quant aux autres, il les trouvait dans les auberges ou dans la rue. Plus tard, des commandes de portraits lui permettront de financer son voyage en Espagne et son séjour à Madrid. Après 1900, Hodler devient l'un des portraitistes les plus demandés en Suisse. Des politiciens comme le ministre Gaston Carlin, la collectionneuse soleuroise Gertrud Dübi-Müller, le général Ulrich Wille et l'écrivain Carl Spitteler vont poser pour lui. La peinture de portrait représentait un énorme défi artistique pour le peintre. Il n'est pas question pour lui de résoudre le problème en cherchant le maximum de ressemblance photographique ; il entend plutôt saisir les traits de caractère déterminants d'une personne au moyen de la forme et de l'expression. Il essaye pour cela divers types de portrait – gros plan, portrait en buste, à mi-cuisse ou en pied, par exemple ; vu de face, de profil ou de trois quarts.

Le portrait de sa future épouse Berthe Jacques, en 1894 (Cat. 92), est son premier portrait de profil vu de dos. Une photographie de Charles Lacroix (1869–1953) laisse supposer que Hodler s'en est inspiré. Il l'a peint peu après avoir fait connaissance de cette fille d'un commerçant genevois et d'une enseignante, sept ans après avoir divorcé de Bertha Stucki. Dans un carnet datant de 1895, Hodler documente les visites de Berthe à l'atelier, où il réalisera ce portrait ainsi que des esquisses libres

Bildnisse und Selbstbildnisse
Ferdinand Hodler

Monika Brunner

Das Gesamtwerk von Hodler umfasst rund 500 gemalte Bildnisse, davon gegen 50 Selbstporträts. Hodler bezeichnete das Porträt als «Werk der individuellen Beobachtung des Künstlers».[1] Seine Beschäftigung mit dem Bildnis begann im Unterricht von Menn, der die Schüler dazu anhielt, sich gegenseitig zu porträtieren. Auch Hodler selbst nahm sich häufig zum Modell; während seiner Ausbildung malte er acht Selbstbildnisse, die verschiedenen Darstellungsformen wiedergeben. Ausserhalb der Klasse dienten Familienmitglieder wie seine Nichte Albertine Bernard, sein Bruder August oder sein Onkel Friedrich Neukomm als Modell, andere fand er in Wirtshäusern und auf der Strasse. Mit Porträtaufträgen konnte er sich später seine Spanienreise und seinen Aufenthalt in Madrid finanzieren. Hodler gehörte nach 1900 zu einem gefragten Porträtisten, dem Politiker, wie der Minister Gaston Carlin, die Solothurner Sammlerin Gertrud Dübi-Müller, General Ulrich Wille und der Schriftsteller Carl Spitteler Modell standen. Die Porträtmalerei stellte für Hodler eine grosse künstlerische Herausforderung dar. Dabei suchte er dem Bildnis nicht durch fotografische Ähnlichkeit beizukommen, sondern beabsichtige die wesentlichen Charakterzüge eines Menschen in Form und Ausdruck zu erfassen. Er erprobte unterschiedliche Darstellungsformen, etwa Kopf- und Brustbildnis, Kniestück und Ganzfigurenporträt, sowie Frontal-, Profil- und Dreiviertelansichten. Hodlers Porträt seiner künftigen Ehefrau Berthe Jacques von 1894 (Kat. 92) ist sein erstes Profilbildnis mit Rückansicht. Eine Fotografie von Charles Lacroix (1869–1953) lässt vermuten, dass die Porträtaufnahme als Vorlage für Hodlers Gemälde diente. Die Darstellung entstand kurz nachdem er die Tochter eines Genfer Kaufmanns und einer Lehrerin, sieben Jahre nach der Scheidung von Bertha Stucki, kennengelernt hatte. Hodler dokumentierte in einem Carnet von 1895 Berthes Besuche im Atelier, wo er ihr Bildnis malte und im Freien Skizzen für *Den*

---

[1] Brüschweiler 1983, p. 85

[1] Brüschweiler 1983, S. 85.

pour *Le Jour*.[2] Il était inévitable que le travail artistique les rapproche sur le plan émotionnel ; aux séances de pose pour le portrait de Berthe suivront des promenades communes et des discussions sur les poses. La rencontre avec Hodler ne fut sans doute pas sans problème pour cette jeune bourgeoise célibataire, car, à l'époque, la visite d'une dame dans l'atelier d'un artiste était très mal vue.[3] En représentant Berthe de profil, Hodler choisit une forme de portrait qui lui permet de rendre rapidement une moitié du visage. Dans le carnet de 1897/1898 qu'il a spécialement rédigé pour son cours à Fribourg, il a noté ses réflexions sur le profil. Selon Hodler, le contour permettait de rendre les principaux traits du visage sous une forme concise. Le profil rigoureux de Berthe est, d'une part, renforcé par la chevelure nouée en chignon et le col montant, d'autre part, il est quelque peu atténué par les boucles de cheveux et les plumes bordant son étole. Vingt ans plus tard, s'inspirant de la toile de 1894, Hodler peint un autre portrait en buste vu de profil de son épouse, alors âgée de 46 ans (Cat. 93). Bien qu'elle soit représentée de face, sa tête qui se détourne lui confère une attitude distanciée, comme c'était déjà le cas dans le portrait plus ancien. Berthe craignait-elle la confrontation avec son observateur?

L'*Autoportrait*, rigoureusement frontal, que Hodler réalise en 1916 (Cat. 94), est en revanche basé sur le dialogue direct entre le peintre et le spectateur. Vers 1915, l'artiste se préoccupe intensément de sa propre représentation dans une série d'autoportraits. Il s'agit, pour la plupart, de travaux commandés par des collectionneurs ou collectionneuses, tels Arthur et Hedy Hahnloser, qui souhaitaient ajouter un autoportrait de l'artiste à leur collection, à titre de document. Certains ont en outre servi de modèle pour la lithographie ornant l'essai de Johannes Widmer sur l'art de Ferdinand Hodler paru dans la revue genevoise *Pages d'Art* en avril-mai 1916, qui sera remise aux abonnés sous forme de gravure originale. L'autoportrait dessiné conservé dans la Collection Blocher est conçu de manière similaire à quelques-unes de ces versions peintes, dont celle conservée au Musée d'art et d'histoire de Genève, datée de 1916, qui porte l'inscription « mon autoportrait F.H. » au revers.[4] Le visage est vu de face, mais le haut du corps étant légèrement incliné vers le bord droit de l'image, l'épaule qui forme un angle rompt la forme austère du portrait frontal ainsi que sa rigoureuse symétrie. Les yeux plissés indiquent que

Tag anfertigte.[2] Durch die künstlerische Arbeit kam es unweigerlich zu einer emotionalen Annäherung zwischen den beiden: Auf Berthes Porträtsitzungen folgten gemeinsame Spaziergänge und Auseinandersetzungen über das Modellstehen. Berthes Treffen mit Hodler dürfte für die unverheiratete Bürgerliche nicht unproblematisch gewesen sein, denn der Besuch einer Dame im Atelier eines Künstlers stiess bei der Öffentlichkeit auf Unverständnis.[3] Mit der Profilansicht von Berthe wählte Hodler eine Darstellungsform, die eine schnelle Wiedergabe einer Gesichtshälfte ermöglichte. In einem eigens für den Unterricht in Freiburg i. Ü. angelegten Carnet von 1897/1898 formulierte er seine Überlegungen zum Profil. Laut Hodler ermögliche der Umriss die wesentlichen, physiognomischen Züge in knapper Form wiederzugeben. Berthes streng formale Profildarstellung wird einerseits durch das zu einem Knoten zusammengebundene Haar (Chignon) und den hochgeschlossenen Kragen verstärkt, andererseits durch die Haarlocken und den Federkranz der Stola etwas gemildert. Zwanzig Jahre später knüpfte Hodler an die Darstellung von 1894 an und malte von seiner 46-jährigen Ehefrau ein weiteres Brustbildnis im Profil (Kat. 93). Obwohl die Porträtierte von vorne zu sehen ist, nimmt ihr abgewandter Kopf, wie bereits beim frühen Bildnis, eine distanzierte Haltung ein. Scheute Berthe die Konfrontation mit ihrem Betrachter? Hodlers frontales *Selbstbildnis* von 1916 (Kat. 94) ist dagegen auf direkten Dialog mit den Rezipienten angelegt. Der Künstler hatte sich um 1915 eingehend mit seiner Selbstdarstellung beschäftigt. Die Reihe seiner Selbstbildnisse entstand teils im Auftrag von Sammlerinnen und Sammlern wie Arthur und Hedy Hahnloser, die für ihre Sammlungen ein Selbstporträt des Künstlers als Dokument wünschten. Teils dienten sie als Vorlagen für die Lithografie, die als Illustration zu Johannes Widmers Aufsatz über die Kunst Ferdinand Hodlers in der Genfer Kunstzeitschrift Pages d'Art vom April und Mai 1916 publiziert und als Originalgrafik den Abonnenten abgegeben wurde. Die Porträtzeichnung in der Sammlung Blocher ist ähnlich konzipiert wie einige der gemalten Versionen, dabei ist etwa jenes im Genfer Musée d'art et d'histoire aufbewahrte Gemälde rückseitig mit «mein Selbstporträt» bezeichnet.[4] Hodlers Gesicht ist frontal, der Oberkörper leicht schräg zum rechten Bildrand ausgerichtet, wobei die abgewinkelte Schulter mit der strengen Form des Frontalbildnisses

[2] Notes du 5 mai 1895 à déc. (?) 1895. Le carnet est désigné du nom de « Berthe », Cabinet d'arts graphiques du Musée d'art et d'histoire, Genève, Carnet Inv. n° 1958-176/046.

[3] Brunner 2018, « Modelle », in : Hodler 2018 (cf. note 1), pp. 157–176, p. 161.

[4] Hodler 2012 (cf. note 6), CR n°ˢ 975 et 976

[2] Notizen vom 5. Mai 1895 bis Dez.(?) 1895. Das Carnet ist bezeichnet mit «Berthe», Cabinet d'arts graphiques du Musée d'art et d'histoire, Genf, Carnet Inv. 1958-176/046.

[3] Brunner 2018, «Modelle», in: Hodler 2018 (wie Anm. 1), S. 157–176, S. 161.

[4] Hodler 2012 (wie Anm. 6), CR Nrn. 975 und 976.

92
Ferdinand Hodler
Portrait de Berthe Jacques | Bidnis Berthe Jacques
1894
Huile sur toile | Öl auf Leinwand
33,5 × 28 cm

l'artiste portait des lunettes, bien qu'il ne se soit jamais représenté avec – il se fit toutefois photographier avec ses lunettes rangées sur la table. La carnation de la peau et les poils de la barbe sont rendus dans des teintes bleuvert et rouges. Un an avant sa mort, Hodler se peindra une dernière fois dans une attitude et avec une mimique identiques – les rides creusent désormais de profonds sillons dans son visage, comme ceux que l'on voit dans ses chaînes de montagnes.

und der starren Symmetrie bricht. Die zusammengekniffenen Augen weisen den Künstler als Brillenträger aus, der sich zwar nie mit der Sehhilfe darstellte, wohl aber mit abgelegter Brille fotografieren liess. Das Inkarnat und die Barthaare sind in grün-blauen und roten Farben ausgeführt. Ein Jahr vor seinem Tod malte er sich ein letztes Mal in ähnlicher Körperhaltung und Mimik, wobei sich die Falten wie Furchen eines Gebirges in sein Gesicht einschreiben.

93
Ferdinand Hodler
Portrait de Berthe Hodler – Jacques | Bildnis Berthe Hodler – Jacques
1914-1916
Huile sur toile | Öl auf Leinwand
40,5 × 39,5 cm

Expression et magie
Giovanni Segantini

Monika Brunner

Giovanni Segantini distinguait trois périodes de création dans son évolution artistique: la première durant ses études à la Brera de Milan, la deuxième lors de son séjour de plusieurs années dans la Brianza, et la troisième, de loin la plus longue et la plus importante, durant les années où il vécut dans les Grisons.[1] L'artiste a peint les trois œuvres de la Collection Christoph Blocher consacrées aux thèmes du recueillement, du travail et du repos au cours de la deuxième et de la troisième phase. C'est ainsi que le pastel intitulé *Bacio alla croce Le Baiser à la croix*) a été réalisé d'après une peinture du même nom, qu'il avait réalisée dans la province de la Brianza, au nord de l'Italie.[2] Comme il l'explique dans une lettre au poète Domenico Tumiati, il essayait à l'époque de rendre ses sentiments, « surtout le soir après le coucher du soleil, lorsque mon âme tendait à une douce mélancolie ».[3] Durant cette période qui s'étend de 1882 à 1885, Segantini crée de nombreuses œuvres d'un caractère pastoral, dont le *Baiser à la croix*, où l'on peut voir une jeune paysanne soulevant un enfant devant un crucifix à un carrefour. Ce dernier s'agrippe au symbole de la chrétienté pour y déposer un baiser. Ce geste est l'expression de la piété qui, à l'époque de Segantini, était profondément ancrée dans le monde paysan, alors marqué par les épreuves et les privations.

[1] Bianca Zehder-Segantini (dir.), *Giovanni Segantinis Schriften und Briefe*, Leipzig, éd. Klinkhardt & Biermann, 1912, qui renferme les informations fournies par Giovanni Segantini à l'écrivaine Neera à Maloja, le 15 janvier 1896, pp. 78–79.

[2] Annie-Paule Quinsac, *Catalogo generale*, Milan, éd. Electa, 1982, n° 493.

[3] Zehder-Segantini 1912 (cf. note 1), d'où est tirée la citation de la lettre de Giovanni Segantini à Domenico Tumiati, écrite à Maloja le 29 mai 1898, pp. 89–93; ici, cit. p. 90.

Expression und Magie
Giovanni Segantini

Monika Brunner

Giovanni Segantini unterteilte seine künstlerische Entwicklung in drei Schaffensperioden; die erste fällt in seine Studienzeit an der Brera in Mailand, die zweite in seinen mehrjährigen Aufenthalt in der Brianza und die dritte, weitaus längste und bedeutendste, in die Lebensjahre, die er in Graubünden verbrachte.[1] Die drei Werke aus der Sammlung Christoph Blocher mit den Themen Andacht, Arbeit und Rast malte Segantini in seiner zweiten und dritten Phase. Das Pastell *Bacio alla croce* (*Kreuzkuss*) führte der Künstler nach einem gleichnamigen Gemälde aus, das er in der norditalienischen Provinz Brianza gemalt hatte.[2] Wie er in einem Brief an den Dichter Domenico Tumiati erläuterte, versuchte er damals, «seine Gefühle wiederzugeben, zumal des Abends nach Sonnenuntergang, wenn meine Seele zu sanfter Melancholie neigte».[3] In dieser von 1882 bis 1885 andauernden Periode schuf Segantini zahlreiche pastoraler Werke, darunter *Kreuzkuss*. In der Darstellung hebt eine Bäuerin ein Kind zu einem Wegkreuz hoch. Dieses hat seine Hände um das religiöse Symbol geschlungen und berührt es mit seinem Mund. Die Geste ist Ausdruck der Frömmigkeit, die in der von Strapazen und Entbehrungen geprägten bäuerlichen Lebenswelt zur Zeit Segantinis tief verankert war. Die neben der Bäuerin vorbeiziehende Schafherde, ein Sinnbild

[1] Bianca Zehder-Segantini (Hrsg.), *Giovanni Segantinis Schriften und Briefe*, Leipzig: Klinkhardt & Biermann, 1912, daraus Giovanni Segantini aus Maloja an die Schriftstellerin Neera, 15.1.1896, S. 78–79.

[2] Annie-Paule Quinsac, *Catalogo generale*, Milano, Electa, 1982, Nr. 493.

[3] Zehder-Segantini 1912 (wie Anm. 1), daraus Giovanni Segantini aus Maloja an Domenico Tumiati, 29.5.1898, S. 89–93, hier / Zit. S. 90.

94
Ferdinand Hodler
Autoportrait | Selbstbildnis
1916
Huile sur toile | Öl auf Leinwand
34 × 26 cm

Le troupeau de moutons qui passe à côté de la paysanne, un symbole de douceur et de pureté, renforce le caractère religieux du tableau. En même temps, l'atmosphère mélancolique du crépuscule renvoie au caractère temporel, et donc éphémère, de la vie terrestre. *Le Baiser à la croix* est une image de ferveur, qui exprime la foi des deux figures comme un moment magique.[4] Ce pastel a probablement été dessiné d'après la peinture de la Fondation Otto Fischbacher, à peu près du même format.[5] Le dessin, que Segantini doit avoir conçu quelques années après le tableau de Savognin, est autre chose qu'une simple copie du tableau – il représente en effet, compte tenu des modifications que le peintre y a apportées, une nouvelle idée picturale.[6] Les couleurs veloutées du pastel, dans des nuances de jaune, ainsi que le dessin, d'une grande sensibilité, créent un effet atmosphérique qui souligne le caractère émotionnel de la scène. Comme dans le *Baiser à la croix*, pour *La tosatura delle pecore (La tonte des moutons)*, Segantini choisit un motif illustrant le travail des bergers, que l'artiste a rendu, selon ses propres dires, « fidèlement d'après nature ».[7] Le dessin est une variante du tableau peint dans la Brianza, qu'il a réalisée à Savognin. Mais au lieu des montagnes des Grisons, on y découvre à l'arrière-plan une vue sur le ciel et un paysage sans aucune construction.[8] Avec la *Tonte des moutons*, Segantini souhaite mettre en valeur l'affection et le respect que les bergers témoignent à l'égard de leur bétail. Car l'amour des animaux, constate-t-il laconiquement, est dans leur intérêt. Le titre d'une de ses peintures sur le même thème, *Il reddito del pastore (Le revenu du berger)*, fait du reste allusion à cet avantage.[9] La tonte des moutons annonce le printemps et le début de l'été, saisons plus clémentes après les froides journées d'hiver, où la neige est abondante. Ainsi qu'il l'a mentionné une fois, ce que Segantini aimait le plus était le soleil, le printemps venant en second. « Le soleil est l'âme qui donne vie à la terre, et le printemps en

für Sanftmut und Reinheit, verstärkt den christlichen Gedanken. Gleichzeitig verweist die melancholische Abendstimmung auf das Zeitliche und damit auf die Vergänglichkeit des Irdischen. *Kreuzkuss* stellt ein Bild der Andacht dar, das die gläubige Empfindung der beiden Figuren als magischen Moment zum Ausdruck bringt.[4] Beim Pastell handelt es sich vermutlich um eine Nachzeichnung nach dem Gemälde aus der Otto Fischbacher-Stiftung mit annähernd gleichem Bildformat.[5] Die Zeichnung, die Segantini einige Jahre nach dem Gemälde in Savognin ausgeführt haben soll, ist alles andere als eine schlichte Kopie der gemalten Vorlage, vielmehr stellt sie aufgrund ihrer Abwandlungen eine neue Bildidee dar.[6] Die weichen, gelben Pastelltöne sowie der grafische Duktus erzeugen einen atmosphärischen Effekt, der die emotionale Stimmung der Szenerie unterstützt. Wie bei *Bacio alla croce* griff Segantini für *La tosatura delle pecore (Die Schafschur)* ein Motiv aus der Arbeitswelt der Hirten auf, das der Künstler gemäss eigenen Angaben «treu nach der Natur» ausgeführt hatte.[7] Die Zeichnung ist eine in Savognin entstandene Variante des in der Brianza gemalten Bildes, das statt der Bündner Berglandschaft, den Ausblick auf den Himmel und das unbebaute Land frei gibt.[8] Mit der *Schafschur* beabsichtigte Segantini den liebevollen, respektvollen Umgang der Schäfer mit ihren Tieren zur Geltung zu bringen. Denn die Liebe zu den Tieren, so stellte er lakonisch fest, stünde im Nutzen der Schäfer. Der Titel *Il reddito del pastore (Das Einkommen des Hirten)* eines Gemäldes mit ähnlichem Bildmotiv spielt auf diesen Vorteil der Schäfer an.[9] Die Schafschur kündigt als Vorbote des Frühlings und Frühsommers nach vergangenen kalten, schneereichen Wintertagen mildere Jahreszeiten an. Segantini liebte – wie er einmal erwähnte – am meisten die Sonne, dann den Frühling. «Die Sonne ist die Seele, die der Erde Leben spendet, der Frühling ihr frucht-

[4] Jörg Traeger, « Der göttliche Transitus. Segantinis *Ave Maria a trasbordo* und das Andachtsgenre des 19. Jahrhundert », in: Beat Stutzer (dir.), *Blicke ins Licht. Neue Betrachtungen zum Werk von Giovanni Segantini*, cat. exp., St-Moritz, Segantini Museum, éd. Scheidegger & Spiess, 2004, pp. 13–38; ici, p. 23.

[5] Quinsac 1982 (cf. note 2), n° 492.

[6] *Id.*, n° 493; Beat Stutzer, *Giovanni Segantini. Zeichnungen*, cat. exp., Coire, Bündner Kunstmuseum, 5 juin – 5 novembre 2004, Zurich, éd. Scheidegger & Spiess, 2004, en particulier pp. 12–16 et p. 21.

[7] Zehder-Segantini 1912 (cf. note 3), p. 91.

[8] Quinsac 1982 (cf. note 2), n°s 359 et 358A.

[9] *Giovanni Segantini*, cat. exp. publié par Beat Stutzer et Roland Wäspe, St-Gall, Kunstmuseum, 13 mars – 30 mai 1999; St-Moritz, Segantini Museum, 12 juin – 20 octobre 1999; Ostfildern: Gerd Hatje, 1999, pl. en couleurs 11.

[4] Jörg Traeger, «Der göttliche Transitus. Segantinis Ave Maria a trasbordo : und das Andachtsgenre des 19. Jahrhundert», in: Beat Stutzer (Hrsg.), *Blicke ins Licht. Neue Betrachtungen zum Werk von Giovanni Segantini*, Ausst.-kat. Segantini Museum, St. Moritz, Scheidegger & Spiess, 2004, S. 13–38, hier, S. 23.

[5] Quinsac 1982 (wie Anm. 2), Nr. 492.

[6] Ebd., Nr. 493; Beat Stutzer, *Giovanni Segantini. Zeichnungen*, Ausst.-Kat. Bündner Kunstmuseum Chur, 5.6.–5.11.2004, Zürich: Scheidegger & Spiess, 2004, insbesondere, S. 12–16 und S. 21.

[7] Zehder-Segantini 1912 (wie Anm. 3), S. 91.

[8] Quinsac 1982 (wie Anm. 2), Nrn. 359 und 358A.

[9] *Giovanni Segantini*, hrsg. von Beat Stutzer und Roland Wäspe, Ausst.-Kat. Kunstmuseum St. Gallen, 13.3.–30.5.1999; Segantini Museum, St. Moritz, 12.6.–20.10.1999, Ostfildern: Gerd Hatje, 1999, Farbtafel 11.

95
Giovanni Segantini
Bisous sur la croix | *Kreuzkuss*
Vers | um 1886
Pastel sur carton | Pastell auf Karton
85,1 × 50,3 cm

est le fruit fécond. »[10] « Aimant passionnément la nature », le peintre s'efforce de l'étudier de manière approfondie, comme il l'explique à la femme de lettres italienne Neera (pseudonyme d'Anna Radius): « Une connaissance absolue et complète de la nature tout entière, dans toutes ses nuances, de l'aurore au coucher du soleil, dans sa structure et dans la forme de tout être, aussi bien en ce qui concerne les humains que les animaux (..). »[11] Dans les Alpes grisonnes, où Segantini s'installe dès 1886, il développera son style pictural incomparable, représentant la nature dans des tableaux aux couleurs éclatantes, d'une grande intensité lumineuse: « Ici, mon art a pris le caractère qui lui est propre aujourd'hui encore. Ce mystérieux divisionnisme des couleurs que vous voyez dans mes œuvres est tout simplement la recherche naturelle de la lumière. »[12] Cette technique picturale permet à Segantini de développer un principe de conception au moyen duquel il accentuera l'intensité lumineuse des couleurs et créera des atmosphères particulièrement expressives, comme dans la peinture *Riposo all'ombra* (*Repos à l'ombre*), exécutée à Savognin. On y voit une paysanne allongée sur l'herbe, endormie à l'ombre, qui se repose après une journée de travail dans les champs, sous un soleil de plomb. La représentation du sommeil et de l'ombre évoque le thème de la mort et de la fugacité de l'existence.[13] Segantini incite à une interprétation symboliste de ce tableau en plaçant parallèlement à la figure une houe qui semble délimiter une plate-bande (ou une tombe), de même qu'au moyen des planches de la clôture qui s'entrecroisent au-dessus de la tête de la dormeuse et forment une seconde croix à ses pieds. De l'autre côté de l'enclos, on découvre un tout autre monde – dans la lumière éblouissante du soleil, quelques personnages et des animaux devant les maisons du village et les étables viennent animer la scène, formant un contraste saisissant avec l'image au premier plan.

bares Gebären.»[10] Als «leidenschaftlicher Liebhaber der Natur» war der Künstler um ein intensives Naturstudium bemüht, wie er gegenüber der italienischen Schriftstellerin Neera (Pseudonym für Anna Radius) erklärte: «Absolute und restlose Kenntnis der ganzen Natur in allen ihren Abstufungen, von der Morgenröte zum Sonnenuntergang, von Sonnenuntergang zur Morgenröte, in ihrem Aufbau und der Form alles Seins, sowohl was Menschen wie Tiere anlangt (..).»[11] In der Bündner Alpen- und Gebirgswelt, wo sich Segantini seit 1886 niedergelassen hatte, entwickelter er seinen eigenen, unverkennbaren Malstil, der farbintensive und lichtstarke Naturdarstellungen hervorbrachte: «Hier nahm meine Kunst den Charakter an, der ihr noch heute eigen ist. Jener geheimnisvolle Divisionismus der Farben, den Sie in meinen Werken sehen, ist bloss die natürliche Erforschung des Lichtes.»[12] Segantini entwickelte mit der divisionistischen Malweise ein Gestaltungsprinzip, mit dem er die Farben zum leuchten brachte und ausdrucksstarke Stimmungen erzeugte, etwa im Gemälde *Riposo all'ombra*, das in Savognin entstand. *Ruhe im Schatten* zeigt eine schlafende, im schattigen Gras liegende Bäuerin, die sich von ihrer unter der heissen Sonne verrichteten Feldarbeit erholt. Die Darstellung von Schlaf und Schatten evoziert die Thematik von Tod und Vergehen.[13] Segantini begünstige die symbolistische Leseart von *Riposo all'ombra* durch die parallel zur Figur platzierte Hacke, die ein (Grab) Beet einzufassen scheint, ebenso durch die Balken des Zaunes, die sich über dem Kopf der Schlafenden kreuzen und die an deren Fussende ein weiteres Kreuz formen. Ausserhalb des Zauns vermittelt die ins grelle Sonnenlicht getauchte, mit Menschen und Tieren belebte Landschaft, eine kontrastreiche Gegenwelt.

---

[10] Zehder-Segantini 1912 (cf. note 1), d'où est tirée la citation « du journal de Savognin », 1er janvier 1890, pp. 53–55 ; ici, cit. p. 54.

[11] Zehder-Segantini 1912 (cf. note 1), p. 79.

[12] Zehder-Segantini 1912 (cf. note 7).

[13] Beat Stutzer pense également reconnaître dans la figure de la dormeuse un « léger *memento mori* », cf. Beat Stutzer, *Giovani Segantini*, publié par la Fondation Giovani Segantini, St-Moritz, Zurich, éd. Scheidegger & Spiess, 2016, p. 148.

---

[10] Zehder-Segantini 1912 (wie Anm. 1), daraus «aus dem Tagebuch Savognin», 1.1.1890, S. 53–55, hier / Zit. S. 54.

[11] Zehder-Segantini 1912 (wie Anm. 1), S. 79.

[12] Zehder-Segantini 1912 (wie Anm. 7).

[13] Auch Beat Stutzer meint in der Liegenden ein »leises Memento mori« zu erkennen, vgl. Beat Stutzer, *Giovani Segantini*, hrsg. von der Giovani Segantini Stiftung, St. Moritz, Zürich: Scheidegger & Spiess, 2016, S. 148.

96
Giovanni Segantini
La tonte des moutons | Die Schafschur
1886-1888
Crayon, craie | Bleistift, Kreide
24,5 × 48,5 cm

97
Giovanni Segantini
Repos à l'ombre | *Ruhe im Schatten*
1892
Huile sur toile | Öl auf Leinwand
45 × 68 cm

Figures humaines
Giovanni Giacometti et Alberto Giacometti

Martha Degiacomi

À côté de Cuno Amiet et Giovanni Segantini, Giovanni Giacometti figure parmi les principaux peintres suisses de la génération post-hodlérienne. La renommée internationale de son fils Alberto Giacometti a quelque peu occulté celle de son père. Aujourd'hui reconnu en Suisse, ce dernier mériterait de bénéficier d'une plus large réputation.

De retour dans les Grisons après un séjour à Paris pour y poursuivre des études commencées à Munich, Giovanni Giacometti rencontre Giovanni Segantini à Maloja en septembre 1894. Celui-ci devient son véritable mentor, occupant une place importante dans la formation du jeune peintre au cours des années 1890. Giovanni Giacometti évoque dans une lettre les souvenirs de Segantini où ce dernier déclare au père de Giovanni : "Non, votre fils n'a pas besoin de fréquenter les Beaux-Arts, son école, la voilà !" et il montrait les montagnes de la Bondasca dans l'éclat doré du soleil couchant. « Il voulait dire que la nature devait être mon professeur et il avait raison. »[1]

La fascination de Giovanni pour Segantini le pousse en octobre 1894 à se rendre à Milan pour visiter l'exposition « Omaggio a Segantini » au Castello Sforzesco. À son retour, Giacometti s'enthousiasme dans une lettre à Segantini au sujet des tableaux admirés, les comparant aux toiles réalistes de Millet, empreintes de simplicité.

Peu de temps après, Giovanni peint le grand format *Berger avec moutons* (Cat. 98), s'inspirant des vastes paysages alpestres de son maître. Le berger et les pierres derrière le personnage sont brossés avec une touche fragmentée un peu sommaire. Au rouge des chaussettes s'oppose le vert de la végétation, se jouant des complémentaires. En revanche, Giovanni aborde la verdure et les moutons avec des coups de pinceau plus souples et précis, usant d'un certain synthétisme pour l'alpage ombré par l'arbre. Le brouil-

Menschen
Giovanni Giacometti und Alberto Giacometti

Martha Degiacomi

Giovanni Giacometti zählt neben Cuno Amiet und Giovanni Segantini zu den bedeutendsten Schweizer Malern der Generation nach Ferdinand Hodler. Der weltweite Ruhm seines Sohnes Alberto hat Giovanni Giacometti und sein Werk leider zu sehr in den Schatten gestellt. Heute ist der Künstler in der Schweiz renommiert aber würde es verdienen, auf internationaler Ebene grössere Anerkennung zu gewinnen.

Nach einem Aufenthalt in Paris kehrte der junge Giovanni Giacometti nach Graubünden zurück. Dort begegnete er im September erstmals dem inzwischen nach Maloja übersiedelten Maler Giovanni Segantini. Dieser wurde zu seinem Mentor und übte einen starken Einfluss auf die künstlerische Entwicklung des jungen Malers im Laufe der 1890er Jahre aus. In einem Brief schildert der Maler seine Erinnerungen an Segantini. Gegenüber Giacomettis Vater habe er erklärt: «Nein, ihr Sohn hat es nicht mehr nötig die Kunstschule zu besuchen, hier ist sie!», und er wies auf die vom Sonnenuntergang vergoldeten Berge der Bondasca. Er meinte damit: Die Natur soll mein Vorbild sein. Und er hatte recht.»[1]

Fasziniert von Segantini reiste Giovanni im Oktober 1894 nach Mailand, um die Ausstellung «Omaggio a Segantini» im Castello Sforzesco zu besuchen. Nach seiner Rückkehr drückte er sich begeistert in einem Brief an Segantini über die Bilder aus, die er gesehen hatte, und verglich sie mit den realistischen, von Schlichtheit durchdrungenen Gemälden Millets.

Wenig später malte Giacometti das grossformatige *Montaccio* (Kat. 98), bei dem er sich von den weiten Alpenlandschaften Giovanni Segantinis inspirieren liess. Der Hirt und die hinter ihm liegenden Steine sind mit etwas flüchtigen, fragmentierten Pinselstrichen gemalt. Die roten Socken des Knaben bilden als Komplementärfarbe einen lebendigen Kontrast zur grünen Vegetation, wogegen der Maler das Gras und die Schafe mit einem viel weicheren und präziseren Pinsel herausarbeitete. Die Darstellung der Alp im Schatten eines Baumes hat einen

---

[1] Giovanni Giacometti, « Wie ich Giovanni Segantini kennen lernte », in *Neue Zürcher Zeitung*, nr.2462, 15.12.1929.

[1] Giovanni Giacometti, «Wie ich Giovanni Segantini kennen lernte», in *Neue Zürcher Zeitung*, Nr. 2462, 15.12.1929.

lard s'attarde sur la ligne d'horizon. On remarque dans cette œuvre la confrontation de styles différents, un état de recherche dans lequel on ne trouve pas encore l'expression artistique de la maturité.

En été 1896, Cuno Amiet rend visite à Giovanni Giacometti dans les Grisons et y séjourne pendant plusieurs semaines. Il évoque Pont-Aven et la découverte d'une nouvelle esthétique acquise au cours de son séjour en Bretagne. Amiet critique sévèrement les toiles de Giovanni exposées en janvier 1897 au Salon de Bâle, leur reprochant un manque d'unité. Au printemps 1897, Giovanni débute le tableau *La naissance* (Cat. 99), pour lequel il s'inspire de l'exemple de Segantini en situant la nuit de Noël dans un paysage enneigé du Val Bregaglia. La touche s'y révèle plus unifiée que dans *Montaccio*. La lumière éclairant les visages et celle de la lune perçue à travers l'entrelacs des branches de l'arbre ajoutent une note symboliste à la toile. Le peintre travaille dans diverses tonalités de bleu et en imprègne une partie de la scène, une invite à une certaine spiritualité. Utiles et bénéfiques, les critiques de son ami ont porté leurs fruits.

Après la disparition de Segantini en 1899, Giovanni se libère peu à peu de l'emprise de son aîné et prend ses distances avec le divisionnisme.

Le début du siècle apporte à Giacometti les premiers succès publics avec des expositions à Londres, Munich et en Suisse, suivies de nombreuses commandes. L'art officiel le récompense en 1908 : il reçoit une médaille d'or à la X. Internationale Kunstausstellung de Munich pour le tableau *Maternité* (Cat. 100). Les personnages s'inscrivent dans une composition pyramidale, selon le modèle des représentations des madones de la Renaissance italienne. Annetta, mère mythique de la tribu Giacometti, règne au centre du tableau et donne le sein à son benjamin Bruno à l'ombre d'un arbre ; à ses pieds ses deux fils, Alberto et Diego, assis dans une herbe à la touche vigoureuse. Une belle harmonie dans les tonalités de bleu que l'artiste fait rimer avec bonheur, de la tenue de la mère à celle de ses bambins. En arrière-plan, un parterre de fleurs où domine le violet complète de manière heureuse cette maternité. Giacometti privilégie dans cette oeuvre la couleur à la forme. Elle devient dominante et consacre le peintre de Stampa comme un excellent coloriste.

« *Mon aspiration de pénétrer dans l'essence de la couleur et la lumière m'a permis d'aller plus loin que le divisionnisme que Segantini m'a fait connaître, comme vous pouvez le voir par exemple dans* Maternità. *Si ma technique semble maintenant plus fondue j'y vois une progression, que je n'aurais pas obtenue si je n'avais pas traversé aussi profondément et sé-*

synthetischen Charakter. Am oberen linken Bildrand hängen Nebelschwaden vor dem ansteigenden Gebirge. In diesem Werk zeigt sich das Aufeinandertreffen diverser Stilrichtungen – ein Zustand der Suche, in dem der Ausdruck der künstlerischen Reife noch nicht zu finden ist.

Im Sommer 1896 besuchte Cuno Amiet den Maler in Graubünden und weilte mehrere Wochen dort. Er berichtete Giacometti von seinem Aufenthalt im Künstlerkreis von Pont-Aven und einer neuen Ästhetik, die er sich während seiner Zeit in der Bretagne angeeignet hatte. Amiet kritisierte Giacomettis Gemälde, die dieser im Januar 1897 in Basel ausstellte und warf ihnen eine mangelnde Einheit vor. Im Frühling 1897 begann Giacometti sein Gemälde *Weihnachten* (Kat. 99), für das er sich von Segantini inspirieren liess und die Heilige Nacht in das verschneite Val Bregaglia verlegte. Das Pinselwerk wirkt hier einheitlicher als in *Montaccio*. Das Licht, welches die Gesichter der Menschen erhellt sowie der Mondschein, der durch das Netz der Äste leuchtet, verleihen dem Werk eine symbolistische Note. Der Maler arbeitete hier mit verschiedenen Blautönen und imprägnierte einen Teil der Szene mit dieser Farbe. Dadurch strahlt das Bild eine gewisse Spiritualität aus. Die gut gemeinte Kritik seines Freundes hatte also Wirkung gezeigt.

Nach dem Tod von Segantini im Jahr 1899 befreite sich Giovanni nach und nach vom Einfluss seines älteren Freundes und nahm Abstand vom Divisionismus.

Der Beginn des neuen Jahrhunderts brachte dem Künstler die ersten öffentlichen Erfolge mit Ausstellungen in London, München und der Schweiz, die zu zahlreichen Aufträgen führten. Die Anerkennung der offiziellen Kunstwelt folgte 1908, als sein Werk *Mutter mit kindern* (Kat. 100) an der X. Internationalen Kunstausstellung in München mit der Goldenen Medaille ausgezeichnet wurde. Die Figuren sind hier in einer pyramidalen Form aufgebaut, ganz nach dem Vorbild der Madonnendarstellungen der italienischen Renaissance: in der Mitte Annetta, die mythische Mutter des Giacometti-Clans, die im Schatten eines Baumes ihren jüngsten Sohn Bruno stillt, während im Gras zu ihren Füssen, das der Künstler mit lebhaften Pinselstrichen gemalt hat, die beiden älteren Söhne Alberto und Diego sitzen. Die Kleidung der Mutter und ihrer Kinder besticht durch eine vereinigende Harmonie von blauen Farbtönen, die das glückliche Zusammensein von Mutter und Kindern symbolisch hervorheben. Im Hintergrund ist ein Blumenbeet mit zartlila Blüten zu sehen, das dieses Bild der Mutterschaft aufs Schönste abrundet. Giacometti stellt in diesem Werk die Farbe über die Form. Sie wird vorherrschend und festigen den Ruf des Malers als ausgezeichneten Kolorist.

«*Mein Streben in das Wesen des farbigen Lichtes einzudringen, hat mich über* Segantini *hinaus auf den Divisionismus gebracht, wie Sie z. B. in der* Materinità *sehen. Wenn nun meine Technik geschmolzener wird, so*

98
Giovanni Giacometti
Berger avec moutons | Hirte mit Schafen
1894
Huile sur toile | Öl auf Leinwand
90 × 141 cm

rieusement le divisionnisme. Il se peut que le goût pour l'effet de lumière entrave quelquefois la forme [...]. Sur ce tableau, j'étais préoccupé par les effets spéciaux de couleur et de lumière et, une fois atteint ce but, je ne trouvais plus nécessaire de compléter la forme. »[2]

Après l'époque de la reconnaissance grandissante vient le temps de la gloire, malgré la Grande Guerre qui interrompt les relations avec l'étranger et annule les expositions prévues en Allemagne et en France. Dans les œuvres de maturité Giacometti s'éloigne davantage du pointillisme. La matière picturale devient plus fluide, parfois presque transparente. Ce procédé est manifeste dans *Bregagliotto (Chasseur de Bergell)* (Cat. 101). Le chasseur occupe presque toute la surface de cette grande toile, le regard décidé d'une personne au caractère bien trempé. La grande barbe argentée et la masse des cheveux encadrent le visage bronzé du montagnard, mis en valeur par le mur jaune. L'artiste donne à ce personnage un air résolument vernaculaire. Chez Giacometti, l'art du portrait se distingue par les poses naturelles et sans contrainte de ses modèles, ce qui leur confère une véritable authenticité.

sehe ich darin einen Fortschritt, den ich nicht erreicht hätte, wenn ich nicht so gründlich durch den Divisionismus gegangen wäre. Eigentlich bleibt das Verfahren das gleiche, nur freier und nicht so ersichtlich. [...] Es kommt vor, dass die Liebe zur Farbenwirkung das eine oder andere Mal die Form beeinträchtigt [...]. Auf diesem Bilde aber war mir hauptsächlich um die spezielle Farben- und Lichtwirkung (das malerische Motiv) zu tun, und als ich das erreicht hatte, fand ich es nicht nötig, weiter in die Durchbildung der Form zu dringen.»[2]

Auf die Zeit der wachsenden Anerkennung folgte die Zeit des Ruhms, obwohl der Erste Weltkrieg die Beziehungen zum Ausland unterbrach und geplante Ausstellungen in Deutschland und Frankreich nicht stattfanden. In seinen späteren Werken entfernte sich Giacometti weiter vom Pointillismus. Die malerische Materie wurde fliessender, zuweilen fast transparent. Deutlich erkennbar ist dies in *Bregagliotto (Bergler)* (Kat. 101). Der Bauer, dessen entschlossener Blick einen willensstarken Mann verrät, nimmt fast die gesamte Fläche dieses grossen Gemäldes ein. Der üppige silbergraue Bart und die wallenden Haare umrahmen das gebräunte Gesicht des Berglers, das sich von der gelbbräunlichen Wand abhebt. Der Künstler verleiht dieser Figur einen unmissverständlich einheimischen Charakter. Es sind diese natürlichen und ungezwungenen Posen der Modelle, die Giacomettis Porträts auszeichnen und ihnen eine wahre Authentizität verleihen.

---

[2] Lettre de Giovanni Giacometti à Richard Bühler, 16/19 juillet 1911, traduction Martha Degiacomi.

[2] Brief von Giovanni Giacometti an Richard Bühler, 16./19. Juli 1911.

99
Giovanni Giacometti
La naissance | *Weihnachten*
1897
Huile et tempéra sur toile | Öl und Tempera auf Leinwand
135,5 × 36,5 cm

215

100
Giovanni Giacometti
Maternité | *Mutter mit Kindern*
1908
Huile sur toile | Öl auf Leinwand
103,5 × 91 cm

101
Giovanni Giacometti
Chasseur de Bergell | Bauer aus dem Bergell
1921
Huile sur toile | Öl auf Leinwand
80 × 110 cm

Engadine, couleur, lumière
Giovanni Giacometti et Alberto Giacometti

Martha Degiacomi

Engadin in Farbe und Licht
Giovanni Giacometti und Alberto Giacometti

Martha Degiacomi

« La lumière a été depuis toujours l'inspiration de mon art. Et encore maintenant la lumière est le vrai motif de mes peintures. Je ne recherche pas un effet "décoratif" de la couleur, la couleur est pour moi un moyen et non une raison en soi. Elle doit être le porteur de la lumière et de la forme. La couleur doit devenir lumière dans le tableau, donner la forme et la vie. » [1]

«Das Licht war von jeher der eigentliche Anreger meiner Kunst. Und noch immer ist das Licht das eigentliche Motiv meiner Bilder. Ich strebe nicht nach der ‹dekorativen› Wirkung der Farbe, sondern die Farbe ist für mich ein Mittel, nicht Selbstzweck. Sie soll die Trägerin des Lichtes werden, und der Form. [...] Die Farbe soll auf dem Bilde Licht werden, und Form und Leben.» [1]

Au gré d'une correspondance exhaustive d'un millier de lettres, on peut suivre l'évolution de l'œuvre de Giovanni Giacometti et y lire de nombreux textes sur son usage de la couleur et de la lumière, principale préoccupation du peintre depuis ses années de formation.

À Paris, le jeune Giovanni écrit à ses parents qu'il se réjouit de son retour en Engadine pour y travailler seul, au sein d'une nature baignée de soleil. En 1889, à l'occasion d'une visite à l'Exposition Universelle à Paris, Giacometti vit une expérience fondamentale qui va influencer son travail quelques années plus tard. Dans la section des beaux-arts, trois tableaux évocateurs de sa patrie attirent son regard : « J'y trouve l'air et la lumière de mes montagnes rendus avec une intensité comme je l'avais vécue moi-même, mais jamais encore rencontrée dans la peinture avec une telle force et vérité. Le créateur de ces peintures s'appelle Giovanni Segantini. »[2] Il prend conscience à ce moment-là qu'un bon tableau doit susciter chez le spectateur les émotions mêmes qui habitent le peintre au cours du processus de création : voir et ressentir.

Dès le XVIIᵉ siècle, les peintres tels Claude Lorrain et Nicolas Poussin, et d'autres encore, ont accompli le Grand Tour à Rome pour y découvrir non seulement l'art antique et la Renaissance, mais surtout la lumière du Sud. En février 1893, Giovanni Giacometti se rend à Rome, comme le fera son fils Alberto vingt-sept ans plus

Im ausführlichen Briefwechsel von Giovanni Giacometti, der rund Tausend Schreiben umfasst, kann man die Entwicklung im Schaffen des Künstlers verfolgen und zahlreiche Erläuterungen zu seiner Verwendung von Farbe und Licht entdecken – das wichtigste Anliegen des Malers seit seinen Bildungsjahren.

In Paris schrieb der junge Giovanni an seine Eltern, er freue sich auf seine Rückkehr ins Engadin, wo er alleine in der sonnendurchfluteten Natur arbeiten wolle. 1889 machte Giacometti anlässlich eines Besuchs der Weltausstellung in Paris eine wesentliche Entdeckung, die seine Arbeit einige Jahre später stark beeinflussen sollte. In der Kunstsektion stiess er auf drei Gemälde mit Motiven von seiner Heimat: «Ich fand darin die Luft und das Licht meiner Berge mit einer Intensität wiedergegeben, wie ich sie wohl selbst erlebt, doch nie in dieser Stärke und Wahrheit in der Malerei empfunden hatte. Der Schöpfer dieser Bilder hiess Giovanni Segantini«.[2] In diesem Moment wurde ihm klar, dass ein gutes Gemälde beim Betrachter die Gefühle auslösen muss, die den Maler in seinem Schaffensprozess beseelen: Sehen und Spüren.

Seit dem 17. Jahrhundert begaben sich Maler wie Claude Lorrain, Nicolas Poussin und viele andere auf die sogenannte Grand Tour nach Rom, um dort nicht nur die Kunst der Antike und der Renaissance, sondern vor allem das südliche Licht zu entdecken. So reiste im Februar 1893

---

[1] Brief von Giovanni Giacometti an Carl Albrecht Loosli, verm. um 15. August 1920 ; zit. nach Radlach 2003, Brief Nr. 596, S 647. Traduction Martha Degiacomi.
[2] Giacometti 1926 : Giovanni Giacometti, *Segantini und das Engadin*, 28.1.1926.

[1] Brief von Giovanni Giacometti an Carl Albrecht Loosli, verm. um 15. August 1920; zit. nach Radlach 2003, Brief Nr. 596, S. 647.
[2] Giacometti 1926: Giovanni Giacometti, *Segantini und das Engadin*, 28.1.1926; zit. nach «Giovanni Giacometti – Farbe im Licht, Kunstmuseum Bern.

102
Giovanni Giacometti
Matin d'hiver | Wintermorgen
1913
Huile sur toile | Öl auf Leinwand
103,5 × 91 cm

tard. Ce périple se termine au bout de neuf mois sur un échec. Il ne peint presque pas, la lumière de l'Italie ne le stimule guère, la chaleur estivale l'insupporte. Malade, il retourne dans son Engadine natale pour retrouver la lumière vive des Alpes grisonnes.

La rencontre avec Giovanni Segantini se révèle déterminante pour l'évolution de son art. Au printemps de l'année 1894, Giovanni Giacometti se rend à Savognin dans l'espoir de rencontrer le peintre italien. L'artiste est absent, seuls sa femme et les enfants se trouvent à la maison. Il visite l'atelier, observe les tableaux. Impressionné par la technique picturale, il écrit à Cuno Amiet : « Ce sont de petits coups de pinceau gras et audacieux qui vibrent en mille couleurs, et c'est ainsi que l'ensemble du tableau est peint. Impressionnant comme ces petits traits de couleur sont réfléchis ! On sent que le moindre coup de pinceau ne peut être le fruit du hasard. Certains effets lumineux rappellent Rembrandt. »[3]

Segantini s'est installé avec sa famille dans les Grisons. Un échange étroit s'établit entre les deux artistes et Giacometti s'approprie la technique divisionniste du maître italien.

Après son mariage avec Annetta Stampa et la naissance des quatre enfants, les Giacometti s'installent à Stampa où le peintre transforme une ancienne écurie en atelier, qu'il gardera jusqu'à sa mort. Son épouse hérite en 1909 d'une maison à Capolago, près de Maloja. La famille y passe dorénavant les mois d'été dans le village le plus haut perché de la Haute-Engadine. L'univers des environs de Maloja et Stampa constitue le thème principal des œuvres de l'artiste.

Dans le paysage hivernal *Martin d'hiver*, 1914 (Cat. 102), Giovanni Giacometti immortalise l'imposante chaîne des sommets du Piz Duan, haute de 3131 mètres, saisie depuis sa maison de Stampa. Le ciel d'un bleu intense où subsistent quelques traces de nuages domine la montagne enneigée. Rompant la monotonie du blanc, des touches dans un camaïeu de jaune parcourent l'horizontalité de la toile et accentuent la vibration de la lumière de l'aube. Au premier plan, quelques arbres se détachent, traités d'une façon synthétique, avec des bleus très dilués. Derrière, une forêt à la limite de l'abstraction. Tous les bleus se répondent et participent de l'harmonie du paysage.

Giovanni Giacometti peint souvent dans le Val Forno. Au fond de la vallée se dresse le majestueux Monte Forno, dominant à 3214 mètres, qui marque la frontière avec l'Italie. Treize œuvres de Giacometti repré-

auch Giovanni Giacometti nach Rom, genau wie sein Sohn Alberto dies 27 Jahre später tun sollte. Seine Bildungsreise endete allerdings nach neun Monaten in einem Fiasko. Giovanni malte wenig, das Licht in Italien stimulierte ihn kaum und die sommerliche Hitze fand er unerträglich. Krank kehrte er in das heimatliche Engadin zurück, wo er das lebendige Licht der Bündner Alpen wiederfand.

Die Begegnung mit Giovanni Segantini wurde wesentlich für die weitere Entwicklung von Giacomettis Kunst. Im Frühjahr 1894 reiste Giovanni Giacometti nach Savognin, in der Hoffnung, den italienischen Maler dort zu treffen. Dieser war jedoch nicht da – in seinem Haus traf er nur Segantinis Frau und seine Kinder an. Er durfte jedoch sein Atelier besuchen und sah sich dort seine Bilder an. Beeindruckt von der Maltechnik schrieb er an Cuno Amiet: «Es sind kleine fette, in tausend Farben vibrierende Pinselstriche, und so ist das ganze Bild gemalt. Aber wie überlegt sind jene kleinen Farbstriche! Man spürt, dass nicht einmal der kleinste Pinselstrich zufällig gesetzt ist.»[3] Einige Lichteffekte würden ihn an Rembrandt erinnern. Kurz darauf zog Segantini mit seiner Familie ins Engadin. In den folgenden Jahren entwickelte sich ein enger Austausch zwischen beiden Malern, während den sich der Graubündner die divisionistische Malweise des Italieners aneignete.

Nach seiner Heirat mit Annetta Stampa und der Geburt von vier Kindern zog die Familie Giacometti nach Stampa, wo der Maler einen alten Stall in ein Atelier verwandelte, das er bis zu seinem Tod behielt. Seine Ehefrau erbte 1909 ein Haus in Capolago bei Maloja. Von nun an verbrachte die Familie die Sommermonate im höchsten Dorf des Oberengadins. So wurde die Umgebung von Maloja und Stampa zum Hauptthema im Schaffen des Künstlers.

In der Winterlandschaft *Wintermorgen*, 1914 (Kat. 102) verewigte Giovanni Giacometti die imposante Gipfelkette mit dem 3131 Meter hohen Piz Duan, so wie er sie von seinem Haus in Stampa sehen konnte. Der intensiv blaue Himmel, in dem noch einige Wolkenreste treiben, dominiert den verschneiten Berg. Pinselstriche in unterschiedlichen Gelbtönen durchbrechen das monotone Weiss, ziehen sich horizontal über das Gemälde und betonen das vibrierende Licht der Morgendämmerung. Im Vordergrund heben sich ein paar Bäume ab, die auf synthetistische Weise in stark verwässerten Blautönen gemalt sind, während dahinter ein schon fast abstrakter Wald zu erkennen ist. Alle Blautöne ergänzen sich und tragen zur Harmonie dieser Landschaft bei.

Giovanni Giacometti malte oft im Val Forno. Ganz hinten im Tal erhebt sich der majestätische 3214 Meter hohe Monte Forno an der Grenze zu Italien. Dreizehn Gemäl-

[3] Giovanni Giacometti à Cuno Amiet, dimanche de Pâques 1894, traduction Martha Degiacomi.

[3] Brief Giovanni Giacometti an Cuno Amiet, Ostersonntag 1894, in: Radlach 2000, Brief Nr. 67, S. 170–171.

103
Giovanni Giacometti
Monte Forno
1921
Huile sur toile | Öl auf Leinwand
115 × 107 cm

sentent le même massif, témoignant ainsi de sa passion pour cette région. Pour le tableau *Monte Forno* (Cat. 103), le peintre pose son chevalet légèrement au-dessus du Lägh da Cavloc, dont la surface lisse de l'eau dans un bleu soutenu se devine sur la gauche. Il embrasse ce panorama un jour d'automne ensoleillé où la flore alpine brille de toutes ses couleurs rendues par des touches rythmées et éloquentes. Le ciel est tout en transparences, dans un mélange de blanc et de vert émeraude. Le pinceau est large et fluide. L'éclat du grand soleil, réfracté par les nuages, crée au firmament des formes triangulaires étincelantes. Le schéma pittoresque s'efface devant une vision quelque peu panthéiste.

Avec ses forêts de mélèzes, ses pics, ses glaciers et sa lumière intense, la Haute-Engadine constitue une source d'inspiration constante pour le peintre grisonnais. Dans son œuvre de maturité, sa palette est devenue expressive et non plus descriptive. La rencontre lumière-couleur a transcendé la vision de la nature en une féerie chamarrée.

de im Werke Giacomettis zeigen dieses Bergmassiv und zeugen von seiner Leidenschaft für die Region. Für das Bild *Monte Forno* (Kat. 103) stellte der Maler seine Staffelei etwas oberhalb des Lägh da Cavloc auf, dessen tiefblaue, glatte Wasserfläche man an der linken Seite gerade noch erkennen kann. Giacometti malte dieses Panorama an einem sonnigen Herbsttag, an dem die alpine Flora in all ihrer Farbenpracht leuchtete, die er in rhythmischen und gewandten Pinselstrichen wiedergab. Der Himmel erstrahlt in transparenten Farben, wechselnd zwischen Weiss und Smaragdgrün. Der Pinselstrich ist breit und fliessend. Das Licht der hoch am Himmel stehenden Sonne, das durch die Wolken gebrochen wird, erzeugt strahlende Dreiecke am Firmament. Diese etwas pantheistische Darstellung rückt die malerische Komposition ein wenig in den Hintergrund. Mit seinen Lärchenwäldern, Gipfeln, Gletschern und dem intensiven Licht war das Oberengadin eine ständige Quelle der Inspiration für den Bündner Maler. In seiner späteren Schaffensphase wurde seine Farbpalette expressiver und weniger deskriptiv. Das Zusammenspiel von Licht und Farbe verwandelte die Natur in eine farbenfrohe Zauberwelt.

Alberto
Giovanni Giacometti et Alberto Giacometti

Martha Degiacomi

Alberto Giacometti voit le jour le 10 octobre 1901 à Borgonovo, dans les Grisons, fils aîné du peintre postimpressionniste réputé Giovanni Giacometti, dont le cousin Augusto est un artiste fauve reconnu. Cuno Amiet est son parrain, tandis que Ferdinand Hodler le sera pour le benjamin, Bruno (né en 1907), deux artistes célèbres en Suisse. Mesurant le talent précoce de son fils, Giovanni Giacometti encourage l'intérêt porté par Alberto pour le dessin, la peinture et le modelage, pour lesquels ce dernier manifeste très tôt « une puissante attirance ».

Ainsi Alberto commence-t-il à dessiner très jeune – illustrations pour contes de fées, portraits de famille. Il peint sa première huile en 1913, une nature morte aux pommes, sculpte en 1914 un buste de Diego et de Bruno. Élève brillant au collège de Schiers, il n'a de cesse de dessiner, peindre, sculpter. Aussi l'institution met-elle à sa disposition un petit atelier (1915-1919).

Durant les vacances de printemps 1919, Alberto travaille fréquemment dans l'atelier de Stampa et accompagne son père dans les montagnes de l'Engadine pour peindre en plein air sur le motif.

Arrivé à Paris au début de l'année 1922, il fréquente trois ans durant la classe du sculpteur Bourdelle à la Grande Chaumière. Passionné par la ville Lumière, Alberto y passera sa vie et s'installera en 1927 dans l'atelier mythique de la rue Hippolyte-Maindron, qu'il ne quittera plus.

Ses premières peintures s'apparentent à celles de son père, comme en témoigne l'huile de 1919-1920 *Le Piz Corvatch et le lac de Sils* (Cat. 104), un paysage de montagne irradiant dans une féerie de couleurs. La touche divisionniste, mais très souple, participe de la construction des formes. Un ciel d'azur parcouru de bâtonnets bleus, violets, roses est traversé par un nuage, comme une anamorphose. Le lac est traité avec un pointillisme lâche où les coups de pinceau se jouent des ombres d'un bleu cobalt. Un Piz Corvatch qui provoque un choc sensoriel.

Quelqu'un en visite dans l'atelier de Giovanni Giacometti rapporte l'anecdote suivante : « … "Regardez le

Alberto
Giovanni Giacometti und Alberto Giacometti

Martha Degiacomi

Alberto Giacometti wurde am 10. Oktober 1901 in Borgonovo in Graubünden als ältester Sohn des renommierten postimpressionistischen Malers Giovanni Giacometti geboren. Ein Onkel, Augusto Giacometti war ebenfalls ein bekannter Künstler dessen Werke von Art Nouveau und Fauvismus geprägt waren. Albertos Patenonkel wurde der symbolistische Künstler Cuno Amiet. Der wohl berühmteste Schweizer Maler Ferdinand Hodler war der Patenonkel für Bruno, den jüngsten Sohn der Familie, der 1907 geboren wurde. Beide galten schon damals in der Schweiz als bedeutende Künstler. So waren für den jungen Alberto die Fundamente für eine künstlerische Laufbahn gelegt. Giovanni Giacometti erkannte die frühe Begabung seines Sohnes und förderte dessen Interesse für Zeichnen, Malen und Modellieren, die schon sehr bald eine starke Anziehungskraft auf ihn ausübten.

So begann Alberto in einem sehr jungen Alter zu zeichnen – Illustrationen für Märchen, Porträts von Familienmitgliedern. Sein erstes Ölbild malte er 1913: ein Stillleben mit Äpfeln. 1914 modellierte er zwei Büsten seiner Brüder Diego und Bruno. Alberto war ein brillanter Schüler am Internat in Schiers, und widmete sich ununterbrochen dem Zeichnen, Malen und Modellieren, worauf ihm das Gymnasium ein kleines Atelier zur Verfügung stellte (1915–1919).

Während seiner Frühlingsferien 1919 arbeitete Alberto oft im Atelier seines Vaters in Stampa und begleitete diesen in die Engadiner Berge, um vor dem Motiv zu malen. Anfang 1922 reiste er nach Paris, wo er drei Jahre lang die Bildhauerklasse von Antoine Bourdelle an der Académie de la Grande Chaumière besuchte. Fasziniert von der « Ville Lumière » verbrachte Alberto sein Leben dort und richtete 1927 sein legendäres Atelier an der Rue Hippolyte-Maindron ein, in dem er bis zu seinem Lebensende arbeitete.

Seine ersten Werke sind im Stil identisch mit denen seines Vaters, wie das 1919–1920 entstandene Ölgemälde *Der Piz Corvatsch mit Silsersee* (Kat. 104): eine strahlende Berglandschaft in einer leuchtenden Farbenpracht. Die divisionistische, aber überaus weiche Malweise trägt zum Aufbau der Formen bei. Über den azurblauen Himmel, der durchzogen ist von blauen,

223

tableau là-haut – et il désignait du doigt un portrait en hauteur – je dirais que vous avez eu la main heureuse." Et le peintre d'éclater d'un rire cristallin : « Mais ce n'est pas de moi, c'est de mon fils ! " »[1]

Avec ce paysage flamboyant, le jeune Alberto tire une révérence lumineuse à son Engadine natale où il ne manquait pas de revenir plusieurs fois par an pour se ressourcer loin de la vie parisienne, fébrile et trépidante.

Ce tableau se trouvait déjà aux cimaises de la Fondation Pierre Gianadda à l'occasion de la rétrospective consacrée à Alberto Giacometti en 1986.

Christoph Blocher vient d'acquérir cette peinture lors d'une vente aux enchères ce printemps, enrichissant ainsi sa collection par une belle œuvre de jeunesse du grand artiste suisse Alberto Giacometti.

violetten und rosa Strichen, wandert eine helle Wolke – eine geradezu anamorphistische Ansicht. Der See ist in einem lockeren pointillistischen Stil gemalt, in dem die Pinselstriche mit den kobaltblauen Schatten spielen. Ein Piz Corvatsch, der eine sinnliche Erschütterung auslöst! Über einen Besucher im Atelier von Giovanni Giacometti gibt es die folgende Anekdote: «… ‹Schauen Sie sich das Gemälde da oben an!› und er zeigte mit dem Finger auf ein Porträt: ‹Ich würde meinen, da hatten Sie eine glückliche Hand.› Worauf der Maler in ein helles Gelächter ausbrach: ‹Aber das ist nicht von mir, das hat mein Sohn gemalt!›»[1]

Diese leuchtende Landschaft ist eine glühende Hommage des jungen Alberto an seine Engadiner Heimat, in die er mehrmals jährlich zurückkehrte, um fern vom hektischen und fieberhaften Leben in Paris neue Energie zu schöpfen. Das hier besprochene Bild war bereits während der ersten grossen Retrospektive Alberto Giacometti im Jahr 1986 in der Fondation Pierre Gianadda ausgestellt.

Christoph Blocher hat das Gemälde anlässlich einer Auktion in diesem Frühjahr erworben und seine Sammlung mit einem schönen Jugendwerk des grossen Schweizer Künstlers Alberto Giacometti bereichert.

[1] Arnoldo Marcelliano Zendralli, *Giovanni Giacometti nell'occasione del 60 di sua vita (7 marzo 1928)*, Lugano, sans éditeur, 1928.

[1] Arnoldo Marcelliano Zendralli, *Giovanni Giacometti nell'occasione del 60 di sua vita (7 marzo 1928)*, Lugano, ohne Herausgeber, 1928.

104
Alberto Giacometti
Le Lac de Sils et le piz Corvatsch | *Piz Corvatsch it Silsersee*
1914
Huile sur toile | Öl auf Leinwand
80 × 110 cm

Paysage composé
Félix Vallotton

Martha Degiacomi

Paysage composé
Félix Vallotton

Martha Degiacomi

« Je rêve d'une peinture dégagée de tout respect littéral de la nature ; je voudrais reconstituer des paysages sur le seul secours de l'émotion qu'ils m'ont causée, quelques grandes lignes évocatrices, un ou deux détails, choisis, sans superstition d'exactitude d'heure ou d'éclairage. Au fond, ce serait une sorte de retour au fameux "paysage historique". Pourquoi pas ? »

Ainsi écrit Félix Vallotton dans son *Journal* le 5 octobre 1916. Peintre singulier, le Suisse né à Lausanne en 1865 s'établit à Paris à l'âge de dix-sept ans. Il ne se mêle pas aux courants dominants de l'époque. Ses gravures sur bois connaissent dès 1891 un succès fulgurant et vont le conduire vers une nouvelle conception de l'espace en travaillant ses peintures. En 1892, il rejoint le groupe des peintres Nabis et expose régulièrement avec Pierre Bonnard, Maurice Denis, Xavier Roussel, Paul Sérusier et Édouard Vuillard, à qui il conservera son amitié durant toute sa vie. En revanche, il garde ses distances face aux doctrines du groupe des Nabis.Le tournant du siècle marque un changement important dans la vie et l'œuvre de Félix Vallotton. Il épouse en 1899 Gabrielle Rodrigues, fille du célèbre marchand parisien Alexandre Bernheim, et prend la nationalité française. Son succès international évolue rapidement. Le peintre expose à la Sécession de Berlin et à celle de Vienne ainsi qu'à Moscou, Londres et New York. La galerie Bernheim vend ses tableaux à des collectionneurs internationaux. Sa situation matérielle est dorénavant assurée.
À partir de 1901, il se consacre de plus en plus à la peinture. Au cours des premières années du siècle, Vallotton crée surtout au cours de l'été de nombreux paysages en Normandie et en Bretagne. *Ruisseau à Arques-la-Bataille* (Cat. 105) fait partie des dix-sept paysages réalisés pendant les vacances de 1903 à Arques-la-Bataille, où le peintre et sa femme logeaient dans une maison au nom romantique de

„Ich träume von einer Malerei, die von allem Naturgetreuen befreit ist; ich möchte Landschaften malen, die allein aus den Gefühlen heraus entstehen, die sie in mir hervorgerufen haben, einige Grundlinien, eine oder zwei Einzelheiten, die ohne jede übertriebene Genauigkeit bezüglich Tageszeit oder Licht ausgewählt sind. Im Grunde wäre dies eine Art Rückkehr zur famosen „historischen Landschaft". Warum nicht?

Dies schrieb Felix Vallotton am 5. Oktober in sein Tagebuch. Félix Vallotton, der 1865 in Lausanne geboren wurde, zog im Alter von 17 Jahren nach Paris, um sich als Künstler ausbilden zu lassen. Der Schweizer Maler, der sich keiner künstlerischen Strömung der damaligen Zeit unterziehen wollte, beschäftigte sich ab 1891 mit Holzschnitten. Diese Werke machten ihn berühmt und führten ihn zu einer neuen Auffassung von Bild und Raum in seiner Malerei. 1892 schloss sich Vallotton der Künstlergruppe der Nabis an und stellte regelmässig mit Pierre Bonnard, Maurice Denis, Xavier Roussel, Paul Sérusier und Édouard Vuillard aus, dem er zeit seines Lebens in Freundschaft verbunden blieb. Gegenüber den Theorien der Nabis bewahrte er aber immer eine gewisse Distanz.
Die Jahrhundertwende markierte einen entscheidenden Wendepunkt im Leben und Werk von Félix Vallotton. 1899 heiratete er Gabrielle Rodrigues-Henriques, die Tochter des einflussreichen Pariser Kunsthändlers Alexandre Bernheim, und nahm die französische Staatsbürgerschaft an. Im Ausland wurde er schnell erfolgreich. Der Maler stellte in den Berliner und Wiener Sezessionen aus, sowie in Moskau, London und New York. Die Galerie Bernheim verkaufte seine Bilder an internationale Sammler. Somit war nun seine finanzielle Situation gesichert.
Ab 1901 widmete sich Vallotton immer mehr der Malerei. Anfangs des 20. Jahrhunderts malte er vor allem im Sommer zahlreiche Landschaften in der Normandie und der Bretagne. *Ruisseau à Arques-la-Bataille* (Kat. 105) gehört zu den 17 Landschaften, die der Künstler 1903 während der Ferien in Arques-la-Bataille gemalt hat, wo er zusam-

105
Félix Vallotton (1865 – 1925)
Ruisseau à Arques-la-Bataille | Bach bei Arques-la-Bataille
1903
Huile sur toile | Öl auf Leinwand
66 × 101 cm

Rose Cottage. Marina Ducrey[1] souligne que tous les paysages de cette série ont été effectués à l'écart du motif et peints à partir d'esquisses. Leurs variations de style sont frappantes : certains évoquent une restitution proche de la nature ; d'autres, une volonté de synthèse à travers une autonomie caractérisée par la représentation du sujet réduit à quelques plans essentiels. D'autres encore, à une interprétation ornementale et décorative avec des lignes sinueuses où triomphe l'arabesque. Avec *Ruisseau à Arques-la-Bataille*, la transcription confine à la réalité. Une lumière sobre et poétique baigne ce paysage agreste rendu avec une touche fragmentée, vivante. L'artiste se joue admirablement des reflets de l'eau. Le ruisseau déroule une surface calme et forme une boucle discrète avant de disparaître. La gamme de verts soutenus des arbres aux formes étranges contraste avec celle, très tendre, de la prairie où paissent des vaches. De santé fragile, Vallotton passe ses hivers à partir de 1920 dans le climat doux et agréable de la Côte d'Azur, à Cagnes-sur-Mer où déjà Renoir s'est installé en 1907 pour apaiser ses rhumatismes.

Pendant trois hivers, Vallotton peint quelque quatre-vingts paysages, mettant en exergue les ruelles étroites du village de Cagnes et ses environs. La lumière méditerranéenne intense qui avait attiré tant d'artistes, tels Bonnard, Derain, Dufy, Matisse, Picasso, Renoir ou Signac, dans le Midi de la France va d'abord surprendre Vallotton. Dans une lettre à son frère Paul datée du 26 décembre 1920, il témoigne de ses premières sensations : « Je suis un peu désorienté par tant de lumière, les couleurs n'ont pas l'éclat qu'elles ont à Paris, et je ne me reconnais plus dans ma palette. »[2]

Le peintre ne va pas tarder à maîtriser la lumière violente de la région qui donne naissance à ses paysages les plus aboutis, empreints de silence et d'immobilité.

Dans *Une rue à Cagnes* (Cat. 106), il s'attache à capter les effets du soleil couchant à l'intérieur du village. Grâce à un cadrage original, il utilise une ruelle étroite teintée de gris-noir par l'ombre pour canaliser le regard plongeant vers les maisons dorées et illuminées par le crépuscule. Seule une figure de femme au centre anime l'atmosphère sereine et silencieuse de la composition. Il s'agit d'une vision

men mit seiner Frau in einem kleinen Haus mit dem romantischen Namen *Rose Cottage* weilte. Marina Ducrey[1] weist darauf hin, dass alle Landschaften dieser Serie nicht in der freien Natur, sondern im Atelier auf der Basis von Skizzen entstanden sind. Die stilistischen Variationen sind frappant: Einige Werke erinnern an eine naturnahe Darstellung, in anderen wiederum zeigt sich Vallottons Autonomie und sein Streben nach einer eigenen synthetischen Lösung, indem er die Landschaft auf wenige elementare Flächen reduziert. In noch anderen triumphiert die Arabeske und evoziert mit ihren gewundenen Linien ornamentale und dekorative Formen. In *Ruisseau à Arques-la-Bataille* ist die künstlerische Umsetzung wirklichkeitsnah. Ein schlichtes, poetisches Licht liegt über dieser ländlichen Landschaft, der die leichten, fragmentierten Pinselstriche eine lebendige Wirkung verleihen. Dabei gelingt es dem Maler, die Spiegelungen auf der Oberfläche des Flusses, der ruhig dahinfliesst und schliesslich hinter einer sanften Kurve verschwindet, auf meisterhafte Weise wiederzugeben. Die kräftigen Grüntöne der eigenartig geformten Bäume stehen im Kontrast zum überaus zarten Farbton der Wiese, auf der die Kühe grasen.

Vallotton, der gesundheitlich stark angeschlagen war, verbrachte die Wintermonate ab 1920 im milden Klima der Côte d'Azur, im kleinen Ort Cagnes-sur-Mer, wo sich 1907 bereits der von Rheuma geplagte Renoir niedergelassen hatte. Während drei Wintern malte Vallotton rund 80 Landschaften und widmete sich dabei besonders den engen Gässchen von Cagnes und der Umgebung des Dorfes. Das intensive mediterrane Licht, das viele Künstler wie Bonnard, Derain, Dufy, Matisse, Picasso, Renoir oder auch Signac nach Südfrankreich angezogen hatte, überraschte Vallotton zunächst. In einem Brief an seinen Bruder Paul vom 26. Dezember 1920 beschrieb er seine ersten Eindrücke: «Ich bin ein wenig verunsichert von so viel Licht. Die Farben haben nicht dieselbe Leuchtkraft wie in Paris, und ich kenne mich in meiner Palette nicht mehr aus.»[2]

Sehr bald beherrschte der Maler das grelle Licht der neuen Umgebung und schuf seine vollendetsten Landschaften, durchdrungen von Stille und Regungslosigkeit. In *Une rue à Cagnes* (Kat. 106) setzte er sich mit dem Licht der untergehenden Sonne im Dorf auseinander. Dabei erfand er eine originale Rahmung im Vordergrund des Bildes: eine schmale Gasse, die der Schatten in eine grauschwarze Farbe tüncht. Der Blick wird auf die Häuser gelenkt, die in der untergehenden Sonne golden leuchten. Nur eine Frau in

[1] Marina Ducrey, *Vallotton à Honfleur et en Normandie*, version revue et abrégée du texte paru dans le catalogue de l'exposition « Félix Vallotton 1865-1925 », musée Eugène Boudin, Honfleur, 1999, p. 8-30. Publié dans *Vallotton. Les couchers de soleil*, Fondation Pierre Gianadda, Martigny, 2005.
[2] 26.12.1920, FFV, Bibliothèque cantonale et universitaire, Lausanne

[1] Marina Ducrey, *Vallotton à Honfleur et en Normandie*, überarbeitete und gekürzte Version des Textes aus dem Ausstellungskatalog «Félix Vallotton 1865–1925», Musée Eugène Boudin, Honfleur, 1999, S. 8–30. Veröffentlicht in *Vallotton. Les couchers de soleil*, Fondation Pierre Gianadda, Martigny, 2005.
[2] 26.12.1920, FFV, Bibliothèque cantonale et universitaire, Lausanne.

106
Félix Vallotton (1865 – 1925)
Une rue à Cagnes | Eine Strasse in Cagnes
1922
Huile sur toile | Öl auf Leinwand
81 × 65 cm

synthétique : ombres stylisées, aspect ornemental des pierres dans la zone d'ombre, aplats de couleur sur les façades des maisons et leurs portes fortement géométrisées. Cette œuvre se révèle un bel exemple de ce que Félix Vallotton va appeler plus tard dans son *Livre de raison* « paysages composés », c'est-à-dire paysages fondés sur l'observation d'un contexte topographique réel, puis reconstitués de mémoire et à huis clos – dans une chambre d'hôtel ou l'atelier – avec, pour seul document d'appui, le croquis exécuté et annoté sur place.[3]

Tournant de route au-dessus de la Loire (Cat. 107) participe des grands paysages fluviaux que Vallotton peint pendant les trois dernières années de sa vie. En juin 1923, il dessine des esquisses annotées dans la vallée de la Loire, à proximité de la commune de Champtoceaux. En juillet et août, durant son séjour à Honfleur, treize paysages vont voir le jour dans l'atelier à partir de ces croquis. Dans ce tableau, le fleuve, avec son eau lisse et plombée, crée un contraste saisissant en regard de la falaise habillée de vert émeraude. Avec une touche dense et fragmentée, alternée par les aplats noirs des ombres, la verdure s'impose, omniprésente. Les effets de clair-obscur et la diagonale prononcée de la falaise confèrent un aspect irréel et étrange à cette peinture. Vallotton préfère la poésie au naturalisme. Comme dans la majorité de ses paysages tardifs, Vallotton présente céans une synthèse de la réalité observée. Le paysage composé atteint ici son apogée.

Un autre tableau de la collection Christoph Blocher du peintre allemand Adolf Dietrich, *Printemps à Untersee* (Cat. 109), daté de 1919, mérite d'être comparé au paysage fluvial de Vallotton en raison des similitudes étonnantes qui unissent les deux œuvres. Le schéma de composition et le sujet se ressemblent : une grande falaise qui divise en diagonale le tableau en deux parties opposant une surface d'eau en aplat à une falaise couverte de verdure. Il faut souligner que les deux peintres ne se connaissaient pas et ignoraient tout l'un de l'autre.

der Mitte des Gemäldes bringt Leben in die stille, regungslose Atmosphäre dieser Komposition, in der sich eine synthetische Vision enthüllt: stilisierte Schatten, die ornamentale Wirkung der im Dunkel liegenden Steine, Farbfelder auf den Fassaden der Häuser und die stark geometrisierten Türen. Dieses Werk ist ein schönes Beispiel dafür, was Félix Vallotton später in seinem Buch *Livre de raison* als «*Paysage composé*» bezeichnet hat: Landschaften, die auf Beobachtungen in der Natur beruhen und später aus der Erinnerung im Atelier oder in einem Hotelzimmer wiedergegeben werden, wobei die vor Ort gefertigten Skizzen und Anmerkungen als einziges Hilfsmittel dienen.[3]

Tournant de route au-dessus de la Loire (Kat. 107) zählt zu den grossen Flusslandschaften, die Vallotton in den letzten drei Jahren seines Lebens geschaffen hat. Im Juni 1923 zeichnete er im Loire-Tal in der Nähe des Dorfes Champtoceaux mehrere mit Anmerkungen versehenden Skizzen, die er im Juli und August, als er in Honfleur weilte, als Grundlage für 13 Landschaften nutzte. Im oben genannten Gemälde schafft der Fluss mit seiner glatten, bleifarbenen Oberfläche einen spannenden Kontrast zum smaragdgrün bewachsenen steilen Abhang. Das mit dichten, fragmentierten Pinselstrichen gemalte Grün, durchsetzt von schwarzen Schattenflächen, wirkt dominierend, fast omnipräsent. Die Hell-Dunkel-Effekte und die ausgeprägte Diagonale des Abhangs verleihen diesem Gemälde einen irrealen und seltsamen Aspekt. Vallotton zog die Poesie dem Naturalismus vor. Wie in den meisten seiner späten Landschaften schuf er auch hier eine Synthese der beobachteten Wirklichkeit. Die «paysage composé» erreichte damit ihren Höhepunkt.

Hier drängt sich ein Vergleich mit dem Gemälde *Frühling am Untersee* (Kat. 109) des deutschen Malers Adolf Dietrich aus dem Jahr 1919 auf, das ebenfalls zur Sammlung Christoph Blocher gehört und einige erstaunliche Parallelen zur Flusslandschaft von Vallotton aufweist. Nicht nur der Aufbau der Komposition, sondern auch das Motiv sind ähnlich: ein steiler Abhang, der den Bildraum in der Diagonalen teilt, wobei eine ruhige Wasserfläche dem grün bewachsenen Steilhang gegenübergestellt ist. Dabei ist darauf hinzuweisen, dass sich die beiden Maler nicht kannten und nichts voneinander wussten.

[3] Rudolf Koella, « Le retour au paysage historique », *Zur Entstehung und Bedeutung von Vallottons später Landschaftsmalerei*, Zurich, 1970.

[3] Rudolf Koella, «Le retour au paysage historique»: *Zur Entstehung und Bedeutung von Vallottons später Landschaftsmalerei*, Zürich, 1970.

107
Félix Vallotton (1865 – 1925)
Route en corniche sur les bords de la Loire | Tournant de route au-dessus de la Loire
1923
Huile sur toile | Öl auf Leinwand
60 × 73,2 cm

Paysages
Adolf Dietrich

Monika Brunner

Landschaften
Adolf Dietrich

Monika Brunner

Adolf Dietrich est un phénomène. Dans l'isolement de son village de Berlingen, dans le canton de Thurgovie, ce travailleur à domicile qui devint par la suite forestier, a conçu des paysages et des natures mortes qui témoignent d'une créativité singulière. Autodidacte, il découvrait ses motifs lors de randonnées, les dessinait ou les photographiait, et, à partir de ces documents, élaborait ses propres compositions inspirées de la nature. Dietrich s'avère être l'observateur attentif d'un microcosme qu'il transpose, grâce à sa perception incisive de la nature et des créatures qu'elle recèle, dans un langage visuel clair et concis. Ses peintures n'ont toutefois rien de naïf ou de superficiel. Au contraire, elles sont pleines de mystères qu'un œil exercé et concentré peut pénétrer s'il fait preuve de patience. Souvent, le caractère idyllique de son sujet, apparemment allègre, est trompeur. L'harmonie et la dissonance marquent également certains de ses tableaux. Dans *La cascade en hiver* (Cat. 108), l'atmosphère féerique de la forêt enneigée est troublée par la présence du renard qui, sur une colline en pente douce, rôde et regarde fixement le bouvreuil pivoine au premier plan. Le cincle plongeur au second plan, près du ruisseau, est par comparaison mieux camouflé grâce à son plumage brun.

Bon nombre de paysages composés par Dietrich se caractérisent par des lignes et des surfaces obliques, des perspectives et des cadrages insolites. Dans son tableau *Printemps sur l'Untersee* (Cat. 109), qui représente la vallée de Jakobstal près de Steckborn, le long du bras ouest du lac de Constance, la chaîne de collines avec sa pente abrupte, en forme de vagues, se dresse majestueusement devant le paysage lacustre. Dietrich, qui associe ici une proxi-

Adolf Dietrich ist ein Phänomen. In der Abgeschiedenheit seines Wohnortes Berlingen schuf der Heim- und Waldarbeiter Landschaftsbilder und Stillleben, die von einem einzigartigen Einfallsreichtum zeugen. Der Autodidakt entdeckte seine Motive auf Streifzügen, skizzierte oder fotografierte sie und komponierte daraus in seinem Atelier eigene Natursujets. Dietrich entpuppt sich als geübter Beobachter einer kleinen Welt, die er durch seine minuziöse Wahrnehmung von Natur und Kreatur in eine einfache, klare Bildsprache umsetzte. Seine Bilder sind alles andere als naiv oder oberflächlich. Vielmehr stecken sie voller Geheimnisse, die sich dem neugierigen, konzentrierten Auge mit ein wenig Geduld erschliessen. Oft trügt die Idylle der heiter erscheinenden Themen. Harmonie und Dissonanz prägen denn auch einige von Dietrichs Naturschilderungen. In *Wasserfall im Winter* (Kat. 108) wird die märchenhafte Stimmung des verschneiten Waldes durch den Fuchs getrübt, der auf einer kleinen Anhöhe im Hintergrund lauert und gebannt auf den rot gefiederten Blutfink im Vordergrund blickt. Die Wasseramsel im Mittelgrund beim Bach dagegen ist dank ihres braunen Federkleides besser getarnt.

Schräg verlaufende Linien und Flächen, ungewohnte Perspektiven und Ausschnitte zeichnen viele von Dietrichs Landschaftskompositionen aus. In der Darstellung *Frühling am Untersee* (Kat. 109), welche das Jakobstal bei Steckborn wiedergibt, erhebt sich der wellenförmige, steil abfallende Hügelzug prominent vor der Seelandschaft. Die Kombination von dominanter plastischer Nähe und kulissenartigem Hinter-

108
Adolf Dietrich (1877 - 1957)
La cascade en hiver | *Wasserfall im Winter*
1922
Huile sur toile | Öl auf Leinwand
62 × 40,5 cm

mité plastique dominante et un arrière-plan en coulisse, partageait les conceptions picturales des représentants de la Nouvelle Objectivité, qui combinaient des éléments d'échelles et de perspectives différentes de manière non conventionnelle.[1]

Le caractère hybride des paysages d'Adolf Dietrich réside dans une alternance entre « réalisme fidèle et rêve ».[2] Le relief fortement escarpé du moulin Lochmühle (Cat. 110), sur lequel des maisons et des figures menacent de glisser en contrebas, confère à ce tableau une note surréaliste. Non seulement la composition inhabituelle contredit la vision supposée idyllique d'une journée printanière où la nature est en fleurs, mais elle attire aussi l'attention sur le danger que représente le piège à fouines caché dans le coffre en bois près du gouffre. Deux paysans portent une perche pour se protéger d'une éventuelle attaque de l'animal et sont accompagnés d'un chien. Dietrich en voulait aux fouines qui, régulièrement, chassaient les oiseaux, et pour y remédier, il ébauchera des plans pour un piège à fouines et à putois.[3] *La vue du Hoher Kasten sur la vallée du Rhin* rendue dans une perspective en plongée, compte parmi les angles de vue les plus spectaculaires que Dietrich ait adoptés dans ses paysages. Le terrain, schématiquement esquissé, est composé d'un mélange d'éléments de paysage presque géométriques en aplats. La bande claire du fleuve qui le traverse, formant un angle, crée un effet de profondeur spatiale. Pour cette perspective insolite, l'artiste s'est probablement inspiré de ses atlas et de photos montrant des vallées fluviales vues d'avion.[4] Les peintures de Dietrich peuvent servir de supports à des sentiments, toutefois il n'émane aucune sentimentalité des sujets de ses tableaux qui – comme en témoignent *Atmosphère de crépuscule* et *Pleine lune sur l'Untersee* (Cat. 112, 113) – sont plutôt composés objectivement et rigoureusement. Dans cette dernière toile, la lumière du soleil couchant se reflétant dans le lac est représentée tel un motif décoratif quelque peu magique et surréaliste au moyen de bandes colorées d'un orange

grund teilte Dietrich mit den Vertretern der Neuen Sachlichkeit, die unterschiedliche Grössenverhältnisse und Perspektiven unkonventionell miteinander verknüpften.[1]

Der hybride Ausdruck von Dietrichs Landschaften besteht im Changieren zwischen «realistischer Treue und Traumhaftigkeit».[2] Die extreme Steillage des Geländes, auf dem Häuser und Figuren den Hang hinunter zu rutschen drohen, verleiht etwa der Darstellung *Lochmühle* (Kat. 110) eine surreale Note. Nicht nur die ungewohnte Komposition wirkt der vermeintlichen Idylle eines blühenden Frühlingstages entgegen, sondern auch die Gefahr, die von der versteckten Marderfalle in der Holzkiste nahe des Abgrunds ausgeht. Um sich vor einem allfälligen Angriff des Tieres zu schützen, führen die Bauersleute eine Stange und einen Hund mit. Dietrich ärgerte sich über die Marder, die immer wieder Vögel jagten, und entwarf daher Pläne für eine Marder- und Illtisfalle.[3] Zu den aussergewöhnlichsten Blickwinkeln von Dietrichs Landschaften gehört die aus der Vogelperspektive wiedergegebene Ansicht *Blick vom Hohen Kasten auf das Rheintal*. Das schemenhaft gestaltete Terrain besteht aus einer flächigen Kombination von annähernd geometrisch geformten, landschaftlichen Elementen, in welchem der eckige, helle Flussstreifen eine tiefenräumliche Wirkung erzeugt. Anregungen zu dieser ungewöhnlichen Perspektive erhielt der Künstler vermutlich von seinen Atlanten und von Flugaufnahmen, die Flusstäler von oben zeigen.[4] Dietrichs Darstellungen können als Träger von Empfindungen fungieren, doch entspringen die Sujets keinem sentimentalen Gefühl, vielmehr sind sie – wie *Abendstimmung und Vollmond über dem Untersee* belegen (Kat. 112, 113) – sachlich und streng komponiert bei (Kat. 113) ist das reflektierende Licht der untergehenden Sonne als magisch-surreal anmutendes dekoratives Muster aus leuchtend orangefarbigen Streifen und grell gelben Farbflächen

[1] Heinrich Ammann, Christoph Vögele, *Adolf Dietrich 1877–1957. Œuvrekatalog der Ölbilder und Aquarelle*, Weinfelden, éd. Wolfau-Druck Rudolf Mühlemann, 1994 (Institut suisse pour l'étude de l'art, Catalogues raisonnés d'artistes suisses, vol. 14), p. 136.

[2] *Adolf Dietrich und die Neue Sachlichkeit in Deutschland*, Winterthour, cat. exp., Kunstmuseum, 4 septembre – 20 novembre1994; Oldenburg, Landesmuseum, 4 décembre 1994 – 5 février 1995, sous la direction de Dieter Schwarz, Kunstmuseum Winterthur, 1994, p. 185.

[3] Markus Landert, Dorothee Messmer (dir.), *AD Adolf Dietrich Malermeister – Meistermaler. Ein Glossar*, Zurich, 2002, p. 176.

[4] Monika Brunner, « Blick vom Hohen Kasten auf das Rheintal », in: *Hodler Anker Giacometti. Meisterwerke der Sammlung Christoph Blocher*, dir. Marc Fehlmann sur mandat de la Fondation Oskar Reinhart, cat. exp., Winterthur, Museum Oskar Reinhart, 11 octobre 2015 – 31 janvier 2016, Munich, éd. Hirmer, 2015, p. 214.

[1] Heinrich Ammann, Christoph Vögele, *Adolf Dietrich 1877–1957. Œuvrekatalog der Ölbilder und Aquarelle*, Weinfelden: Wolfau-Druck Rudolf Mühlemann, 1994 (Schweizerisches Institut für Kunstwissenschaft. Œuvrekataloge Schweizer Künstler 14), S. 136.

[2] *Adolf Dietrich und die Neue Sachlichkeit in Deutschland*, Ausst.-Kat. Kunstmuseum Winterthur, 4.9.–20.11.1994; Landesmuseum Oldenburg 4.12.1994–5.2.1995, hrsg. von Dieter Schwarz, Kunstmuseum Winterthur, 1994, S. 185.

[3] Markus Landert, Dorothee Messmer (Hrsg.), *AD Adolf Dietrich Malermeister – Meistermaler. Ein Glossar*, Zürich 2002, S. 176.

[4] Monika Brunner, «Blick vom Hohen Kasten auf das Rheintal», in: *Hodler Anker Giacometti. Meisterwerke der Sammlung Christoph Blocher*, hrsg. von Marc Fehlmann im Auftrag der Stiftung Oskar Reinhart, Ausst.-Kat. Museum Oskar Reinhart, Winterthur, 11.10.2015–31.1.2016, München: Hirmer, 2015, S. 214.

109
Adolf Dietrich (1877 – 1957)
Printemps sur l'Untersee | Frühling am Untersee
1919
Huile sur toile | Öl auf Leinwand
60 × 73,2 cm

235

lumineux et de surfaces en aplats jaune vif. L'absence de transitions fluides entre l'eau, le ciel et les rayons du soleil confère à la composition un caractère symétrique rigide. En même temps, les bandes lumineuses obliques possèdent une force explosive qui empêche toute impression d'harmonie. Une fois de plus, il apparaît clairement que, malgré la précision de l'image, le peintre ne donne pas une représentation fidèle de la réalité.

Les peintures de l'Untersee en hiver des années 1933 et 1940 (Cat. 114, 115) font partie des images atmosphériques conçues par Adolf Dietrich. Il ressort de plusieurs lettres que le peintre avait peur de la guerre et de l'Allemagne voisine, et c'est la raison pour laquelle ses impressions d'hiver sont souvent interprétées comme des métaphores existentielles des années de guerre et de la menace que représentait le Troisième Reich.[5] Ces tableaux montrent un paysage de rives avec vue sur la presqu'île de Höri et le Schienerberg, qui s'étend entre Stein am Rhein et la commune de Horn en Allemagne. Des pieux en bois, magistralement mis en scène, servent de repoussoir et, grâce à leur présence plastique, forment un contraste marquant avec la surface de l'eau, traitée de manière homogène. Quant aux masses de neige accumulées sur le bord inférieur du tableau *Journée d'hiver bleue avec vue sur le Schienerberg* (Cat. 116) – provenant probablement du dégagement d'un chemin à la pelle –, elles font penser, formellement, à un rempart. Pour ses peintures hivernales, comme pour beaucoup de paysages peints après 1927, Dietrich a utilisé ses propres photographies, qui lui permettaient d'expérimenter des cadrages inhabituels et fragmentaires.

dargestellt. Die fehlenden fliessenden Übergänge zwischen Wasser, Himmel und Sonnenstrahlen verleihen der Komposition eine starre Symmetrie. Gleichwohl besitzen die schräg verlaufenden Lichtstreifen eine Sprengkraft, die einem harmonischen Eindruck entgegenwirkt. Einmal mehr wird deutlich, dass Dietrichs Naturschilderungen trotz ihrer Präzision kein getreues Abbild der Wirklichkeit wiedergeben.

Zu den Stimmungsbildern gehören die Winterdarstellungen vom Untersee aus den Jahren 1933 und 1940 (Kat. 114, 115). Aus Briefen geht hervor, dass sich Dietrich vor dem Krieg und dem Nachbarland ängstigte, weshalb seine winterlichen Impressionen häufig als existentielle Metaphern für die Kriegsjahre und die Bedrohung durch das Dritte Reich interpretiert werden.[5] Die Winterbilder mit Untersee zeigen eine Uferlandschaft mit Blickrichtung auf die Halbinsel Höri und den Schienerberg, der sich zwischen Stein am Rhein und dem deutschen Horn erstreckt. Holzpfähle sind als Repoussoir prominent inszeniert und bilden mit ihrer plastischen Präsenz einen markanten Kontrast zur homogen gestalteten Fläche. Die aufgetürmte Schneemasse am unteren Bildrand von *Blauer Wintertag mit Schienerberg* (Kat. 116) – vermutlich durch das Freischaufeln eines Weges entstanden – erinnert formal an einen Schutzwall. Als Vorlagen für seine Winterdarstellungen dienten Dietrich, wie für viele Landschaftsansichten nach 1927, eigene fotografische Aufnahmen, die ihm ermöglichten mit ungewöhnlichen, fragmentarischen Bildausschnitten zu experimentieren.

[5] Ammann/Vögele 1994 (cf. note 1), p. 78.

[5] Ammann/Vögele 1994 (wie Anm. 1), S. 78.

110
Adolf Dietrich (1877 – 1957)
Paysage avec ferme/Lochmühle | *Landschaft mit Bauernhof/Lochmühle*
1926
Huile sur carton | Öl auf Malkarton
64 × 82 cm

111
Adolf Dietrich (1877 - 1957)
Pleine lune sur l'Untersee | *Vollmond über dem Untersee*
1919
Huile sur carton | Öl auf Karton
23,58 × 18 cm

112
Adolf Dietrich (1877 – 1957)
La vue du Hohen Kasten sur la vallée du Rhin | Blick vom Hohen Kasten auf das Rheintal
1925
Huile sur toile | Öl auf Leinwand
44 × 62 cm

113
Adolf Dietrich (1877 – 1957)
Atmosphère de crépuscule sur l'Untersee | Abendstimmung am Untersee
1926
Huile sur toile | Öl auf Leinwand
32,7 × 42,9 cm

114
Adolf Dietrich (1877 – 1957)
Paysage d'hiver sur l'Untersee | *Winterlandschaft am Untersee*
1933
Huile sur bois | Öl auf Hölz
58 × 66 cm

115
Adolf Dietrich (1877 - 1957)
Paysage de l'Untersee en hiver | Unterseelandschaft im Winter
1940
Huile sur contreplaqué | Öl auf Sperrholz
40 × 59,5 cm

116
Adolf Dietrich (1877 – 1957)
Journée d'hiver bleue avec vue sur le Schienerberger | *Blauer Wintertag mit Schienerberger*
1940
Huile sur papier sur carton | Öl auf Papier auf Karton
40,5 × 60,5 cm

Nature morte et portrait
Adolf Dietrich

Monika Brunner

Les animaux, en particulier les oiseaux et les papillons, tenaient une place importante dans la vie et dans l'œuvre d'Adolf Dietrich. Il était notamment membre de la Société ornithologique de Steckborn et possédait de nombreux animaux domestiques.[1] Ces derniers lui servaient aussi bien de modèles que de figures de second plan dans ses paysages, et ils l'accompagneront dans sa vie quotidienne toute sa vie durant. Les personnes qui lui rendent visite à l'atelier évoquent le nombre impressionnant d'animaux qui y sont rassemblés, les oiseaux qui volètent dans la pièce et les nombreux cochons d'Inde dans le jardin.[2] L'intérêt profond que Dietrich manifeste à l'égard du règne animal lui vaudra une grosse commande en 1937: le directeur du Séminaire de Kreuzlingen, Willi Schonhaus, lui demande de peindre des oiseaux chanteurs pour un livre sur les oiseaux destiné à ses cours. Le fait que de nombreuses images, telles le *Martin-pêcheur en vol* (Cat. 117), semblent résulter d'un montage provient de la méthode de travail de Dietrich, qui ajoutait en dernier les éléments naturels dans sa composition. Le plumage plutôt statique du martin-pêcheur ainsi que la rigidité des roseaux créent ainsi un «moment figé» – un «arrêt sur image» – qui rappelle une nature morte.[3] Pour ses motifs, l'artiste s'inspirait de sa propre collection d'animaux empaillés, renards, oiseaux ou fouines, ainsi que de divers manuels de référence illustrés.[4]

A la différence de ses paysages soigneusement composés, ses natures mortes de fleurs aux couleurs somptueuses, aux formes fragmentées assemblées à la manière d'un puzzle et peintes en filigrane, et ses peintures de jardinets restent réalistes dans leur facture. L'absence de structure rigoureuse et la texture précisément rendue confèrent à ses bouquets de fleurs des champs, notamment grâce aux papillons et autres insectes qu'il insère dans l'image, une

Stillleben und Bildnisse
Adolf Dietrich

Monika Brunner

Tiere, insbesondere Vögel und Schmetterlinge, besassen im Leben und Werk von Adolf Dietrich einen hohen Stellenwert. Davon zeugen seine Mitgliedschaft beim Ornithologischen Verein Steckborn und seine Haustiere.[1] Tiere dienten ihm als Modell sowie als Staffagefiguren in seinen Landschaftsbildern und begleiteten seinen Alltag bis an sein Lebensende. Besucherinnen und Besucher von Dietrichs Atelier berichteten über die eindrückliche Tiersammlung, über herumfliegende Vögel und über die zahlreichen Meerschweinchen im Garten.[2] Dietrichs eingehende Beschäftigung mit der Tierwelt brachte ihm 1937 einen Grossauftrag ein: Der Kreuzlinger Seminardirektor Willi Schonhaus bat ihn, Singvögel für ein Vogelbuch, das für den Unterricht gedacht war, zu malen. Dass viele Darstellungen wie *Eisvogel im Flug* (Kat. 117) montageähnlich angeordnet erscheinen, ist auf Dietrichs Arbeitsweise zurückzuführen, Naturelemente später in die Komposition einzufügen. Entsprechend erzeugen das statisch wirkende Federkleid des *Eisvogels* ebenso wie die Starrheit der Schilfhalme einen «eingefrorenen Moment», der an Stillleben erinnert.[3] Vorbilder für seine Motive fand der Künstler in seiner eigenen Sammlung an Tierpräparaten von Füchsen, Vögeln und Mardern sowie in diversen illustrierten Nachschlagewerken.[4]

Im Unterschied zu den konstruierten, landschaftlichen Sujets sind die filigranen, farbenprächtigen, vielteilig komponierten Blumenstillleben und die kleinräumigen Gartenstücke naturgetreu wiedergegeben. Der Verzicht auf eine strenge Gliederung und die präzis gemalte Stofflichkeit verleihen den artenreichen Wiesenblumensträussen, auch dank der Schmetterlinge und Falter, eine natürliche Frische und Lebendigkeit.

[1] Landert/Messmer 2002 (cf. note 3), p. 172, 182.

[2] Urs Oskar Keller, *Adolf Dietrich – ein Künstlerleben am See*, Frauenfeld, 2002, p. 218.

[3] Margot Riess, *Der Maler und Holzfäller Adolf Dietrich*, Zurich et Leipzig [1927], p. 8.

[4] Ammann/Vögele 1994 (cf. note 1), p. 56.

[1] Landert/Messmer 2002 (wie Anm. 3), S. 172, 182.

[2] Urs Oskar Keller, *Adolf Dietrich – ein Künstlerleben am See*, Frauenfeld 2002, S. 218.

[3] Margot Riess, *Der Maler und Holzfäller Adolf Dietrich*, Zürich und Leipzig [1927], S. 8.

[4] Ammann/Vögele 1994 (wie Anm. 1), S. 56.

117
Adolf Dietrich (1877 – 1957)
Martin-pécheur en vol | *Eisvogel im Flug*
1950
Huile sur contreplaqué | Öl auf Sperrholz
40,5 × 51 cm

fraîcheur naturelle et une grande vivacité. Dietrich a peint la plupart de ces natures mortes directement devant l'original, et il s'avère en cela être un peintre réaliste.[5] Il arrangeait ses bouquets dans des vases et les disposait devant la fenêtre de son atelier donnant sur le jardin. Comme il travaillait longtemps ses tableaux et que les fleurs menaçaient de se flétrir, il devait les photographier au préalable, afin de pouvoir achever l'image en se basant sur le cliché. D'ordinaire, Dietrich cueillait les fleurs lors de ses promenades dans les environs de Berlingen, mais parfois, il laissait à quelqu'un d'autre le soin de composer le bouquet, à moins qu'il ne l'ait reçu en cadeau. Dans les *Trois bouquets* (Cat. 118), les fleurs sont disposées dans trois vases de taille différente. Les fleurs des champs peintes minutieusement, avec un luxe de détails, s'assemblent pour former un tout homogène. Dans ce tableau, la présence de papillons et de chenilles témoigne de l'intérêt que Dietrich porte à toutes les créatures, même les plus petites. Pour représenter des insectes, l'artiste recourait souvent à sa vaste collection de papillons, qu'il conservait en partie dans des vitrines. Il cherchait également des idées dans ses ouvrages d'histoire naturelle richement illustrés de planches en couleurs, par exemple le *Schmetterlingsbuch* («Livre des papillons») du naturaliste allemand Friedrich Berge, qui compte environ 1600 illustrations, et dont il possédait un exemplaire, ainsi que *Les Papillons dans la nature* de Paul-André Robert.[6] Il est frappant de constater combien la juxtaposition de chenilles et de papillons est fréquente dans les livres d'histoire naturelle, tel celui de Maria Sibylla Merian (1647–1717), *Metamorphosis insectorum Surinamensium,* paru en 1705, où sont reproduits différents papillons et coléoptères à divers stades de développement. Les insectes des natures mortes aux fleurs de Dietrich font également référence au thème de la métamorphose auquel l'artiste s'intéressait aussi en relation avec le cours des saisons. En imitant la réalité concrète, Dietrich pouvait en outre démontrer son savoir-faire. L'anecdote de Zeuxis et de Parrhasios relatée par Pline l'Ancien, selon laquelle un peintre ne maîtriserait la reproduction fidèle de la nature que s'il réussit à tromper le spectateur grâce à son art, est l'un des *topos* de la peinture de nature morte.[7] Au contraire des fleurs des champs, celles des jardins, comme la vue macroscopique des *Crocus* (Cat. 119), permettent une étude prolongée sur le mo-

Dietrich malte die meisten seiner Blumenstillleben direkt vor dem Original, darin bewies er sich als Realisten.[5] Er arrangierte die Sträusse in Vasen und stellte sie vor sein Fenster mit Blick auf den Garten. Da er lange an seinen Bildern arbeitete und die Blumen zu verwelken drohten, musste er seine Bouquets vorgängig fotografieren, um sie später nach der Fotografie beenden zu können. Für gewöhnlich pflückte Dietrich die Blumen auf seinen Spaziergängen in der Berlinger Umgebung, bisweilen liess er die Sträusse von anderen zusammenstellen oder erhielt sie geschenkt. *Drei Blumensträusse* (Kat. 118) setzt sich aus drei einzelnen Bouquets zusammen, die auf unterschiedlich grosse Vasen verteilt sind. Die detailgetreu und sorgfältig gemalten Feldblumen fügen sich zu einem einheitlichen Ganzen zusammen. Dietrichs Aufmerksamkeit für die kleinen Dinge zeigt sich bei *Drei Blumensträusse* etwa in Gestalt der Schmetterlinge und Raupen. Der Künstler griff für die Darstellung von Insekten häufig auf seine eigene umfangreiche Schmetterlingssammlung zurück, die er teils in Schaukästen aufbewahrte. Ideen holte er sich auch von reich illustrierten, farbigen Naturkundebüchern, etwa Berge's *Schmetterlingsbuch* mit seinen rund 1600 Abbildungen, von dem er ein Exemplar besass, sowie von Paul-André Roberts *Les Papillons dans la Nature.*[6] Auffallend ist das Nebeneinander von Raupen und Schmetterlingen, das sich häufig in naturwissenschaftlichen Fachbüchern findet, so in Maria Sibylla Merians (1647–1717) *Metamorphosis* von 1705, worin verschiedene Entwicklungsstadien von Faltern und Käfern abbildet sind. Die Insekten in Dietrichs Blumenstillleben thematisieren ebenfalls die Metamorphose, für die sich der Künstler auch im Zusammenhang mit dem Wandel der Jahreszeiten interessierte. Mit der Imitation der realen Wirklichkeit konnte Dietrich sein Können unter Beweis stellen. Plinius Erzählung von Zeuxis und Parrhasios, wonach ein Maler die getreue Nachahmung der Natur dann beherrscht, wenn es ihm gelingt, den Betrachter mit seiner Kunst zu täuschen, ist ein Topos der Stilllebenmalerei.[7] Im Unterschied zu den Feldblumen erlauben Gartenstücke, wie die Makroansicht der *Krokusse* (Kat. 119), ein längeres Studium vor Ort. In den angeschnittenen Rändern und in der All-Over Malerei

[5] *Id.*, p. 82.

[6] Karl Friedrich Wilhelm Berge, *Berge's Schmetterlingsbuch nach dem gegenwärtigen Stand der Lepidopterologie*, revu et publié par le prof. Dr. H. Rebel de Vienne, Stuttgart, 1910. Paul-A. Robert, *Les Papillons dans la nature. 64 planches en couleurs et monographies*, Neuchâtel, éd. Delachaux & Nestlé A. A., 1934.

[7] Claudia Fritzsche, *Der Betrachter im Stillleben. Raumerfahrung und Erzählkunst in der niederländischen Stilllebenmalerei des 17. Jahrhunderts*, Weimar, 2010, p. 37.

[5] *Ebd.*, S. 82.

[6] Karl Friedrich Wilhelm Berge, *Berge's Schmetterlingsbuch nach dem gegenwärtigen Stand der Lepidopterologie* neu bearbeitet und hrsg. v. Professor Dr. H. Rebel in Wien, Stuttgart 1910. Paul-A. Robert, *Les Papillons dans la Nature. 64 Planches en couleurs et monographies*, Neuchâtel: Delachaux & Nestlé A. A., 1934.

[7] Claudia Fritzsche, *Der Betrachter im Stillleben. Raumerfahrung und Erzählkunst in der niederländischen Stilllebenmalerei des 17. Jahrhunderts*, Weimar 2010, S. 37.

118
Adolf Dietrich (1877 – 1957)
Trois bouquets | Drei Blumensträusse
1928
Huile sur carton | Öl auf Karton
40,5 × 60,5 cm

tif. Les bordures tronquées et le traitement *all-over* de la surface constituent une particularité de la conception de Dietrich, qui s'oriente sur un langage visuel «abstrahisant».[8]

Les enfants comptent parmi les modèles préférés du peintre de Berlingen. Si certains portraits sont des œuvres de commande, il en a réalisé d'autres, tels ceux des enfants du voisinage qu'il peint après 1921, de sa propre initiative. Il faisait plusieurs études préparatoires et esquisses, probablement parce que ses jeunes modèles ne pouvaient pas rester immobiles longtemps. Certains semblent même s'être endormis lors de la séance de pose, comme l'enfant assoupi (Cat. 120) de l'image présente. La composition oblique, dans laquelle le corps semble littéralement glisser hors du champ de l'image, est là encore étonnante. Le peintre s'est vraisemblablement assis tout près de son modèle, afin de pouvoir mieux saisir son attitude et la tendre expression de son visage. Ce portrait d'enfant baigne – comme les jardins fleuris – dans une atmosphère où dominent les teintes de rouges, de verts et de jaunes saturés, révélant la vision de la nature heureuse et sereine qui était celle d'Adolf Dietrich.

zeigen sich in dieser Darstellung zudem charakteristische Merkmale von Dietrichs Verständnis für eine abstrahierte Bildsprache.[8]

Kinder gehörten zu den bevorzugten Modellen des Berlinger Malers. Einige führte er im Auftrag aus, andere, wie die meisten nach 1921 gemalten Bildnisse von Nachbarskindern, entstanden aus eigenem Antrieb. Er hielt die Kinder in mehreren Vorstudien und Skizzen fest, vermutlich auch deshalb, weil die Kleinen kaum für längere Zeit stillsitzen konnten. Einige scheinen dabei eingenickt zu sein, wie das schlafende Kind (Kat. 120) im vorliegenden Bild suggeriert. Wiederum ist die Schräglage der Komposition auffallend, in welcher der Körper förmlich aus dem Bild gleitet. Vermutlich sass der Maler in unmittelbarer Nähe seines Modells, um seine Haltung und seinen zarten Ausdruck erfassen zu können. Das Kinderporträt ist - ähnlich der blühenden Gartenbilder - in satte Rot-, Grün- und Gelbtöne getaucht und offenbart wie diese Dietrichs lebensfrohe, heitere Naturanschauung.

[8] Amann/Vögele 1994 (cf. note 1), pp. 87–88.

[8] Amann/Vögele 1994 (wie Anm. 1), S. 87–88.

119
Adolf Dietrich (1877 – 1957)
Crocus | Krokusse
1939
Huile sur contreplaqué | Öl auf Sperrholz
23,58 × 18 cm

120
Adolf Dietrich (1877 – 1957)
Enfant assoupi | Schlafendes Kind
1932
Huile sur carton | Öl auf Karton
30,2 × 44,8 cm

Tradition et modernisme
Max Buri, Ernest Biéler, Gottardo Segantini, Ernst Geiger, Cuno Amiet, Augusto Giacometti

Monika Brunner

Les méthodes de composition progressives de Ferdinand Hodler – aplanissement de l'image sur la toile et accentuation des contours axés sur l'effet visuel à distance ainsi que répétitions de couleurs et de formes – sont des caractéristiques propres aux débuts de la peinture moderne antinaturaliste, telle que la pratiquaient les Nabis français gravitant autour de Maurice Denis vers 1900. Certains artistes suisses s'opposent toutefois à l'art national dominant incarné par Hodler. C'est le cas notamment de Gustave Buchet, qui, avec Alice Bailly et Otto Morach, se tourne vers le cubisme aux alentours de 1910.[1] D'autres contemporains et compagnons de route de Hodler, comme Max Buri, Ernest Biéler et Cuno Amiet, resteront délibérément attachés au figuratif et chercheront à définir des orientations stylistiques novatrices à l'intérieur de la peinture traditionnelle. Ainsi Max Buri, natif de Berthoud (Burgdorf), donne-t-il un nouveau souffle à la peinture de genre, notamment le portrait de groupe. S'inspirant des peintures narratives de Hodler à ses débuts, il développe bientôt son propre langage visuel, qui, avec ses formes claires et dépouillées et ses aplats de couleurs saturées, cernés de contours compacts, présente les éléments typiques de la peinture moderne. En revanche, ses portraits de la société paysanne, qui tombent parfois dans l'anecdotisme, restent plutôt conventionnelles. Max Buri trouvait ses sujets et ses modèles dans l'Oberland bernois, plus précisément dans la commune de Brienz où il s'était installé en 1903. Comme dans d'autres portraits de groupe, pour son tableau *L'Orchestre* (Cat. 121) où l'on voit un groupe de musiciens réunis dans un espace chichement meublé auquel l'estrade confère un aspect théâtral, l'artiste a dû reconstituer la scène dans son atelier. Les poses typiques et les expressions de ces musiciens replets lui confèrent une note humoristique. Les reflets lumineux

Tradition und Modern
Max Buri, Ernest Biéler, Gottardo Segantini, Ernst Geiger, Cuno Amiet, Augusto Giacometti

Monika Brunner

Ferdinand Hodlers progressive Gestaltungsmethoden – die auf Fernwirkung angelegte Flächigkeit und Betonung der Kontur, sowie seine Form- und Farbwiederholungen – sind Merkmale der antinaturalistischen frühen Moderne, wie sie etwa um 1900 von der französischen Nabis um Maurice Denis bekannt sind. Gegen die vorherrschende nationale Kunst Hodlers widersetzten sich Schweizer Kunstschaffende, etwa Gustave Buchet, der sich zusammen mit Alice Bailly und Otto Morach um 1910 dem Kubismus zuwandte.[1] Andere Zeitgenossen und Weggefährten Hodlers wie Max Buri, Ernest Biéler und Cuno Amiet blieben bewusst dem Gegenständlichen verhaftet und suchten innerhalb der traditionellen Malerei, innovative stilistische Akzente zu setzen. Max Buri etwa gab der Genremalerei, und im Speziellen dem Gruppenporträt, neuen Auftrieb. Ausgehend von Hodlers frühen narrativen Darstellungen entwickelte er eine eigene Bildsprache, die in ihren klaren, reduzierten Formen und kompakt umrissenen, satten Farbflächen Merkmale der Moderne zeigt. Dagegen bleibt die Schilderung der bäuerlichen Gemeinschaft, die zuweilen anekdotische Züge annimmt, konventionellen Darstellungen verhaftet. Sujets und Modelle für seine Figuren fand Buri in der Berner Oberländer Gemeinde Brienz, wo sich der Burgdorfer 1903 niedergelassen hatte. Wie bei anderen Gruppenporträts dürfte es sich bei den *Tanzmusikanten* (Kat. 121), die in einem spärlich möblierten, bühnenartigen Raum gruppiert sind, um eine rekonstruierte Szene im Atelier des Künstlers handeln. Die charakteristischen Posen und der typisierende Ausdruck der vor Gesundheit strotzenden Musikanten verleihen dem Sujet eine humoristische Note. Die Licht reflektierenden Oberflächen der Karaffen und Gläser – ein wiederkehrendes Sujet bei Buri – das florale Muster des Gilets und der

---

[1] *Innovation und Tradition, Die Kunstsammlung der Mobiliar*, Berne, Stämpfli Verlag, 2001, p. 68.

[1] *Innovation und Tradition, Die Kunstsammlung der Mobiliar*, Bern: Stämpfli Verlag, 2001, S. 68.

des carafes et des verres – un sujet récurrent chez Buri –, le motif floral du gilet du joueur d'accordéon schwytzois et la courroie en cuir de l'instrument, ornée de gentianes peintes, témoignent de son amour du détail. Malgré la composition statique, les figures monumentales donnent à la scène une extraordinaire vivacité. En 1912, deux toiles de Max Buri, *L'Orchestre* et *Dampschiffahrt* [« Sur le bateau à vapeur »] seront exposées dans la section Peinture monumentale décorative de la grande exposition d'art à Dresde, où l'on pouvait admirer également quelques tableaux de Hodler.[2]

Ernest Biéler s'intéresse lui aussi à la culture paysanne régionale. Comme Buri, il a grandi dans un milieu urbain, et vers 1900, il se retirera dans le cadre champêtre de Savièse, dans les Alpes valaisannes. Le monde rural offrait en effet une sorte de contre-miroir au monde moderne, qui était ressenti comme une menace pour les valeurs familières et les traditions séculaires.[3] Biéler a magnifiquement exprimé sa profonde admiration pour le paysage et le peuple valaisan au moyen de portraits en gros-plan et de motifs textiles décoratifs réalisés en aplat sur de vastes surfaces. Ses peintures impressionnantes, qui rendent hommage à la vie quotidienne, dégagent une forte présence. Dans ces portraits valaisans qui incarnent un type d'humanité plutôt qu'un individu particulier et, en ce sens, sont proches des figures symboliques de Hodler, on est en présence de ce que l'on peut appeler un « réalisme atemporel ».[4] *Le pèlerin d'Einsiedeln* (Cat. 122) fait partie de la fameuse série des petites « têtes » expressives de Saviésans, rendues dans un cadrage resserré, que Biéler réalise à partir de 1906. Ce portrait, vu sous un angle extrêmement rapproché, montre le visage de trois quarts du pèlerin, dont le regard se dérobe. Les ongles de ses pouces, légèrement noircis, le situent indéniablement, malgré son air distant, dans le monde terrestre. Le personnage est représenté devant un motif graphique de rinceaux, qui montre à droite la Vierge couronnée, à côté de laquelle on reconnaît la couronne de l'Enfant Jésus. Le motif du fond rappelle une gravure sur bois de la Vierge Noire d'Einsiedeln datant de la fin du XVIIᵉ siècle; sa coiffure et le motif qui orne son somptueux manteau présentent des similitudes frappantes. L'interaction entre la figure, de facture réaliste, avec les rides du

mit Enzianen bemalte Handriemen des Schwyzerörgelis zeugen von Buris Affinität für motivische Details. Die denkmalartig wirkenden Figuren verleihen der Szenerie, trotz der statischen Komposition, eine ausserordentliche Lebendigkeit. 1912 war Buri mit seinen Gemälden *Tanzmusikanten* und *Dampfschiffahrt* in der Monumental-dekorativen Abteilung der grossen Kunstausstellung in Dresden vertreten, wo auch einige Bilder von Hodler zu sehen waren.[2]

Auch Ernest Biéler zeigte ein Interesse an der regionalen, bäuerlichen Kultur. Wie Buri entstammte er einem städtischen Milieu und zog sich um 1900 in die ländliche Umgebung der Walliser Bergwelt von Savièse zurück. Die bäuerliche Tradition bot eine Gegenwelt zur Moderne, die als Gefahr für das Vertraute und Bewährte empfunden wurde.[3] Biéler brachte seine tiefe Bewunderung für die Walliser Landschaft und Bevölkerung mit bildfüllenden Bildnissen und mit Darstellungen von grossflächigen, dekorativen Stoffmustern zur Geltung. Seine markanten Bilder würdigen das Alltägliche und bewirken eine starke Präsenz. Ein «zeitloser Realismus» ist in den Walliser Porträts erkennbar, die stärker den Typus als das Individuum verkörpern und darin Hodlers symbolistischen Figuren nahestehen.[4] *Le pèlerin d'Einsiedeln* (Kat. 122) gehört zur Serie der kleinformatigen Savièser Charakterköpfe mit engem Bildausschnitt, die Biéler ab 1906 ausführte. Die extrem nahsichtige Wiedergabe zeigt den Pilger in Dreiviertelansicht mit abgewandtem Blick. Die leicht geschwärzten Nägel der Daumen verorten die Figur trotz ihrer Entrücktheit in die irdische Welt. Der Dargestellte wird von einem grafisch-flächigen Rankenmotiv hinterfangen, das rechts die gekrönte Madonna zeigt, neben der die Krone des Jesuskindes zu erkennen ist. Das Hintergrundmotiv zeigt Ähnlichkeiten mit einem um 1800 ausgeführten Holzschnitt der Schwarzen Madonna von Einsiedeln, vor allem der Kopfschmuck und das Stoffmuster des prunkvollen Gewandes weisen Übereinstimmungen auf. Auffallend ist das Zusammenspiel der realistisch gestalteten Figur mit den ornamental ondulierenden Stirnfalten und dem Rankenmuster, das Biélers Nähe zum Jugendstil manifestiert.

[2] *Grosse Kunstausstellung Dresden 1912*, cat. exp., Dresde, Städtischer Ausstellungspalast an der Stübelallee, 1912; Dresde, Wilhelm und Bertha v. Baensch Stiftung, 1912, n° 1818 (*Die Tanzmusikanten*).

[3] Christine Burckhardt-Seebass, «Dialektmalerei», in: *Schweizerisches Archiv für* Volkskunde, vol. 85, 1989 (fascicule 1–2) Fest und Brauch, Festschrift für Eduard Strübin zum 75. Geburtstag, pp. 73–84.

[4] Matthias Frehner, «Geträumte Wirklichkeit. Ernest Biéler und die Kunst seiner Zeit», in: *Ernest Biéler (1863–1948)*, pp. 15–39, cat. exp., Berne, Kunstmuseum 8.7–13.11.2011; Martigny, Fondation Gianadda, 1.12.2011–26.2.2012, pp. 15–39 ; ici, p. 18.

[2] *Grosse Kunstausstellung Dresden 1912*, Ausst.-Kat. Dresden, Städtischer Ausstellungspalast an der Stübelallee, 1912, Dresden: Wilhelm und Bertha v. Baensch Stiftung, 1912, Nr. 1818 (*Die Tanzmusikanten*).

[3] Christine Burckhardt-Seebass, «Dialektmalerei», in; *Schweizerisches Archiv für* Volkskunde, Bd. 85, 1989 (Heft 1–2) Fest und Brauch: Festschrift für Eduard Strübin zum 75. Geburtstag, S. 73–84.

[4] Matthias Frehner, «Geträumte Wirklichkeit. Ernest Biéler und die Kunst seiner Zeit», in: *Ernest Biéler (1863–1948)*, S. 15–39, Ausst.-Kat. Kunstmuseum Bern, 8.7.–13.11.2011; Martigyn, Fondation Gianadda, 1.12.2011–26.2.2012. S. 15–39, hier, S. 18.

121
Max Buri
L'Orchestre | Tanzmusikanten
1905
Huile sur toile | Öl auf Leinwand
115 × 176 cm

front ondulant tel un ornement, et le motif de rinceaux, met en évidence l'influence de l'Art nouveau sur Biéler. Bien qu'il ait étudié à Milan, Gottardo Segantini, fils de Giovanni, appréciait la vie rurale. De même que Buri et Biéler, il se retire de manière conséquente dans l'Engadine. Sauf quelques brefs séjours à Milan, Rome et Zurich, il vivra la plupart du temps dans la Maloja, où il avait passé la plus grande partie de son enfance. Il expliquera un jour à sa sœur Bianca les raisons possibles de son attachement indéfectible à cette région: « Les gens gardent au fond d'eux-mêmes, consciemment ou non, l'image du paysage où leurs ancêtres ont vécu durant des générations, et cela joue un rôle décisif pour le parcours professionnel de leurs descendants. »[5] À Maloja, Gottardo marche sur les traces de son père et continue d'utiliser la technique picturale divisionniste de ce dernier. Il peint lui aussi les montagnes de l'Engadine, mais, contrairement à Giovanni, il se concentre exclusivement sur le paysage, renonçant la plupart du temps à toute présence humaine ou animale. Son amour des Grisons se manifeste dans un coloris éclatant et sa prédilection pour les motifs d'alpages. *Soirée d'hiver* (Cat. 123) restitue une image pleine de vie de la montagne, malgré la saison hivernale. Les sapins ordonnés en demi-cercle au premier plan, le champ de neige légèrement courbe, bordé d'un paysage de collines boisées, la ligne dynamique de la chaîne de montagnes aux couleurs lumineuses et la traînée de nuages en forme de vagues contre un ciel d'azur contribuent à animer la composition.

Ernst Samuel Geiger (1876–1965), qui a grandi à Brugg, s'est lui aussi inspiré de Giovanni Segantini. Botaniste et garde forestier, il avait séjourné à Soglio en 1899 pour rédiger sa thèse de doctorat et s'était familiarisé avec le monde visuel du peintre de l'Engadine. Geiger, qui sera connu plus tard sous le nom de « peintre du lac de Bienne », se montre réservé face aux nouveaux développements de la peinture et s'orientera plutôt sur des artistes des générations plus anciennes, comme Hodler, Amiet et Giovanni Giacometti. Il a un penchant pour les paysages émotionnels, dans lesquels il transpose picturalement l'atmosphère lumineuse d'un paysage d'hiver ensoleillé dans des couleurs claires et réalistes, brossées d'un pinceau expressif. *Val Nuna* (Cat. 124), une vallée latérale au sud de l'Inn, près d'Ardez, représente un paysage de neige étincelant immergé dans des teintes de bleu clair et de bleu foncé. Le sommet le plus élevé souligne l'axe central, tandis que, du point de vue de la composition, les maisons créent un équilibre par rapport aux contreforts de la montagne. Les larges coups de pinceau dynamiques et les

Gottardo Segantini teilte mit Buri und Biéler den Wunsch, sich in eine ländliche Gegend niederzulassen. Der Sohn von Giovanni Segantini vollzog seinen Rückzug konsequent, denn abgesehen von kurzen Aufenthalten in Mailand, Rom und Zürich wohnte Gottardo die meiste Zeit seines Lebens in Maloja, wo er einen grossen Teil seiner Kindheit verbracht hatte. Gegenüber seiner Schwester Bianca äusserte er sich einmal über die möglichen Gründe seiner engen Bindung an das Engadin: «Die Menschen tragen das Bild der Landschaft, in der ihre vergangenen Generationen gelebt haben, als Traum bewusst oder unbewusst in sich, und es ist mitbestimmend am Werdegang der Nachkommenschaft.»[5] In Maloja trat Gottardo in die Fussstapfen seines Vaters und führte dessen divisionistische Maltechnik in seinen Darstellungen der Bündner Bergwelt weiter. Im Unterschied zu Giovanni malte er häufig reine Landschaften und verzichtete auf Tier- und Figurenstaffagen. Gottardos Passion für das Graubünden manifestiert sich im leuchtenden Kolorit und den Motiven der Alpenwelt. *Sera d'inverno* (Cat. 123) gibt trotz der kalten Jahreszeit ein belebtes Winterbild wieder. Die in einem Halbkreis angeordneten Tannen, das leicht gekrümmte Schneefeld, an das eine hügelig bewaldete Zone anschliesst, der dynamische Verlauf des vielfarbig leuchtenden Gebirges und die wellenförmigen Wolkenschleier am hellblauen Himmel tragen zur Lebendigkeit der Komposition bei.

Auch der in Brugg aufgewachsene Ernst Samuel Geiger (1876–1965) nahm sich Giovanni Segantini zum Vorbild. Der Botaniker und Forstwirtschafter, der 1899 für seine Doktorarbeit in Soglio weilte, hatte sich im Engadin mit Segantinis Bilderwelt vertraut gemacht. Der später als «Der Maler des Bielersees» bekannt gewordene Geiger zeigte sich gegenüber neueren Entwicklungen zurückhaltend und orientierte sich vielmehr an Künstlern früherer Generationen wie Hodler, Amiet und Giovanni Giacometti. Geiger tendierte zu Stimmungslandschaften, in denen er die lichtvolle Atmosphäre einer sonnigen Winterlandschaft mit klaren, naturgetreuen Farben und einem expressiven Pinselduktus malerisch umsetzte. *Val Nuna* (Kat. 124), ein südlich des Inn gelegenes Seitental bei Ardez, gibt eine in hellen und dunklen Blautönen getauchte leuchtende Schneelandschaft wieder. Der dominante Gipfel markiert die Mittelachse, während die Häuser einen kompositorischen Ausgleich zu den Abhängen schaffen. Der breite, dynamische Farbauftrag und die

5 Bianca Segantini, «Jugenderinnerungen», pp. 61–68, in: *Gottardo Segantini. Festschrift zu seinem 80. Geburtstag*, Zurich et Stuttgart, Rascher Verlag, 1962; ici, cit. p. 61.

5 Bianca Segantini, «Jugenderinnerungen», S. 61–68, in: *Gottardo Segantini. Festschrift zu seinem 80. Geburtstag*, Rascher Verlag und Zürich und Stuttgart, 1962, hier / Zit. S. 61.

122
Ernest Biéler
Le pèlerin d'Einsiedeln | *Der Pilger*
von Einsiedeln
1911
Huile sur toile | Öl auf Leinwand
45 × 26 cm

255

taches incurvées jaune clair soulignant les arêtes ensoleillées rappellent celles du *Paysage d'hiver* que Cuno Amiet a peint en 1909.[6]

Après avoir été traité avec mépris d'« épigone de Hodler » à l'occasion d'une présentation des deux peintres à l'exposition de la Sécession viennoise de 1904, Cuno Amiet s'empressera de se libérer de l'emprise du peintre bernois. En déclarant la primauté de la couleur dans son art, il se délimitera clairement de Hodler, qui, durant une longue période, privilégiera la forme. La diversité stylistique d'Amiet atteste de son intérêt pour différents courants artistiques comme l'impressionnisme, le fauvisme ou l'expressionnisme. *Le Gummfluh* (Cat. 125), qu'il peint pendant son séjour à Gstaad au cours de l'été 1921, en témoigne également. La composition, qui fait penser à un collage, les formes dynamiques, les différentes perspectives ainsi que les oranges et les rouges saturés s'apparentent au langage visuel de Kirchner. Le trait, dynamique et généreux, est typique des paysages réalisés par Amiet en 1918 et au début des années 1920, tandis que la fragmentation de la surface au moyen de petites touches colorées, avec laquelle les zones boisées sont rendues, dénote plutôt une approche divisionniste.[7] Dans ces paysages expressifs, caractérisés par leur coloris éclatant et une gestuelle picturale impulsive, le peintre se trouvait alors au sommet de son art.[8] Une version plus grande du *Gummfluh* ainsi que 50 autres œuvres de Cuno Amiet brûleront dans la nuit du 6 juin 1931, lors de l'incendie du Palais des glaces à Munich.[9] Après cette perte douloureuse, en automne de la même année, le peintre se retirera durant quelques semaines à Hilterfingen, au bord du lac de Thoune, où il peindra des vues baignées de lumière, comme le *Lac de Thoune avec la chaîne des Alpes* (Cat. 126) de la Collection Blocher. En souvenir du terrible incendie, il a ajouté une flamme stylisée à son monogramme. Le paysage lacustre, un motif exceptionnel chez Amiet, la structure horizontale de la composition, la palette réduite à des teintes monochromes et les aplats rappellent les paysages du Léman tardifs que Hodler a peints en 1917/1918.[10] Le degré d'abstraction élevé et le

Amiet holte zum Befreiungsschlag gegen Hodler aus, nachdem er anlässlich des gemeinsamen Auftritts an der Wiener Secessionsausstellung von 1904 abschätzig als Epigone des Berner Malers bezeichnet worden war. Indem er die Farbe zum Primat seiner Kunst erklärte, grenzte er sich klar von Hodler ab, der über längere Zeit die Form favorisierte. Amiets stilistische Vielseitigkeit belegt seine Auseinandersetzung mit unterschiedlichen künstlerischen Strömungen wie Impressionismus, Fauvismus, Expressionismus. Von dieser Stilvielfalt zeugt auch das Gemälde *Gummfluh* (Kat. 125), das Amiet während seines Aufenthalts im Sommer 1921 in Gstaad malte. Die collageartige Zusammenstellung, die dynamische Formgebung, die unterschiedlichen Perspektiven sowie die satten Orange- und Rottöne sind Kirchners Bildsprache verwandt. Der grossflächige, dynamische Duktus ist typisch für Amiets Landschaften zwischen 1918 und den frühen 1920er Jahren, während die kleinteilig strukturierten Flächen, mit denen die Waldzonen wiedergegeben sind, eine divisionistisch anmutende Pinselführung aufweist.[7] Amiet befand sich auf dem Höhepunkt seiner expressiven Landschaftsmalerei, die von einem leuchtende Kolorit und einem impulsiven Pinselgestus geprägt ist.[8] Eine grössere Version der *Gummfluh* verbrannte zusammen mit 50 weiteren Werken Amiets in der Nacht auf den 6. Juni 1931 im Münchner Glaspalast.[9] Nach dem schmerzlichen Verlust zog sich der Künstler im Herbst des gleichen Jahres für einige Wochen nach Hilterfingen am Thunersee zurück und malte einige lichtdurchfluteten Ansichten wie *Thunersee mit Alpenkette* (Kat. 126) aus der Sammlung Blocher. In Erinnerung an den verheerenden Brand ergänzte er sein Monogramm mit einer stilisierten Flamme. Die Seelandschaft, ein für Amiet aussergewöhnliches Motiv, der horizontale Bildaufbau, die reduzierte monochrome Farbpalette und die planen Flächen rufen Hodlers späte Genferseelandschaften von 1917/1918

[6] Franz Müller et Viola Radlach, avec la collaboration de Larissa Ullmann, *Cuno Amiet. Die Gemälde 1883–1919* (Institut suisse pour l'étude de l'art, Catalogues raisonnés d'artistes suisses, vol. 28), Zurich: Scheidegger & Spiess, 2014; n° 1909.19.

[7] Id., p. 517.

[8] Id., p. 17.

[9] Henriette Mentha/Urs Zaugg, *Cuno Amiet und die Schicksalsnacht in München*, Stiftung Karl und Jürg Im Obersteg Oberhofen, 2002, n° 29, *Gummfluh*, 1921, 98 x 91 cm.

[10] Ferdinand Hodler, *Genfersee mit Mont-Blanc im Dunst*, 1918, huile sur toile, 60 x 80 cm, Musée d'art et d'histoire, CR n° 593.

[6] Franz Müller und Viola Radlach, unter der Mitarbeit von Larissa Ullmann, *Cuno Amiet. Die Gemälde 1883–1919* (Schweizerisches Institut für Kunstwissenschaft, Œuvrekataloge Schweizer Künstler und Künstlerinnen 28), Zürich: Scheidegger & Spiess, 2014; Nr.1909.19.

[7] Ebd., S. 517.

[8] Ebd., S. 17.

[9] Henriette Mentha/Urs Zaugg, *Cuno Amiet und die Schicksalsnacht in München*, Stiftung Karl und Jürg Im Obersteg Oberhofen, 2002, Nr. 29, *Gummfluh*, 1921, 98 x 91 cm.

123
Gottardo Segantini
Soirée d'hiver | *Sera d'inverno*
1919
Huile sur toile | Öl auf Leinwand
105 × 152 cm

recours à des moyens stylistiques postimpressionnistes et des débuts de l'expressionnisme distinguent Cuno Amiet comme l'un des pionniers de la peinture européenne du XXᵉ siècle.[11]

Augusto Giacometti[12] compte parmi les artistes qui, en dehors de Paul Klee, ont cherché de manière conséquente à pratiquer une peinture non figurative et qui, avec leur langage visuel autonome, se sont clairement démarqués de leurs prédécesseurs et modèles, Giovanni Giacometti et Hodler. Cet artiste « marginal », né à Stampa, au Tessin, est considéré comme l'un des rénovateurs de l'art du vitrail et un important représentant de la peinture murale monumentale du XXᵉ siècle. Comme Amiet, Giacometti privilégie la couleur, mais tend plus fortement que celui-ci à une conception chromatique détachée de l'objet, en quelque sorte « dématérialisée ». Les taches de couleur éparpillées sur la surface à la manière d'une mosaïque, comme dans la *Fuite en Egypte* (Cat. 127), sont typiques de cette démarche. Contrairement aux représentations traditionnelles de ce thème biblique, les figures de la Sainte Famille ne sont pas au centre de l'image. En revanche, le gigantesque cercle lumineux et coloré qui remplit la majeure partie de la surface du tableau confère à la scène une dimension cosmique.

Giacometti s'intéressait particulièrement aux effets de la lumière translucide sur la couleur. Outre des vitraux colorés transparents, les pétales de fleurs se prêtaient à ces études. Dans de nombreuses natures mortes de fleurs, l'artiste transpose ses observations dans des compositions colorées quasiment immatérielles, où l'objet semble se dissoudre. La peinture des *Pivoines* illustre ce va-et-vient entre la peinture figurative et la peinture abstraite, les transitions colorées fluides créant un effet diffus. Dans la perspective de l'expressionnisme abstrait, surtout de la *color-field painting* dans l'Amérique des années 1950, et du mouvement des peintres concrets zurichois, Augusto Giacometti se profile comme un pionnier et un précurseur de la peinture abstraite suisse du XXᵉ siècle.[13]

in Erinnerung.[10] Der hohe Abstraktionsgrad und die Anlehnung an nachimpressionistische und frühexpressionistische Stilmittel zeichnet Amiet als Pionier der europäischen Malerei des 20. Jahrhunderts aus.[11]

Zu den Künstlern, die neben Paul Klee die ungegenständliche Malerei konsequent anstrebten und sich mit einer eigenständigen Bildsprache deutlich von den Vorbildern Giovanni Giacometti und Hodler lösten, gehört der «Aussenseiter» Augusto Giacometti.[12] Der in Stampa geborene Künstler gilt als Erneuerer der Glasmalerei und wichtiger Vertreter der monumentalen Wandmalerei im 20. Jahrhundert. Wie Amiet gab Giacometti der Farbe den Vorzug, tendierte aber stärker als jener zu einer vom Gegenstand gelösten, entmaterialisierten Farbauffassung. Bezeichnend dafür sind die mosaikartigen Farbflecken wie sie etwa bei *Flucht nach Ägypten* (Kat. 127) zur Anwendung kommen. Im Unterschied zu herkömmlichen Darstellungen des Themas stehen hier nicht die Figuren im Zentrum, sondern der bildfüllende Licht- und Farbkreis, der dem Geschehen eine kosmische Dimension verleiht.

Giacometti interessierte sich insbesondere für die Einwirkung des durchscheinenden Lichts auf die Farbe, wofür sich neben transparenten farbigen Glasfenstern auch Blütenblätter eigneten. In vielen Blumenstillleben verarbeitete der Künstler seine Beobachtungen zu annähernd entmaterialisierten Farbkompositionen, in denen sich der Gegenstand aufzulösen scheint. Die Darstellung *Pfingstrosen* verdeutlicht dieses Changieren zwischen gegenständlicher und abstrakter Malerei, worin Bereiche mit fliessenden Farbübergängen eine diffuse Wirkung erzeugen. Vor dem Hintergrund des abstrakten Expressionismus, vor allem der amerikanischen Colour Field Malerei der 1950er Jahre und der Zürcher Konkreten, avancierte Augusto Giacometti zum Vorläufer und Wegbereiter der abstrakten Schweizer Malerei des 20. Jahrhunderts.[13]

[11] Müller/Radlach 2014 (cf. note 6), pp. 18–19.

[12] Hans Hartmann. *Pionier der abstrakten Malerei. Ein Leben für die Farben*, [exposition; Coire, 20.7–13.9.1981], publié par le Bündner Kunstverein et le Bündner Kunstmuseum, Coire, 1981, p. 4; sur l'importance de Giacometti dans l'art suisse, voir Matthias Frehner, «Augusto Giacometti – ein zentraler Aussenseiter, Einführung und Dank», in: *Die Farbe und Ich. Augusto Giacometti*, cat. exp., Berne, Kunstmuseum, 19.9.2014–8.2.2015, publié par Matthias Frehner [et al.], Cologne: Wienand, 2014, pp. 9–15.

[13] Beat Stutzer, «Farbvisionen», in: Frehner 2015 (cf. note 12), pp. 31–43; ici, p. 31.

[10] Ferdinand Hodler, *Genfersee mit Mont-Blanc im Dunst*, 1918, Öl auf Leinwand, 60 x 80 cm, Musée d'art et d'histoire, CR Nr. 593.

[11] Müller/Radlach 2014 (wie Anm. 6), S. 18–19.

[12] Hans Hartmann. *Pionier der abstrakten Malerei. Ein Leben für die Farben*, [Ausstellung; Chur, 20.7.–13.9.1981], hrsg. vom Bündner Kunstverein und Bündner Kunstmuseum Chur, 1981, S. 4; zu Giacomettis Bedeutung in der Schweizer Kunst siehe Matthias Frehner, «Augusto Giacometti – ein zentraler Aussenseiter, Einführung und Dank», in: *Die Farbe und Ich. Augusto Giacometti*, Ausst.-Kat. Kunstmuseum Bern, 19.9.2014–8.2.2015, hrsg. von Matthias Frehner [et al.], Köln: Wienand, 2014, S. 9–15.

13 Beat Stutzer, «Farbvisionen», in: Frehner 2015 (wie Anm. 12), S. 31–43, hier S. 31.

124
Ernst S. Geiger
Val Nuna
Vers │ um 1914
Huile sur toile │ Öl auf Leinwand
65 × 56 cm

125
Cuno Amiet
Le Gummfluh | *Gummfluh*
1921
Huile sur toile | Öl auf Leinwand
60 × 55 cm

126
Cuno Amiet
Lac de Thoune avec la chaîne des Alpes | Thunersee mit Alpenkette
1931
Huile sur toile | Öl auf Leinwand
38 × 46 cm

127
Augusto Giacometti
La fuite en Egypte | *Flucht nach Ägypten*
1916
Huile sur toile | Öl auf Leinwand
140 × 138 cm (avec cadre d'origine | mit originalrahmen)

Biographies et listes des œuvres des artistes exposés
Biografien und Weklistenfür die ausgestelltenKünstlerr

Biogaphies par Matthias Frehner, Monika Brunner, Martha Degiacomi
Biografine von Matthias Frehner, Monika Brunner, Martha Degiacomi

Alexandre Calame
(Vevey 1810-1864 Menton)

Alexandre Calame grandit à Vevey dans des conditions modestes. Il doit interrompre l'école en raison de la situation précaire de ses parents. Après un apprentissage dans une banque genevoise, il doit subvenir aux besoins de la famille à la suite du décès prématuré de son père. En 1826, il commence à colorier des gravures avec vue suisses, que les touristes lui achètent. Dès 1829, il fréquente l'atelier du peintre alpestre genevois François Diday, qu'il surpassera bientôt par son talent. Il se consacre peu après entièrement à la peinture. Il expose en 1834 au musée Rath de Genève et à Berlin. Il réalise en 1837 son premier grand tableau, *Orage sur la Handeck*, qui lui vaut la médaille d'or de l'Exposition des beaux-arts de la ville de Paris en 1841. Napoléon III lui achète en 1855 à l'Exposition universelle pour 15 000 francs-or sa toile *Le Lac des Quatre-Cantons*. Il entreprend de nombreux voyages dans l'Oberland bernois, en Italie, Allemagne, Belgique, Londres et aux Pays-Bas. Sa santé devenant de plus en plus fragile, son médecin lui conseille de se rendre dans une région plus clémente. Il passe la dernière année de sa vie à Menton, dans le Midi de la France, où il meurt en 1864.

Alexandre Calame
(Vevey 1810-1864 Menton)

Calame kommt in ärmlichen Verhältnissen in Vevey zur Welt. Er muss wegen finanzieller Schwierigkeiten die Schule frühzeitig verlassen. Nach einer Bankenlehre in Genf muss er nach dem frühzeitigen Tod seines Vaters für den Unterhalt der Familie aufkommen. Ab 1826 koloriert er für Touristen Stiche mit Ansichten aus der Schweiz. 1829 erhält er Unterricht im Atelier des Alpenmalers François Diday, den er bald übertrifft. Widmet sich wenig später ausschliesslich der Malerei. Stellt 1834 im Genfer Musée Rath und in Berlin aus. Malt 1837 sein erstes berühmtes Grossgemälde *Orage sur la Handeck*, für das er 1841 in der Pariser Kunstausstellung eine Goldmedaille erhält. Napoleon III erwirbt 1855 auf der Pariser Weltausstellung das Gemälde *Lac des Quatre-Cantons* für 15'000 Goldfranken. Unternimmt viele Reisen ins Berner Oberland, nach Italien, Deutschland, Belgien, London und Holland. Wegen schlechter Gesundheit rät ihm sein Arzt, in milderen Regionen zu leben. Während des letzten Lebensjahres weilt der Maler im südfranzösischen Menton, wo er 1864 stirbt.

1. *Grands sapins* | *Grosse Tannen*, huile sur papier sur toile | Öl auf Papier über Leinwand, 52,3 × 43,3

Johann Gottfried Steffan
(Wädenswil 1815-1905 Munich)

Johann Gottfried Steffan naît dans une famille de paysans fortunés du canton de Zurich. Après un apprentissage de lithographe dans son lieu de naissance, il part en 1833 à Munich, où il poursuit sa formation. Il se rend à l'Académie des beaux-arts, sous la direction du fresquiste Peter von Cornelius, mais c'est le peintre Carl Rottmann qui l'incite à ne se consacrer qu'à la peinture de paysage. Il épouse en 1840 Emilie Hoffmann, la fille de son beau-père, président du conseil communal de Wädenswil. Il vit avec sa famille à Munich, où son atelier devient l'épicentre des peintres suisses vivant en Allemagne et où travaille entre

Johann Georg Steffan
(Wädenswil 1815-1905 München)

Steffan wird in eine wohlhabende Bauernfamilie im Kanton Zürich geboren. Nach einer Lehre als Schriftlithograf in seiner Heimat reist er 1833 zur weiteren Ausbildung nach München. Er besucht die dortige Akademie der bildenden Künste unter Peter von Cornelius. Die Malerei von Carl Rottmann bringt ihn endgültig zur Landschaftsmalerei. 1840 heiratet er Emilie Hoffmann, Tochter seines Stiefvaters, des Gemeindepräsidenten von Wädenswil, Emilie Hoffmann. Er lebt mit seiner Familie bis zu seinem Lebensende in München, wo sein Atelier zum Mittelpunkt der in Bayern lebenden Schweizer Künstler wird. In seinem Ate-

autres Arnold Böcklin. Avec ses nombreux collègues peintres, parmi lesquels Rudolf Koller, il entreprend de nombreux voyages dans les Alpes suisses. À l'âge de 85 ans, il doit renoncer à la peinture, atteint d'une maladie oculaire.

lier arbeitet unter anderem Arnold Böcklin. Mit zahlreichen Kollegen, darunter Rudolf Koller, unternimmt er Studienreisen in die Schweizer Alpen. Im Alter von 85 Jahren muss er aufgrund eines Augenleidens die Malerei aufgeben.

2. *Lac inférieur de Murg* | *Der hintere Murgsee*, 1878, huile sur toile | Öl auf Leinwand, 99 × 128 cm

Robert Zünd
(Lucerne 1827–1909 Lucerne)

Robert Zünd naît à Lucerne dans une famille bourgeoise aisée. Ses premiers cours de dessin lui sont dispensés par Jakob Schwegler et Placidus Segesser. En 1847, il séjourne quelques semaines auprès du peintre alpestre Joseph Zelger, à Stans. L'année suivante, il se rend à Genève et s'inscrit dans l'atelier de François Diday. Fin 1848, il entreprend une formation chez François Calame. Un premier voyage à Paris en 1852 lui fait découvrir au Louvre la peinture de paysage du XVIIe siècle mais aussi des contemporains comme Camille Corot. Lors d'un deuxième séjour parisien, Zünd réalise des copies d'après les paysages des peintres de Barbizon. À l'occasion d'un séjour à Dresde, il copie dans la Gemäldegalerie, entre autres œuvres, celles de Claude Lorrain. Il se fait construire à Lucerne en 1863 une maison, qu'il occupera dorénavant avec sa famille. En 1874, il devient membre de la Schweizerische Kunstkommission et, en 1902, il est nommé membre honoraire de la Luzerner Kunstgesellschaft. Il meurt le 15 janvier dans sa ville natale.

Robert Zünd
(Luzern 1827–1909 Luzern)

Robert Zünd stammt aus einer gutbürgerlichen Luzerner Familie. Bekommt ersten Zeichenunterricht bei Jakob Schwegler und Placidus Segesser.1847 verbringt er einige Wochen beim Alpenmaler Joseph Zelger in Stans. Im darauffolgenden Jahr reist er nach Genf und bewirbt sich um einen Atelierplatz bei François Diday. Ende 1848 beginnt er seine Ausbildung bei Alexandre Calame. 1852 erste Reise nach Paris, entdeckt im Louvre die Landschaftsmalerei des 17. Jahrhunderts aber auch Zeitgenossen wie Camille Corot. 1859 zweite Reise nach Paris, wo er die Maler von Barbizon studiert und Kopien nach deren Bildern anfertigt.1860 Reise nach Dresden, kopiert in der Gemäldegalerie unter anderem Werke von Claude Lorrain. Errichtet 1863 am Stadtrand von Luzern ein Haus, in dem er von nun an mit seiner Familie lebt. Wird 1874 Mitglied der Schweizerischen Kunstkommission. Ernennung 1902 zum Ehrenmitglied der Luzerner Kunstgesellschaft. Der Maler stirbt am 15. Januar in Luzern.

3. *Lac des Quatre Cantons, vue sur le Vitznaustock* | *Am Vierwaldstättersee mit Blickauf den Vitznaustock*, non daté | undatiert, huile sur toile | Öl auf Leinwand, 85 × 113 cm

4. *Clairière de chênes* | *Eichwaldlichtung*, non daté | undatiert, huile sur toile | Öl auf Leinwand, 76,5 × 52 cm

5. *Schellenmatt avec vaches* | *Schellenmatt mit Kühen*, non daté | undatiert, huile sur toile | Öl auf Leinwand, 61,5 × 81,5 cm

6. *Ramassage de foins* | *Heuernte*, non daté | undatiert, huile sur toile | Öl auf Leinwand, 61,5 × 81,5 cm

7. *Le chemin d'Emmaüs* | *Der Gang nach Emmaus*, vers | um 1877, huile sur toile | Öl auf Leinwand, 100 × 140 cm

Benjamin Vautier
(Morges 1829 – Düsseldorf 1898)

Fils d'un prêtre protestant à Morges, Benjamin Vautier est élève à l'École de dessin de Genève en 1845. Il suit ensuite un apprentissage d'émailleur chez Charles Louis François Glardon. Après un séjour dans l'atelier de Jean-Léonard Lugardon, il quitte Genève et, sur les conseils du peintre Alfred Van Muyden, déménage à Düsseldorf, où il est admis à l'Académie des beaux-arts. En 1853, il entreprend avec son ami, le peintre de genre

Benjamin Vautier
(Morges 1829 – Düsseldorf 1898)

Sohn eines protestantischen Pfarrers in Morges. 1845 Schüler an der Ecole de dessin in Genf, anschliessend absolviert er eine Lehre als Emailleur bei Charles Louis François Glardon. Nach einem Aufenthalt im Atelier von Jean-Léonard Lugardon verlässt er Genf und zieht auf Anraten von Alfred van Muyden nach Düsseldorf, wo er in die Akademie aufgenommen wird und sich rasch etablieren kann. 1853 unternimmt er mit seinem

Ludwig Knaus, un voyage d'études en Forêt-Noire et dans l'Oberland bernois. La vie quotidienne des paysans ne tarde pas à devenir son sujet de prédilection. Déçu par Paris en 1856, il s'installe définitivement à Düsseldorf, où il épouse Bertha Louise Euler en 1858. La toile *Dans l'église* (Fondation Kunsthaus Heylshof, Worms) lui permet de percer. Avec ses peintures de genre contemporaines, il devient l'un des artistes allemands les plus recherchés. En 1876, il emménage dans une maison-atelier construite selon ses propres plans près de l'Académie des beaux-arts de Düsseldorf.

Freund, dem Genremaler Ludwig Knaus, eine Studienreise in den Schwarzwald und ins Berner Oberland. Das Alltagsleben der Bauern wird rasch zu seinem bevorzugten Thema. Von Paris ist er 1856 enttäuscht und lässt sich definitiv in Düsseldorf nieder, wo er 1858 Bertha Louise Euler heiratet. Das Genregemälde *Dans l'église* (Stiftung Kunsthaus Heylshof, Worms) bringt ihm den Durchbruch. Er wird mit seinen zeitgenössischen Genregemälden zu einem der gefragtesten deutschen Künstler. 1876 bezieht er ein nach eigenen Plänen erbautes Atelierhaus nahe der Düsseldorfer Akademie.

8. *La confession involontaire* | *Unfreiwillige Beichte*, 1881, huile sur toile | Öl auf Leinwand, 72 × 93,5 cm

Edouard Castres
(1838 Genève – 1902 Annemasse (F))
Édouard Castres reçoit sa première formation artistique comme peintre émailleur et céramiste à Genève. Il étudie ensuite à l'École de la figure de Barthélemy Menn, toujours à Genève, puis à Paris à l'École des beaux-arts à partir de 1859 et dans l'atelier d'Hippolyte Flandrin. Dans le même temps, il décide de ne plus se consacrer qu'à la peinture à l'huile. Après un bref séjour à Genève, il retourne à Paris pour suivre une formation de peintre de figures dans l'atelier de Michel Zamacoïs y Zabala. Pendant la guerre franco-allemande, Castres est ambulancier de la Croix-Rouge, d'abord au Havre, puis à l'est avec l'armée du général Bourbaki. En 1872, il a les honneurs du Salon de Paris. Son succès international repose sur l'immense *Panorama Bourbaki*, qui se trouve aujourd'hui à Lucerne. Il se marie en 1877 et s'installe à Étrembières, en Savoie. Durant sa dernière phase de création, Castres réalise plusieurs projets de décoration monumentaux à Genève.

Edouard Castres
(1838 Genève – 1902 Annemasse (F))
Castres erhält seine erste künstlerische Ausbildung als Email- und Keramikmaler in Genf. Anschliessend ist er in Genf Schüler an der Ecole de figure von Barthélemy Menn, ab 1859 in Paris Schüler an der Ecole des Beaux-Arts und im Atelier von Hyppolite Flandrin. In diese Zeit fällt seine Entscheidung, sich ganz der Ölmalerei zu widmen. Nach einer kurzen Rückkehr nach Genf ist er erneut in Paris, um sich im Atelier von Michel Zamacoïs y Zabada als Figurenmaler auszubilden. Während des Deutsch-Französischen Krieges ist Castres als Rotkreuzambulanz im Dienst, zuerst in Le Havre, dann im Osten mit der Armee des Generals Bourbaki. 1872 wird er am Pariser Salon ausgezeichnet. Seinen internationalen Erfolg begründete er mit dem immensen Bourbaki-Panorama, das sich heute in Luzern befindet. 1877 heiratet er und lässt sich in Etrembières in Savoyen nieder. In der letzten Schaffensphase vollendete Castres mehreren monumentalen Dekorationsprojekten in Genf.

9. *Paysage en hiver avec saltimbanques, ours savants et gendarmes* | *Winterszene mit Gauklern, Tanzbär und Gendarmen*, vers | um 1877, huile sur toile | Öl auf Leinwand, 75 × 110 cm

Rudolf Koller
(1828 Zürich – 1905 Zürich)
Fils d'un boucher et aubergiste, Rudolf Koller reçoit sa première formation artistique de Johann Jakob Ulrich, à Zurich. Après des études aux haras royaux de Stuttgart, il fréquente l'Académie des beaux-arts de Düsseldorf en 1846-1847. En 1847, il part en voyage avec Arnold Böcklin à Bruxelles et à Anvers, puis seul à Paris. Au Louvre, il étudie les peintres hollandais du XVIIe siècle et les peintres animaliers modernes Rosa Bonheur et Constant Troyon. En 1848, retour à Zurich et séjour à Meiringen. En 1849, il s'installe à Munich, où il se lie d'amitié avec Johann Gottfried Steffan. En 1851, de nouveau à Zurich, il fraternise avec Robert Zünd et

Rudolf Koller
(1828 Zürich – 1905 Zürich)
Rudolf Koller, Sohn eines Metzgers und Wirts, erhält seine erste künstlerische Ausbildung bei Johann Jakob Ulrich in Zürich. Nach Studientätigkeit in den königlichen Gestüten in Stuttgart besucht er 1846-47 die Kunstakademie Düsseldorf. 1847 reist er mit Arnold Böcklin nach Brüssel und Antwerpen, anschliessend allein nach Paris. Studiert im Louvre die holländischen Maler des 17. Jahrhunderts und befasst sich mit den modernen Tiermalern Rosa Bonheur und Constant Troyon. 1848 Rückkehr nach Zürich und Aufenthalt in Meiringen. Übersiedelung 1849 nach München, wo er sich mit Johann Gottfried Steffan befreundet. 1851 wieder

Gottfried Keller. En 1856, mariage avec Bertha Schlatter. En 1862, acquisition de la maison Zur Hornau au Zürichhorn, où il travaillera et élèvera des animaux jusqu'à sa mort. En 1868-1869, il voyage à Florence, Rome et Naples. En 1870, début d'une affection oculaire qui nuit de plus en plus à sa pratique artistique. En 1900, il rencontre Böcklin pour la dernière fois en Italie. La renommée de Koller comme peintre animalier suisse éclipse ses œuvres dans le domaine de la peinture de paysage, activité qu'il a poursuivie tout au long de sa carrière. Le concept de « paysage idéal réel » ou de « paysage réel idéal » énoncé par Gottfried Keller pour désigner le style des paysages de Zünd explique également le lien qui existe chez Koller entre l'étude précise de la nature et une reproduction de la réalité qui ne cherche pas l'idéal mais le détail significatif.

in Zürich, Freundschaft mit Robert Zünd und Gottfried Keller. 1856 Heirat mit Bertha Schlatter. 1862 Erwerb des Hauses *Zur Hornau* am Zürichhorn, wo er bis zu seinem Tod arbeitet und Tiere hält. 1868-69 Reise nach Florenz, Rom und Neapel. 1870 Beginn eines Augenleidens, das seine Schaffenskraft zunehmend beeinträchtigt. 1900 trifft er in Italien letztmals Böcklin. Kollers Ruhm als Schweizer Tiermaler überlagert seine Leistungen auf dem Gebiet der Landschaftsmalerei, die er während seiner ganzen Laufbahn betrieb. Gottfried Kellers, auf Zünds Landschaften bezogenem Begriff der „wahren realen Ideallandschaft oder idealen Reallandschaft" bringt auch Kollers Verbindung von präzisem Naturstudium und einer nicht das Ideale, sondern das Charakteristische suchenden Wirklichkeitswiedergabe auf den Punkt.

10. *La diligence de Gothard (première version)* | *Die Gotthardpost (frühe Fassung)*, 1873, huile sur toile | Öl auf Leinwand, 64,5 × 53,7 cm

Albert Anker
(Anet 1831–1910 Anet)

Albert Anker naît à Ins. Il est le fils du vétérinaire Samuel Anker. En 1836, la famille déménage à Neuchâtel. En 1851, premier voyage à Paris. Il entame des études de théologie à l'Université de Berne, puis de Halle, qu'il achève à Berne en 1853 sans avoir été ordonné prêtre en vue d'assurer un service ecclésiastique. En 1854, Anker s'installe à Paris, où il suit les cours du classique Charles Gleyre ainsi que ceux de l'École impériale et spéciale des beaux-arts de 1855 à 1860. À partir de 1856, il participe aux expositions itinérantes de la Société suisse des beaux-arts. En 1859, il est admis au Salon de Paris avec École de village en Forêt-Noire (1858). Il y est présent en général avec un ou deux tableaux jusqu'en 1885. Il a aménagé un atelier dans la maison de ses parents à Ins. En 1861, premier voyage en Italie. En 1864, il épouse Anna Ruefli. Six enfants naîtront de cette union, dont deux mourront en bas âge. De 1866 à 1892, il travaille pour la faïencerie parisienne des frères Deck. Il séjourne régulièrement à Ins en été et passe l'hiver à Paris. De 1870 à 1874, il est membre du Grand Conseil du canton de Berne. En 1878, il est coorganisateur de la section suisse de l'Exposition universelle de Paris. Il effectue plusieurs voyages en Italie entre 1887 et 1891. De 1889 à 1893 et de 1895 à 1898, il est membre de la Commission fédérale d'art. En 1890, il abandonne sa résidence parisienne. Il reçoit une commande de l'éditeur Frédéric Zahn pour illustrer son édition Jeremias Gotthelf. De 1891 à 1901, il est membre de la Commission fédérale de la Fondation Gottfried Keller. En 1899, dernier voyage à Paris. En 1900, le titre de docteur honoris causa lui est remis par

Albert Anker
(Anet 1831–1910 Anet)

Geboren als Sohn des Tierarztes Samuel Anker in Ins. 1836 zieht die Familie nach Neuenburg. 1851 erste Reise nach Paris. Beginn eines Theologiestudiums in Bern und Halle, das er 1853 in Bern abschliesst, ohne das Ordinariat zum kirchlichen Dienst als Pfarrer, erlangt zu haben.1854 zieht Anker nach Paris; Unterricht beim KlassizistenCharles Gleyre, 1855–60 auch an der EcoleImpériale et Spéciale des Beaux-Arts. Ab 1856 Beteiligung an den Turnus-Ausstellungen des Schweizerischen Kunstvereins. 1859 wird er mit *Dorfschule im Schwarzwald* (1858) am Pariser Salon zugelassen; bis 1885 ist er dort meistens mit einem oder zwei Gemälden vertreten. Im elterlichen Haus in Ins richtet er sich ein Atelier ein. 1861 erste Italienreise. 1864 Heirat mit Anna Ruefli. In der Folge Geburt von insgesamt sechs Kindern, von denen zwei in jungen Jahren sterben. Von 1866-92 Tätigkeit für das Pariser Fayence-Geschäft der Gebrüder Deck. Regelmässiger Sommeraufenthalt in Ins, im Winter in Paris. 1870–74 Mitglied des Grossen Rates des Kantons Bern. 1878 Mitorganisator der schweizerischen Abteilung der Pariser Weltausstellung. Zwischen 1887 und 1891 mehrere Italienreisen. 1889–93 und 1895–98 Mitglied der Eidgenössischen Kunstkommission. 1890 Aufgabe des Pariser Wohnsitzes. Auftrag des Verlegers Frédéric Zahn, Illustrationen zu dessen Gotthelf-Ausgabe zu liefern. 1891–1901 Mitglied der Eidgenössischen Kommission der Gottfried Keller-Stiftung. 1899 letzte Reise nach Paris. 1900 Verleihung des Doctor honoris causa durch die Universität Bern. Im September 1901 erleidet Anker

l'Université de Berne. En septembre 1901, Anker est victime d'un AVC qui paralyse temporairement sa main droite. Jusqu'à sa mort en 1910, il ne peint plus que des aquarelles. Du vivant d'Anker, aucune exposition personnelle ne lui a été consacrée.

einen Schlaganfall, der seine rechte Hand vorübergehend lähmt. Bis zum Tod 1910 entstehen nur noch Aquarelle. Zu Lebzeiten Ankers fand nie eine Einzelausstellung statt.

11. *La distribution de soupe* | *Die Armensuppe,* 1859, huile sur toile | Öl auf Leinwand, 81,5 × 65 cm

12. *La petite amie* | *Die Kleine Freundin,* 1862, huile sur toile | Öl auf Leinwand, 64,5 × 46,5 cm

13. *Les vendanges* | *Das Winzerfest,* 1865, huile sur toile | Öl auf Leinwand, 108 × 182 cm

14. *Les paysans et le journal* | *Die Bauern und die Zeitung,* 1867, huile sur toile | Öl auf Leinwand, 64 × 80,5 cm

15. *Le vieux cordonnier Feissli* | *Schuhmacher Feissli,* 1870, huile sur toile | Öl auf Leinwand, 55 × 43 cm

16. *Le vieux Feissli lisant* | *Der Zeitung lesende alte Feissli,* 1900, huile sur toile | Öl auf Leinwand, 65 × 53,2 cm

17. *Le secrétaire de commune* | *Der Gemeindeschreiber* I, 1874, huile sur toile | Öl auf Leinwand, 61,5 × 51 cm

18. *Le vieux Feissli dormant sur le fourneau* | *Der alte Feissli auf dem Ofen eingenickt,* 1901, huile sur toile | Öl auf Leinwand, 60 × 47

19. *Anet en hiver* | *Ins im Winter,* 1871, huile sur toile | Öl auf Leinwand, 36 × 50 cm

20. *Paysage d'automne* | *Herbstlandschaft,* 1877, huile sur toile | Öl auf Leinwand, 33 × 24 cm

21. *Les deux curés* | *Die beiden Pfarrer,* 1873, huile sur toile - Öl auf Leinwand, 81 × 65 cm

22. *La soirée* | *Der Abend,* 1888, huile sur toile | Öl auf Leinwand, 56 × 92 cm

23. *Séminaire romain* | *Der Seminarist,* 1893, huile sur toile | Öl auf Leinwand, 74,5 × 44 cm

24. *Famille de réfugiés protestants* | *Protestantische Flüchtilinge,* 1886, huile sur toile | Öl auf Leinwand, 81 × 65 cm

25. *Le mège II* | *Der Quacksalber II,* 1881, huile sur toile | Öl auf Leinwand, 72 × 87,5 cm

26. *La vente aux enchères* | *Der Geltstag,* 1891, huile sur toile | Öl auf Leinwand, 89,5 × 140,58 cm

27. *L'Ecole en promenade* | *Der Schulspaziergang,* 1872, huile sur toile | Öl auf Leinwand, 90 × 142 cm

28. *Les gamins qui se baignent à l'ancien Crêt* | *Das Bad in Crêt,* 1888, huile sur toile | Öl auf Leinwand, 42,7 × 90,3 cm

29. *La gymnastique* | *Turnstunde in Ins,* 1879, huile sur toile | Öl auf Leinwand, 96 × 147,5 cm

30. *Vieillard et deux enfants* | *Grossvater mit zwei Enkelkindern,* 1881, huile sur toile | Öl auf Leinwand, 99,5 × 75 cm

31. *Grand-mère au rouet et gamin sur la banquette du poêle* | *Grossmutter am Spinnrad und Schlafender Knabe auf der Ofenbank,* 1883, huile sur toile | Öl auf Leinwand, 99,5 × 75 cm

32. *Ecolier/Schulknabe,* 1877, huile sur toile | Öl auf Leinwand, 81,5 × 52 cm

33. *La convalescente* | *Die Genesende,* 1878, huile sur toile | Öl auf Leinwand, 59 × 85 cm

34. *Portrait d'une jeune fille* | *Bildnis eines Mädchens*, 1886, huile sur toile | Öl auf Leinwand, 52 × 40 cm

35. *Portrait d'une petite fille* | *Mädchenbildnis*, 1885, huile sur toile | Öl auf Leinwand, 38 × 32 cm

36. Appliquée | *Fleissig*, 1886, huile sur toile | Öl auf Leinwand, 61.5 × 50 cm

37. *Portrait d'une jeune dame* | *Bildnis einer jungen Frau*, vers | um 1860, huile sur toile | Öl auf Leinwand, 51 × 43 cm

38. *Portrait d'un garcon/Knabenbildnis*, non daté | undatiert, huile sur toile | Öl auf Leinwand, 32 × 42,5 cm

39. *Le Vieux Küffer moulant le café* | *Alter Mann mit Kaffeemühle*, 1886, huile sur toile | Öl auf Leinwand, 76,5 × 60 cm

40. *Portrait d'un garcon* | *Knabenbildnis*, non daté | undatiert, huile sur toile | Öl auf Leinwand, 40,5 × 32 cm

41. *Nature morte : bière* | *Stillleben mit Bier und Rettich*, 1872, huile sur toile | Öl auf Leinwand, 33 × 48 cm

42. *Nature morte : thé et madeleines* | *Stillleben : Tee und Schmelzbrötchen – auch Teegedeck*, 1873, huile sur toile | Öl auf Leinwand, 33 × 48 cm

43. *Nature morte : café* | *Stilleben : Kaffee*, 1882, huile sur toile | Öl auf Leinwand, 47,5 × 66,5 cm

44. *Nature morte : thé et biscuits* | *Stilleben mit Teekanne, zwei Tassen, Zuckerschale, Rahmrüglein und Biskuits*. non daté | undatiert, huile sur toile | Öl auf Leinwand, 33,5 × 52 cm

45. *Nature morte : La tempérance/ Mässigkeit*, 1896, huile sur toile | Öl auf Leinwand, 48 × 62 cm

46. *Natue morte : l'intempérance* | *Unmässigkeit*, 1896, huile sur toile | Öl auf Leinwand, 48 × 62 cm

47. *Nature morte : la cérémonie du thé* | *Stillleben : Gediegener Tee*, 1897, huile sur toile | Öl auf Leinwand, 51 × 42 cm

48. *Nature morte : café et pommes de terre* | *Stilleben : Kaffee und Kartoffeln*, 1897, huile sur toile | Öl auf Leinwand, 51 × 42 cm

Ferdinand Hodler
(Berne 1853–1918 Genève)
Son beau-père, Gottlieb Schüpbach, l'initie à la peinture à plat. Pendant trois ans, Ferdinand Hodler travaille comme assistant dans l'atelier du peintre vedutiste Ferdinand Sommer, à Thoune. De 1873 à 1878, il suit les cours de Bathélemy Menn, professeur aux Écoles de dessin de Genève. En 1879, il passe plusieurs mois à Madrid, où il peint principalement des paysages et des portraits. En 1881, il participe à la réalisation du Panorama Bourbaki d'Édouard Castres. En 1891, Hodler célèbre un grand succès avec sa peinture symboliste *La Nuit* à Paris (Salon du Champ-de-Mars). Sa percée internationale a lieu en 1904 lors de la XIXᵉ exposition de la Sécession viennoise. En 1897, il donne sa célèbre conférence « La Mission de l'artiste » à la Société des Amis des beaux-arts de Fribourg. En 1899, il est présent à la Biennale avec *La*

Ferdinand Hodler
(Bern 1853–1918 Genf)
Sein Stiefvater Gottlieb Schüpbach macht ihn mit der Flachmalerei bekannt. Hodler ist für drei Jahre als Gehilfe in der Veduten-Werkstatt von Ferdinand Sommer in Thun tätig. 1873–1878 besucht er den Unterricht von Bathélemy Menn, Lehrer der Ecoles de Dessin in Genf. Er hält sich 1879 für einige Monate in Madrid auf, wo er vorwiegend Landschaften und Porträts malt. 1881 beteiligt er sich an Edouard Castres Bourbaki-Panorma in Luzern. Mit dem symbolistischen Gemälde *Die Nacht* feiert Hodler 1891 im Genfer Palais Électoral in Paris einen Grosserfolg. Der internationale Durchbruch gelingt ihm 1904 mit der Ausstellung der XIX. Secession in Wien. 1897 hält er in der Société des Amis des Beaux-Arts de Fribourg seinen viel beachteten Vortrag «La Mission de l'artiste». 1899 ist er an der Biennale mit *Die Nacht*

Nuit et *Les Âmes déçues*. En 1905 et 1911, il se rend en Italie, où il étudie les maîtres anciens. En 1908, Hodler est élu président général de la Société des peintres, sculpteurs et architectes suisses (SPSAS). En 1917, le Kunsthaus Zürich présente plus de 600 de ses œuvres, la plus grande exposition personnelle réalisée du vivant de l'artiste.

und *Die enttäuschten Seelen* vertreten. In den Jahren 1905 und 1911 reist er nach Italien, wo er die alten Meister studiert. Hodler wird 1908 zum Zentralpräsidenten der Gesellschaft Schweizerischer Maler, Bildhauer und Architekten (GSMBA) gewählt. 1917 zeigt das Kunsthaus Zürich mit über 600 Werken die zu Lebzeiten des Künstlers grösste Einzelausstellung.

49. *Moutons sur le sentier des Saules | Schafe am Sentier des Saules*, 1878, huile sur toile | Öl auf Leinwand, 72,5 × 113,3 cm

50. *Le Meunier, son fils et l'âne | Müller Sohn und Esel*, 1883, huile sur toile | Öl auf Leinwand, 94,5 × 68 cm

51. *Le taureau | der Stier*, vers | um 1885, huile sur toile | Öl auf Leinwand, 28 × 36 cm

52. *Vue sur le lac de Thoune et le lac de Brienz | Blick auf Thuner – und Brienzersee*, 1887 - 1888 Huile sur toile | Öl auf Leinwand 68,5 × 105 cm

53. *Les châtaigniers | Die Kastanienbäume*, 1889, huile sur toile | Öl auf Leinwand, 35,5 × 28 cm

54. *Au pied du Salève | Am Fuss des Salève*, vers | um 1888, huile sur toile | Öl auf Leinwand, 71 × 106,5 cm

55. *La route de Saint-Georges | Die Strasse von St-Georges*, Vers | um 1890, huile sur toile | Öl auf Leinwand, 35,5 × 28 cm

56. *Paysage d'été du Pays-d'Enhaut | Sommerlandschaft in Pays-d'Enhaut*, 1904, huile sur toile | Öl auf Leinwand, 61,5 × 46 cm

57. *Le Gantrisch | Der Gantrisch*, vers | um 1901, huile sur toile | Öl auf Leinwand, 50,5 × 52 cm

58. *Le pré de fleurs | Die Blumenwiese*, vers | um 1901, huile sur toile | Öl auf Leinwand, 38,5 × 46 cm

59. *Arbuste de lilas | Fliederbäumchen*, vers | um 1890, huile sur toile | Öl auf Leinwand, 54 × 37 cm

60. *Retraite de Marignan | Rückzug von Marignano*, 1897, huile sur toile | Öl auf Leinwand, 45× 67 cm

61. *Vieil homme assis avec les mains jointes | Sitzender Greis mit gefalteten Händen*, vers | um 1890, huile sur toile | Öl auf Leinwand, 61 × 46 cm

62. *L'émotion | Die Empfindung*, 1901 – 1902, huile sur toile | Öl auf Leinwand, 115 × 76 cm

63. *Etude pour Regard vers l'infini | Studie zu Blick in die Unendlichkeit*, 1916, huile sur toile | Öl auf Leinwand, 121,5 × 60,5 cm

64. *Lac Léman vu de Chexbres | Genfersee von Chexbres aus*, vers | um 1898, huile sur toile | Öl auf Leinwand, 100 × 130,5 cm

65. *Le lac Léman vu de Chexbres | Der Genfersee von Chexbres aus*, vers | um 1904, huile sur toile | Öl auf Leinwand, 81 × 100 cm

66. *Le lac Léman vu de Chexbres | Der Genfersee von Chexbres aus*, vers | um 1911, huile sur toile | Öl auf Leinwand, 71 × 89 cm

67. *Le Lac Léman et les Alpes savoyardes* | *Genfer See mit Savoyer Alpen*, 1906, huile sur toile | Öl auf Leinwand, 64 × 48,5 cm

68. *Le Lac Léman avec le Jura* | *Genfersee mit Jura*, vers | um 1911, huile sur toile | Öl auf Leinwand, 45,5 × 56,5 cm

69. *Le lac Léman avec le Jura* | *Genfersee mit Jura*, vers | um 1911, huile sur toile | Öl auf Leinwand, 52,5 × 72 cm

70. *Le Lac Léman avec les montagnes savoyardes* | *Genfersee mit Savoyer Alpen*, 1911, huile sur toile | Öl auf Leinwand, 52,5 × 72,5 cm

71. *Le Grammont* | *Der Grammont*, 1905, huile sur toile | Öl auf Leinwand, 64,5 × 105,5 cm

72. *Le faucheur* | *Der Mäher*, vers | um 1910, huile sur toile | Öl auf Leinwand, 83,5 × 106 cm

73. *Le bûcheron* | *Der Holzfäller*, 1909, huile sur toile | Öl auf Leinwand, 45 × 31 cm

74. *Unanimité, l'orateur* | *Eimütigkeit, Redner*, 1913, huile sur toile | Öl auf Leinwand, 125 × 75,5 cm

75. *Unanimitél, le jureur* | *Einmütigkeit, Schwörender*, 1912-1913, huile sur toile | Öl auf Leinwand, 120 × 60 cm

76. *Le Lac de Thoune et la chaîne du Stockhorn* | *Der Thunersee mit Stockhornkette*, 1904, huile sur toile | Öl auf Leinwand, 71 × 105 cm

77. *Le Lac de Thoune et la chaîne du Stockhorn* | *Der Thunersee mit Stockhornkette*, 1905, huile sur toile | Öl auf Leinwand, 80,5 × 90,5 cm

78. *Le Lac de Thoune et la chaîne du Stockhorn enneigée* | *Der Thunersee mit Stockhorkette*, 1913, huile sur toile | Öl auf Leinwand, 60,5 × 89,5 cm

79. *La Lütschine noire* | *Die Schwarze Lütschine*, 1905, huile sur toile | Öl auf Leinwand, 101 × 90 cm

80. *Le Lac de Thoune vu de Leissigen* | *Thunersee von Leissigen aus*, vers | um 1909, huile sur toile | Öl auf Leinwand, 55,5 × 46 cm

81. *Le Männlichen* | *Der Männlichen*, 1908, huile sur toile | Öl auf Leinwand, 57 × 71 cm

82. *L'Eiger, Le Mönch et la Jungfrau au-dessus de la mer de brouillard* | *Eiger, Mönch und Jungfrau über dem Nebelmeer*, 1908, huile sur toile | Öl auf Leinwand, 69 × 93 cm

83. *Clair de Lune – Eiger, Mönch et Jungfrau* | *Mondnacht – Eiger, Mönch und Jungfau*, vers | um 1909, huile sur toile | Öl auf Leinwand, 32 × 41,2 cm

84. *Le lac de Silvaplana* | *Silvaplanersee*, 1907, huile sur toile | Öl auf Leinwand, 66 × 89 cm

85. *Le Grand Muveran* | *Der Grand Muveran* 1912, huile sur toile | Öl auf Leinwand, 64 × 87 cm

86. *Vallée du Rhône et Les Dents du Midi* | *Ronethal mit Dents du Midi*, 1912, huile sur toile | Öl auf Leinwand, 66 × 89 cm

87. *Paysage Valaisan* | *Walliser Landschaft*, 1915, huile sur toile | Öl auf Leinwand, 65 × 80 cm

88. *L'Etang long* | *Etang long bei Montana*, 1915, huile sur toile | Öl auf Leinwand, 65 × 80 cm

89. *Les Dents Blanches* | *Die Dents Blanches*, 1916, huile sur toile | Öl auf Leinwand, 76,5 × 60 cm

90. *Les Dents du Midi vu de Champéry* | *Die Dents du Midi von Champéry aus*, 1916, huile sur toile | Öl auf Leinwand, 64 × 100 cm

91. *Le Grammont ensoleillé le matin* | *Der Grammont in der Morgensonne*, 1916, huile sur toile | Öl auf Leinwand, 64 × 100 cm

92. *Portrait de Berthe Jacques* | *Bidnis Berthe Jacques*, 1894, huile sur toile | Öl auf Leinwand, 33,5 × 28 cm

93. *Portrait de Berthe Hodler-Jacques* | *Bildnis Berthe Hodler-Jacques*, 1914-1916, huile sur toile | Öl auf Leinwand, 40,5 × 39,5 cm

94. *Autoportrait* | *Selbstbildnis,*1916, huile sur toile | Öl auf Leinwand, 34 × 26 cm

Giovanni Segantini
(Arco 1858--1899 Schafberg près de Pontresina)

À sa naissance à Arco (Tyrol du Sud, autrichien à l'époque), le peintre avait pour nom Giovanni Battista Emanuele Maria Segatini. Ce n'est qu'après ses études à Milan qu'il se fait appeler Segantini. Sa mère décède quand il a sept ans, son père un an plus tard. Il suit une formation de cordonnier à Milan, puis travaille comme peintre décoratif pour Luigi Tettamanzi en 1875 et 1876. Deux ans plus tard, il fréquente l'Académie des beaux-arts de Brera à Milan. Il fait la connaissance du galeriste et son futur mécène Vittore Grubicy de Dragon. En 1880, il s'installe dans la Brianza (Italie du Nord). En 1883, il reçoit une médaille d'or à l'Exposition universelle d'Amsterdam pour sa peinture *L'Ave Maria pendant la traversée*. En 1886, il s'installe avec sa famille à Savognin. En 1894, il déménage à Maloja dans le Chalet Kuoni (aujourd'hui Atelier Segantini). Alors qu'il travaille sur *La Natura* (*La Nature* ou *L'Être*), la partie centrale de son triptyque alpin pour l'Exposition universelle de 1900 à Paris, Segantini meurt d'une appendicite aiguë sur le Schafberg, au-dessus de Pontresina.

Giovanni Segantini
(Arco 1858--1899 Schafberg près bei Pontresina)

Der Maler wird als Giovanni Battista Emanuele Maria Segatini in Arco (Südtirol, damals Österreich) geboren. Erst ab seiner Studienzeit in Mailand nennt er sich Segantini. Seine Mutter stirbt als er sieben Jahre alt ist, sein Vater ein Jahr später. In Mailand absolviert er eine Ausbildung zum Schuhmacher, anschliessend ist er 1875–1876 als Dekorationsmaler bei Luigi Tettamanzi tätig. Zwei Jahre später besucht er die Mailänder Kunstakademie Brera. Er macht die Bekanntschaft mit dem Galeristen und seinem späteren Mäzenen Vittore Grubicy de Dragon. 1880 zieht er in die Brianza (Norditalien). Für sein Gemälde *Ave Maria bei der Überfahrt* erhält er 1883 an der Weltausstellung in Amsterdam eine Goldmedaille. 1886 lässt er sich mit seiner Familie in Savognin nieder. 1894 zieht er nach Maloja ins Chalet Kuoni (heute Atelier Segantini). Bei der Arbeit zu *La natura (Natur oder Sein)*, dem Mittelteil seines Alpentriptychons für die Pariser Weltausstellung von 1900, stirbt Segantini auf dem Schafberg oberhalb Pontresina an einer akuten Blinddarmentzündung.

95. *Bisous sur la croix* | *Der Kreuzkuss,* vers | um 1886, pastel sur carton | Pastell auf Karton, 85,1 × 50,3 cm

96. *La tonte des moutons* | *Die Schafschur*, 1886-1888, Crayon, craie | Bleistift, Kreide, 24,5 × 48,5 cm

97. *Repos à l'ombre* | *Ruhe im Schatten*, 1892, huile sur toile | Öl auf Leinwand, 45 × 68 cm

Giovanni Giacometti
(Stampa 1868-1933 Glion)

Entré en 1886 à l'École des arts appliqués de Munich, Giovanni Giacometti rencontre l'année suivante Cuno Amiet, avec lequel se noue une amitié durable. En 1889, il voit pour la première fois à l'Exposition universelle à Paris des tableaux de Giovanni Segantini, dont il fait connaissance cinq ans plus tard à Maloja. Amiet lui rend visite en été 1896 à Stampa, où ils font ensemble de la peinture en plein air. La même année, premier succès à l'Exposition

Giovanni Giacometti
(Stampa 1868-1933 Glion)

1886 tritt er in die Kunstgewerbeschule München ein. Ein Jahr später begegnet er Cuno Amiet, mit dem ihn eine lebenslange Freundschaft verbindet. 1889 sieht er in der Exposition Universelle in Paris zum ersten Mal Bilder von Giovanni Segantini, den er im Herbst 1894 in Maloja kennenlernt. Amiet besucht ihn im Sommer 1896 in Stampa, wo beide malen. Im gleichen Jahr erzielt er einen ersten Erfolg an der *IV. Nationalen Kun-*

nationale suisse à Genève. En 1898, l'exposition *Hodler-Amiet-Giacometti* au Künstlerhaus de Zurich fait sensation. Giovanni épouse en 1900 Annetta Stampa, de Borgonovo. En 1901, naissance du futur sculpteur Alberto Giacometti. Après avoir vécu avec sa famille à Borgonovo jusqu'en 1904, il acquiert en 1905 une maison à Stampa. Il participe en 1908 à l'exposition itinérante du groupe « Die Brücke ». Il expose en 1910 au musée de l'Athénée, à Genève, puis en 1912 au Kunsthaus à Zurich. Des rétrospectives s'ensuivent à Berne et à Bâle en 1920, où de nombreuses œuvres sont vendues. La même année, il se rend avec Alberto à la Biennale de Venise. Il décède le 25 juin 1933 d'une insuffisance rénale au sanatorium Valmont, à Glion.

stausstellung in Genf. Im Künstlerhaus Zürich erregt die Ausstellung *Hodler-Amiet-Giacometti* 1898 großes Aufsehen. 1900 heiratet er Annetta Stampa aus Borgonovo.1901 kommt der später weltberühmte Bildhauer Alberto Giacometti auf die Welt. Bis 1904 lebt die Familie in Borgonovo. 1905 erwirbt er eine Wohnung in Stampa. Nimmt 1908 an einer Wanderausstellung der Künstlergruppe „Die Brücke" teil. 1910 Ausstellung im Musée de l'Athénée in Genf. Große Ausstellung 1912 im Kunsthaus Zürich. 1920 Retrospektiven in Bern und Basel mit erfolgreichen Bildverkäufen. Reist mit Alberto zur Biennale in Venedig. Stirbt am 25. Juni 1933 an Nierenversagen im Sanatorium Valmont in Glion.

98. *Berger avec moutons* | *Hirte mit Schafen* 1894, huile sur toile | Öl auf Leinwand, 90 × 141 cm

99. *La Naissance* | *Weihnachten*, 1897, huile et tempéra sur toile | Öl und Tempera auf Leinwand, 135,5 × 36,5 cm

100. *Maternité* | *Mutter mit kindern*, 1908, huile sur toile, Öl auf Leinwand, 103,5 × 91 cm

101. Chasseur de Bergell | Bauer aus dem Bergell 1921, huile sur toile | Öl auf Leinwand, 80 × 110 cm

102. Mattin d'hiver | Wintermorgen, 1913, huile sur toile | Öl auf Leinwand 103,5 × 91 cm,

103. Monte Forno, 1921, huile sur toile | Öl auf Leinwand, 115 × 107 cm

Alberto Giacometti
(Borgonovo 1901–1966 Coire)

Naissance d'Alberto Giacometti le 10 octobre 1901 à Borgonovo près de Stampa, dans le Val Bregaglia des Grisons. Son père Giovanni est un peintre postimpressionniste réputé. Fort encouragé par son père, Alberto dessine et sculpte très tôt. Entre 1915 et 1919 études secondaires au collège de Schiers. Il réalise ses premières gravures. 1920 voyage à Venise avec son père, séjourne à Rome et visite Assise, Florence et Naples. Arrive début 1922 à Paris et étudie la sculpture dans l'atelier de Bourdelle. S'installe en 1927 dans l'atelier rue Hippolyte-Maindron. Fait partie en 1931 du groupe surréaliste, dont il est exclu en 1935. Il reste entre 1942 et 1945 en Suisse à cause de la guerre, à Genève, Stampa et Maloja. Rencontre Annette Arm, sa future femme qui deviendra l'un de ses modèles favoris. Rentre en 1945 à Paris. Grande exposition à la Galerie Pierre Matisse à New York en 1948. Première exposition à la Galerie Maeght à Paris en 1951. Invité par la France à la Biennale de Venise en 1956, il y expose sa série des *Femmes de Venise*. Remporte le prix de sculpture Carnegie à Pittsburg en 1961. Gagne le grand prix de sculpture à la Biennale de Venise en 1962. Rétrospective à la Galerie Beyeler à Bâle en 1963. Alberto décède le 11 janvier 1966 d'une défaillance cardiaque et pulmonaire à l'hôpital de Coire.

Alberto Giacometti
(Borgonovo 1901–1966 Chur)

Alberto Giacometti wird am 10. Oktober 1901 in Borgonovo bei Stampa im Engadiner Val Bregaglia geboren. Sein Vater Giovanni ist ein renommierter post-impressionistischer Maler. Vom Vater ermutigt zeichnet und modelliert er sehr früh. Zwischen 1915 und 1919 besucht er das Gymnasium in Schiers. Realisiert seine ersten Gravuren. Reise nach Venedig mit seinem Vater 1920, verweilt in Rom, besucht Assisi, Florenz und Neapel. Lässt sich Anfang 1922 in Paris nieder und lernt 3 Jahre lang die Bildhauerkunst im Atelier von Bourdelle. Zieht 1927 in sein Atelier rue Hippolyte-Maindron. Wird Mitglied der Surrealisten 1931, die ihn 1935 von der Gruppe ausschliessen. Verbringt die Jahre 1942 – 1945 wegen des Krieges in der Schweiz: Genf, Stampa und Maloja. Lernt seine spätere Frau Annette Arm kennen, die eines seiner häufigsten Modelle wird. Kehrt 1945 nach Paris zurück. Große Ausstellung in der Galerie Pierre Matisse in New York 1948. Erste Ausstellung in der Galerie Maeght in Paris 1951. Vertritt Frankreich während der Biennale in Venedig 1956 mit der Serie *Femmes de Venise*. Wird ausgezeichnet mit dem internationalen Bildhauerpreis Carnegie in Pittsburg 1961. Gewinnt 1962 den grossen Bildhauerpreis der Biennale in Venedig. Die Galerie Beyeler in Basel widmet ihm 1963 eine Retrospektive. Alberto stirbt am 11. Januar 1966 an Herz – und Lungenversagen im Krankenhaus in Chur.

104. *Le Lac de Sils et le piz Corvatsch | Piz Corvatsch mit Silsersee,* 1914, huile sur toile, Öl auf Leinwand, 80 × 110 cm

Felix Vallotton
(Lausanne 1865–1925 Neuilly)
Félix Vallotton naît le 28 décembre 1865, troisième enfant d'un père droguiste et d'une mère fille d'artisan. Il se rend à Paris en 1882 pour y suivre les cours de l'Académie Julian, où il rencontre Maurice Denis, Paul Sérusier et Édouard Vuillard. Il participe entre 1892 et 1903 aux expositions du groupe des Nabis. Mariage avec Gabrielle Rodrigues, fille du marchand d'art parisien Alexandre Bernheim. Reçoit en 1900 la nationalité française. Présente ses œuvres à l'étranger : Sécessions de Berlin (1901) et de Vienne (1903), expositions à Munich (1904), Moscou (1908), Londres (1910), New York (1913). Il fait la connaissance de Hedy Hahnloser-Bühler, de Winterthour, qui devient sa mécène la plus importante. Son frère Paul Vallotton ouvre en 1914 une galerie à Lausanne, où sont régulièrement présentées les œuvres de Félix. Atteint dans sa santé, Vallotton passe ses hivers dès 1920 sur la Côte d'Azur, où il achète une maison en 1924. Il meurt d'un cancer le 29 décembre 1925, un jour après son soixantième anniversaire, dans une clinique à Neuilly, près de Paris.

Felix Vallotton
(Lausanne 1865–1925 Neuilly)
Wird am 28. Dezember 1865 als drittes Kind eines Drogisten und einer Handwerkertochter in Lausanne geboren. 1882 Übersiedelung nach Paris, mit Ausbildung an der Académie Julian, wo er Maurice Denis, Paul Sérusier und Edouard Vuillard kennenlernt. Von 1892 bis 1903 beteiligt er sich an den Ausstellungen der Künstlergruppe Nabis. Heiratet 1899 Gabrielle Rodrigues, Tochter des Pariser Kunsthändlers Alexandre Bernheim. Erhält 1900 die französische Staatsbürgerschaft. Präsentiert seine Werke auf internationaler Ebene: Sezessionen in Berlin (1901) und Wien (1903), Ausstellungen in München (1904), Moskau (1908), London (1910), New York (1913). Lernt 1908 Hedy Hahnloser-Bühler aus Winterthur kennen, die seine wichtigste Förderin wird. Vallottons Bruder Paul eröffnet 1914 eine Galerie in Lausanne, wo regelmäßig die Werke seines Bruders ausgestellt werden. Wegen angeschlagener Gesundheit verbringt Felix Vallotton seit 1920 die Wintermonate in der Côte d'Azur, wo er 1924 ein Haus erwirbt. Vallotton stirbt am 29. Dezember 1925, einen Tag nach seinem 60. Geburtstag in einer Klinik in Neuilly bei Paris an Krebs.

105. *Ruisseau à Arques-la-Bataille | Bach bei Arques-la-Bataille,* 1903, huile sur toile, Öl auf Leinwand, 66 × 101 cm

106. *Une rue à Cagnes | eine Strasse in Cagnes,* 1922, huile sur toile | Öl auf Leinwandm 81 × 65 cm

107. *Route en corniche sur les bords de la Loire | Tournant de route au-dessus de la Loire,* 1923, huile sur toile | Öl auf Leinwand, 60 × 73,2 cm

Adolf Dietrich
Berlingen 1877–1957 Berlingen
Adolf Dietrich grandit à Berlingen, un village de pêcheurs situé sur la rive nord du lac Untersee. Il est le benjamin d'une fratrie de sept enfants. Il ne peut mener à terme une formation de lithographe en raison de la situation financière précaire de ses parents. Dietrich subvient à ses besoins en effectuant des petits boulots, notamment de journalier et de travailleur forestier. Durant son temps libre, il peint et dessine. En 1913, ses œuvres sont exposées pour la première fois par la Société des beaux-arts (Kunstverein) à la Wessenberghaus à Constance. La galerie Hans Goltz à Munich montre quelques-uns de ses tableaux en 1917. En 1919, il présente des œuvres à la Kunsthalle Mannheim, où il attire l'attention du galeriste Herbert Tannenbaum. Sa proximité stylistique avec Henri Rousseau, peintre français

Adolf Dietrich
(Berlingen 1877–1957 Berlingen)
Adolf Dietrich wächst als jüngstes von sieben Kindern in Berlingen, einem Fischerdorf am Nordufer des Untersees auf. Eine Ausbildung zum Lithografen scheitert an den prekären finanziellen Verhältnissen der Eltern. Dietrich schlägt sich mit Gelegenheitsarbeiten u. a. als Tagelöhner und Waldarbeiter durch. In seiner Freizeit malt und zeichnet er. 1913 werden seine Werke erstmals vom Kunstverein im Wessenberghaus in Konstanz ausgestellt. Die Galerie Hans Goltz in München zeigt 1917 einige seiner Bilder. 1919 präsentiert er Werke in der Kunsthalle Mannheim, wo der Galerist Herbert Tannenbaum auf ihn aufmerksam wird. Seine stilistische Nähe zum französischen Laienmaler Henri Rousseau trägt ihm den Namen «deutscher Rousseau» ein. Mit der Teilnahme an der Ausstellung *Les maîtres populai-*

autodidacte, lui vaut le nom de « Rousseau allemand ». Sa participation à l'exposition « Les maîtres populaires de la réalité » à Paris, Zurich et New York lui permet de percer en Suisse en 1937. Il reste apprécié au-delà sa mort en tant qu'éminent représentant de l'art naïf.

res de la réalité in Paris, Zürich und New York gelingt ihm 1937 der Durchbruch in der Schweiz. Er wird als Hauptvertreter der Naiven Kunst bis über seinen Tod hinaus geschätzt.

108. *La cascade en hiver* | *Wasserfall im Winter*, 1922, huile sur toile | Öl auf Leinwand, 62 × 40,5 cm

109. *Printemps sur l'Untersee* | *Frühlingtag am Untersee*, 1923, huile sur toile, Öl auf Leinwand, 60 × 73,2 cm

110. *Paysage avec ferme/Lochmühle* | *Landschaft mit Bauernhof/Lochmühle*, 1926, huile sur carton | Öl auf Malkarton, 64 × 82 cm

111. *Pleine lune sur l'Untersee* | *Vollmond über dem Untersee*, 1919, huile sur carton | Öl auf Karton, 23,58 × 18 cm

112. *La vue du Hohen kasten sur la vallée du Rhin* | *Blick vom Hohen Kasten auf das Rheintal*, 1925, huile sur toile | Öl auf Leinwand, 44 × 62 cm

113. *Atmosphère de crépuscule sur l'Untersee* | *Abendstimmung am Untersee*, 1926, huile sur toile | Öl auf Leinwand, 32.7 × 42,9 cm

114. *Paysage d'hiver sur l'Untersee* | *Winterlandschaft am Untersee*, 1933, Huile sur bois | Öl auf Holz, 58 × 66 cm

115. *Paysage de l'Untersee en hiver* | *Imterseelanschaft im Winter*, 1940, huile sur contreplaqué | Öl auf Sperrholz, 40 × 59,5 cm

116. *Traduction* | *Blauer Winterag mit Shieneberg*, 1940, huile sur papier sur carton | Öl auf Papier auf Karton

117. *Martin-pécheur en vol* | *Eisvogel in flug, 1950, huile sur contreplaqué* | Öl auf Sperrholz, 40,5 × 51 cm

118. *Trois bouquets* | *Drei Blumensträusse*, 1928, huile sur carton | Öl auf Karton, 40,5 × 60,5 cm

119. *Crocus* | *Krokusse*, 1939, huile sur contreplaqué | Öl auf Sperrholz, 23,58 × 18 cm

120. *Enfant assoupi* | *Schlafendes Kind*, 1932, huile sur carton | Öl auf Karton, 30,2 × 44,8 cm

Max Buri
(Burgdorf 1868–1915 Interlaken)

Max Buri est issu d'une riche famille de commerçants de Burgdorf. En 1885, il suit à Bâle les cours de Fritz Schider, qui l'initie à l'art de Wilhelm Leibl. De 1886 à 1889, il fréquente l'Académie des beaux-arts de Munich, de 1889 à 1893 l'Académie Julian à Paris comme élève de Jules Lefebvre et l'école privée de Simon Hollósy à Munich, ville où, de 1893 à 1898, il est l'élève d'Albert von Keller. En 1898, il emménage à Lucerne avec sa femme Frieda Schenk. Le Musée d'art et d'histoire de Genève lui achète le tableau *Paysage d'hiver* en 1901. En 1903, Buri s'installe à Brienz. La Confédération acquiert son tableau grand format *Les Politiciens du village*. En 1911, il reçoit le Prix d'État pour *Les Vieux* à l'Exposition internationale de Rome et, en 1913, une médaille d'or pour le même tableau à la

Max Buri
(Burgdorf 1868–1915 Interlaken)

Buri kommt aus einer wohlhabenden Burgdorfer Kaufmannsfamilie. 1885 nimmt er Unterricht bei Fritz Schider in Basel, der ihm die Kunst Wilhelm Leibls näherbringt. 1886–1889 besucht er die Akademie in München, 1889–1893 den Unterricht an der Académie Julian in Paris als Schüler von Jules Lefebvre und an der Privatschule von Simon Hollósys. 1893–1898 ist er Schüler von Albert von Keller in München. Mit seiner Frau Frieda Schenk zieht er 1898 nach Luzern. Das Musée d'art et d'histoire in Genf kauft 1901 das Bild *Winterlandschaft*. 1903 lässt sich Buri in Brienz nieder. Die Schweizer Eidgenossenschaft kauft das grossformatige Bild *Dorfpolitiker*. 1911 erhält er an der Internationalen Ausstellung in Rom für *Die Alten* den Staatspreis und 1913 für das gleiche Bild an der XI. internationalen

XIe Exposition internationale d'art au Palais de verre de Munich. Max Buri meurt d'insuffisance cardiaque après une chute dans l'Aar.

Kunstausstellung im Münchner Glaspalast eine grosse goldene Medaillie. Buri stirb an einem Herzversagen nach einem Sturz in die Aare.

121. *L'Orchestre* | *Tanzmusikanten*, 1905, huile sur toile | Öl auf Leinwand, 115 × 176 cm

Ernest Biéler
(Rolle 1863-1948 Lausanne)

Entre 1880 et 1884, Ernest Biéler étudie à Paris à l'École nationale des arts décoratifs, à l'Atelier suisse et à l'Académie Julian avec Jules Lefebvre. Le peintre vaudois Raphaël Ritz l'incite à se rendre sur le Haut-Plateau de Savièse. Biéler fonde alors avec d'autres peintres l'École de Savièse, une colonie d'artistes. En 1892, il loue un atelier à Genève. Sous l'impulsion d'Eugène Grasset, il s'oriente vers l'Art nouveau. Avec Marguerite Burnat-Provins, il crée en 1903 la Ligue pour la beauté, la future organisation Patrimoine suisse (Heimatschutz). En 1909, Biéler s'installe à Paris. En 1913, il part en Italie pour étudier la peinture à fresque. Deux ans plus tard, il réalise les fresques qui ornent le vestibule du musée Jenisch à Vevey. En 1927, Biéler conçoit les décors et les costumes de la Fête des vignerons à Vevey. En 1933, il réalise quatorze vitraux pour l'église Saint-Germain de Savièse. En 1938, la Kunsthalle de Bâle lui consacre une vaste rétrospective. Il repose au cimetière Saint-Martin, à Vevey.

Ernest Biéler
(Rolle 1863-1948 Lausanne)

1880–1884 studiert Biéler an der Ecole nationale des Arts décoratifs in Paris, im Atelier suisse und an der Académie Julian bei Jules Lefebvre. Der Waatländer Maler Raphaël Ritz regt ihn dazu an, das Hochplateau von Savièse zu besuchen. Später gründet Biéler mit anderen Malerkollegen die Künstlerkolonie l'Ecole de Savièse. 1892 mietet er ein Atelier in Genf. Unter dem Eindruck von Eugène Grasset orientiert er sich am Jugendstil. Mit Marguerite Burnat-Provins gründet er 1903 la Ligue pour la Beauté, den späteren Heimatschutz. Biéler lässt sich 1909 in Paris nieder. 1913 reist er nach Italien, um die Freskomalerei zu studieren, zwei Jahre später führt er die Fresken im Vestibül des Musée Jenisch in Vevey aus. 1927 gestaltet Biéler die Festdekoration und Kostüme des Winzerfestes in Vevey. Er entwirft 1933 vierzehn Kirchenfenster für Saint-Germain in Savièse. 1938 widmet ihm die Kunsthalle Basel eine umfangreiche Retrospektive. Sein Grab befindet sich auf dem Friedhof Saint-Martin in Vevey.

122. *Le Pèlerin d'Einsiedeln* | *Der Pilger von Einsiedeln*, 1911, huile sur toile | Öl auf Leinwand, 45 × 26 cm

Gottardo Segantini
(Pusiano 1882-1974 Maloja)

Gottardo est le fils de Giovanni Segantini et Lugia (Bice) Bugatti. Il accompagne son père lorsque celui-ci peint sur l'alpe Tussagn, au-dessus de Savognin où la famille a élu domicile en 1886. Après la mort de son père, le jeune homme de dix-sept ans déménage à Milan avec sa mère et ses trois frères et sœurs. Son frère Mario fréquente l'Académie des beaux-arts de la Brera. Peu après, la famille s'installe à Maloja. Gottardo prend des cours à la Brera à Milan et, à Zurich, avec Hermann Gattiker, artiste et directeur de l'école de peinture de Rüschlikon. En Engadine, il travaille en utilisant la technique picturale divisionniste de son père. Avec son frère Mario, il transpose en gravures certaines peintures paternelles. Il expose avec Augusto et Giovanni Giacometti à Coire en 1913, à Saint-Gall en 1930 et à Karlsruhe en 1932. En 1934, ses lithographies réalisées d'après le triptyque alpin de son père sont publiées par Rascher. Sa biographie de Giovanni Segantini paraît en 1949.

Gottardo Segantini
(Pusiano 1882-1974 Maloja)

Gottardo ist der Sohn von Giovanni Segantini und Lugia (Bice) Bugatti. Er begleitet seinen Vater beim Malen auf der Alp Tussagn oberhalb Savognin, wohin die Familie 1886 gezogen ist. Nach dem Tod des Vaters zieht der 17-Jährige mit der Mutter und seinen drei Geschwistern nach Mailand. Der Bruder Mario besucht die Kunstakademie Brera. Wenig später kehrt die Familie nach Maloja zurück. Gottardo nimmt Unterricht an der Brera in Mailand und beim Künstler und Leiter der Rüschlikoner Malschule Hermann Gattiker in Zürich. Im Engadin arbeitet er nach der divisionistischen Malweise seines Vaters. Zusammen mit seinem Bruder Mario setzt er Bilder des Vaters in Radierungen um. 1913 stellt er zusammen mit Augusto und Giovanni Giacometti in Chur aus, sowie 1930 in St. Gallen und 1932 in Karlsruhe. 1934 werden seine Lithografien nach dem Alpentriptychon seines Vaters bei Rascher publiziert. 1949 erscheint seine Biografie über Giovanni Segantini.

123. *Soirée d'hiver* | *Winterabend*, 1919, huile sur toile | Öl auf Leinwand, 105 × 152 cm

Ernst Samuel Geiger
(Turgi 1876-1965 Neuenstadt)

Aîné d'une fratrie de six enfants, Ernst Samuel Geiger naît à Turgi et grandit à Brugg. L'une de ses sœurs sera plus tard la mère de Max Bill. Après avoir entrepris des études de médecine à l'Université de Bâle, Geiger s'oriente vers la sylviculture et la botanique à l'École polytechnique fédérale (EPFZ) de Zurich. En 1899, il séjourne à Soglio et y peint ses premières aquarelles ; en 1900, il obtient son doctorat à l'Université de Zurich en soutenant une thèse de botanique forestière sur le val Bregaglia. Il enseigne comme professeur du secondaire à Gränichen. À partir de 1908, il gagne sa vie comme artiste indépendant et entreprend des voyages d'études à Munich, à Paris et en Italie du Nord. En 1910, il s'installe à Berne, où il devient secrétaire général de la Société des peintres, sculpteurs et architectes suisses (SPSAS). En 1911, une bourse fédérale d'art le conduit à Twann, sur les bords du lac de Bienne. À partir de 1918, il vit à Ligerz et voyage en Engadine et au Tessin. Il participe à des expositions nationales et internationales et entretient des contacts avec Amiet et Hodler, qui ont recommandé son admission dans la Confédération des artistes allemands (Deutscher Künstlerbund).

Ernst Samuel Geiger
(Turgi 1876-1965 Neuenstadt)

Geiger wird als erstes von sechs Kindern in Turgi geboren und wächst in Brugg auf. Eine Schwester wird später die Mutter von Max Bill. Nach einem angefangenen Medizinstudium an der Universität Basel wechselt Geiger zur Forstwirtschaft und zur Botanik am Polytechnikum (ETH) in Zürich. 1899 hält er sich in Soglio auf und malt dort seine ersten Aquarelle.1900 promoviert er an der Universität Zürich mit einer forstbotanischen Arbeit über das Bergell. Er unterrichtet als Bezirkslehrer in Gränichen, ab 1908 lebt er als freischaffender Künstler und unternimmt Studienreisen nach München, Paris und Oberitalien.1910 lässt er sich in Bern nieder und wird Zentralsekretär der GSMBA. Ein eidgenössisches Kunststipendium bringt ihn 1911 nach Twann an den Bielersee. Ab 1918 wohnt er in Ligerz und reist ins Engadin und ins Tessin. Er beteiligt sich an nationalen und internationalen Ausstellungen und pflegt Kontakte zu Amiet und Hodler, der ihn dem deutschen Künstlerbund zur Aufnahme empfiehlt.

124. *Val Nuna*, vers | um 1914, huile sur toile | Öl auf Leinwand, 65 × 56 cm

Cuno Amiet
(Solothurn 1868-1961 Oschwand)

Élève au lycée de l'école cantonale de Soleure, Cuno Amiet suit les cours du peintre Frank Buchser de 1884 à 1886. Il étudie ensuite à l'Académie des beaux-arts de Munich, puis à l'Académie Julian à Paris, où il partage son appartement et son atelier avec Giovanni Giacometti de 1888 à 1892. Puis il déménage à Pont-Aven (Bretagne) pour un an. À l'occasion de l'assemblée générale de la Société suisse des peintres et sculpteurs suisses (SPSS), il rencontre Ferdinand Hodler à Berne en 1893. En 1898, il quitte Hellsau avec sa femme Anna Luder pour s'installer à Oschwand, près Herzogenbuchsee. En 1900, il reçoit une médaille à l'Exposition universelle de Paris pour sa peinture *Richesse du soir*. Amiet devient le parrain d'Alberto Giacometti. Entre 1906 et 1912, il participe aux expositions du groupe d'artistes « Die Brücke » (Le Pont). En 1914, le Kunsthaus Zürich lui consacre une exposition personnelle. Amiet soutient Alexej Jawlensky et Marianne von Werefkin, qui ont fui en Suisse après le déclenchement de la Première Guerre mondiale. Il est présent jusqu'à sa mort dans de nombreuses expositions nationales et internationales.

Cuno Amiet
(Solothurn 1868-1961 Oschwand)

Als Schüler der Gymnasialabteilung der Kantonsschule Solothurn nimmt Amiet 1884–1886 Unterricht beim Maler Frank Buchser. Danach studiert er an der Akademie der Bildenden Künste in München und anschliessend an der Académie Julian in Paris, wo er sich von 1888–1892 die Wohnung und das Atelier mit Giovanni Giacometti teilt. Er zieht für ein Jahr nach Pont-Aven (Bretagne). Anlässlich der Generalversammlung der GSMB lernt er 1893 in Bern Ferdinand Hodler kennen. 1898 zieht er von Hellsau mit seiner Frau Anna Luder auf die Oschwand bei Herzogenbuchsee. Für sein Gemälde *Richesse du soir* erhält er 1900 an der Pariser Weltausstellung eine Medaille. Amiet wird Pate von Alberto Giacometti. Zwischen 1906 und 1912 beteiligt er sich an den Ausstellungen der Künstlervereinigung «Brücke». 1914 widmet ihm das Kunsthaus Zürich eine Einzelausstellung. Amiet unterstützt Alexej Jawlensky und Marianne von Werefkin, die nach dem Ausbruch des Ersten Weltkriegs in die Schweiz geflohen sind. Bis zu seinem Tod ist er in zahlreichen nationalen und internationalen Ausstellungen vertreten.

125. *Le lac de Thoune et la chaîne des Alpes* | *Thunersee mit Alpenkette*, 1931, huile sur toile | Öl auf Leinwand, 38 × 46 cm

126. *Gummfluh*, 1921, huile sur toile | Öl auf Leinwand, 60 × 55 cm

Augusto Giacometti
(Stampa 1877–1947 Zürich)

Augusto Giacometti est le cousin germain de Giovanni Giacometti. De 1894 à 1897, il se forme comme professeur de dessin à l'École d'arts appliqués de Zurich. En 1897, il suit des cours à l'École nationale des arts décoratifs et à l'Académie Colarossi à Paris. Il étudie ensuite avec Eugène Grasset à l'École normale d'enseignement du dessin. De 1902 à 1908, il séjourne à Florence et se consacre à l'étude du début de la Renaissance. Deux ans après avoir déménagé à Zurich, il fait la connaissance en 1917 des dadaïstes et participe aux soirées Dada organisées au Kaufleuten, à Zurich. De 1918 à 1920, il est membre du groupe d'artistes « Das Neue Leben » (La Nouvelle Vie). Lauréat du concours consistant à peindre les murs et les voûtes du hall d'entrée de l'Amthaus (bâtiments municipaux) à Zurich, il réalise ce travail de 1923 à 1925. Le vitrail de l'église Saint-Jean à Davos est considéré comme l'un des premiers vitraux abstraits de Suisse. Il participe à la XVIIIe Biennale de Venise en 1932 et devient membre de la Commission fédérale d'art en 1934.

Augusto Giacometti
(Stampa 1877–1947 Zürich)

Augusto ist der Vetter zweiten Grades von Giovanni Giacometti. 1894–97 lässt er sich zum Zeichenlehrer an der Kunstgewerbeschule in Zürich ausbilden. 1897 belegt er Kurse an der Ecole nationale des Ars Décoratifs und der Académie Colarossi in Paris. Anschliessend studiert er bei Eugène Grasset an der Ecole normale d'enseignement du dessin. 1902–1908 hält er sich in Florenz auf und widmet sich dem Studium der Frührenaissance. Zwei Jahre nach seinem Umzug nach Zürich macht er 1917 die Bekanntschaft mit den Dadaisten und nimmt an den Dada-Soirées im Zürcher Kaufleuten teil.1918–1920 ist er Mitglied der Künstlergruppe «Das Neue Leben». Er gewinnt den Wettbewerb für die Ausmalung der Wände und Deckengewölbe in der Eingangshalle des Amthauses I in Zürich und führt die Malereien 1923–25 aus. Das Glasfenster in der Kirche St. Johann in Davos gilt als eines der ersten abstrakten Kirchenfenster in der Schweiz. 1932 nimmt er an der XVIII. Biennale in Venedig teil und wird 1934 Mitglied der Eidgenössischen Kunstkommission.

127. *La fuite en Egypte* | *Flucht nach Ägypten*, 1916, huile sur toile | Öl auf Leinwand, 140 × 138 cm (avec cadre d'origine | mit Originalrahmen)

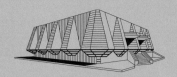

*Nous tenons à témoigner notre gratitude aux généreux mécènes,
donateurs et Amis de la Fondation qui, par leur soutien, nous permettent
la mise sur pied de notre programme de concerts et d'expositions.*

Nous remercions tout particulièrement:

*La Commune de Martigny
L'Etat du Valais*

*Banque Cantonale du Valais
Buser Matériaux SA, Martigny
Caves Orsat-Domaines Rouvinez SA, Martigny
Champagne Pommery
Cronos Finance SA, Pully
Fiduciaire Bender SA, Martigny
Fondation Coromandel, Genève
Fondation Philanthropique Famille Sandoz
Groupe Mutuel, Martigny
Hôtel La Porte d'Octodure, Martigny-Croix
Hôtel Vatel, Martigny
Le Nouvelliste et Feuille d'Avis du Valais
Loterie Romande
M. Dan Mayer, Zoug
M. Daniel Marchesseau, Paris
M. J. J., Belgique
Morand Louis et Mireille-Louise, Martigny
Office du Tourisme - Société de développement, Martigny
RailAway CFF
Rolex
Sotheby's, Genève
Thea Pharma, Clermont-Ferrand, France
Thea Pharma, Schauffhausen
Touring Club Suisse Valais
Le Tunnel du Grand-Saint-Bernard
Veuthey & Cie SA, Martigny*

ainsi que:

La Fondation Pierre Gianadda

Temple de platine à Fr. 5000.-

Caves Orsat SA, Martigny
Devillard Holding SA, Claude Devillard, Genève
Domaines Rouvinez SA, Martigny
Etude Nicod SA, Laurent Nicod, Monthey
Expositions Natural Le Coultre SA, Genève
Louis Morand & Cie SA, Distillerie, Martigny
Magnier John, Verbier
Maroger Marie-Bertrande et Jean-Michel,
    Chemin
Martigny Boutique Hôtel, Martigny
Matériaux Plus SA, Martigny
Musumeci SPA, Quart, Italie
Nestlé Waters (Suisse) SA, Henniez
Office du Tourisme, Martigny
Primat Martine, Collonge-Bellerive
SGA, Gaëlle Izzo et Pierre-Alain Mettraux, Sion
Sinergy Commerce SA, Martigny
Société de Développement, Martigny
Wertheimer Gérard, Cologny

Chapiteau d'or à Fr. 1000.-

Accès Job SA, Gérard Godel, Sion
Adatis SA, M. Palisse, Martigny
Agence Caecilia, Pedro Kranz, Genève
Agence Immobilière Barras, Gaston F. Barras,
    Crans-Montana
Anthamatten Meubles SA, Bernard
    Anthamatten, Vétroz
Ascenseurs Schindler SA, Lausanne,
    succursale de Sion
Barat Didier, Martigny
Barents Maria et Jan, Verbier
Bauknecht SA, appareils ménagers, Renens
Baum Andreas, La Tour-de-Peilz
Baum Andreas, La Tour-de-Peilz
Belloni Valérie, Avully
Bemberg Jacques, Lausanne
Benedick Rolando, Bâle
Berger Peter, Pully
Bernheim Catherine, Crans-Montana
Berra Bernard, Martigny
Berrut G. et J., Hôtel Bedford, Paris, France
Bétrisey Edouard, Martigny
Beyersdorf Doris, Genève
Briner Janet et Robert, Conches
Buser Matériaux SA, Martigny
Buzzi Aleardo, Monaco
Cappi-Marcoz SA, agence en douane,
    Martigny

Chevrier Nicolas, Bramois
Chubb Assurances (Suisse) Limited, Zürich
Cligman Léon, Paris, France
Commune de Bagnes, Le Châble
Commune de Finhaut
Compagnies de Chemins de Fer,
    Martigny-Châtelard, Martigny-Orsières
Conforti SA, Martigny
Constantin Jean-Claude, Martigny
Constantin Martial, Vernayaz
Corboud Marisol, Blonay
Couchepin Jean-Jules, Martigny
Couchepin Pascal, Martigny
Cretton Marie-Rose et Georges-André, Martigny
Crittin Myriam et Pierre, Martigny
Cronos Finance SA, Pully
Crot Aurore, Vullierens
Darbellay Michel et Caty, Martigny
Debiopharm Research & Manufacturing SA,
    Martigny
Demartines Nicolas, Pully
Dreyfus Pierre et Marie-Christine Burrus, Bâle
Duay Sàrl, Martigny
Etude Bernasconi & Terrier, Vincent
    Bernasconi, Genève
Fankhauser Viviane, Champéry
Favre SA, transports internationaux, Martigny
Feldschlösschen Boissons AG, Viège
Feux d'artifice UNIC SA, Patrick Gonnin,
    Romans sur Isère cedex, France
Fidag SA, fiduciaire, Martigny
Fiduciaire Bender SA, Martigny
Fischer Sonia, Thônex
Fondation du Grand-Théâtre de Genève,
    Guy Demole, Genève
Fondation Via Artis, Joana Braunschweig,
    Lausanne
Fournier Martigny SA, Martigny
G. J.-M., Vétroz
Gérald Besse SA, Martigny-Croix
Gétaz-Miauton SA, Vevey
Géza Anda-Stiftung, Zürich
Gianadda François, Martigny
Gianadda Mariella, Martigny
Graf William, Zermatt
Grande Dixence SA, Sion
Grieu Maryvonne, Buchillon
Groupe Bernard Nicod, Lausanne
Guggenheim Josi, Zurich
Guggenheim Josi, Zurich

Guilbert Christian, Sion
Hahnloser Bernhard et Mania, Berne
Hersaint Françoise, Crans-Montana
Huber & Torrent, David Torrent, Martigny
Ideal Fenêtre S.à r.l., Christophe Vuissoz, Sierre
Jenny Klaus, Zürich
Kennard Gabrielle, Anzère
Kuhn & Bülow, Versicherungsmakler, Zurich
La Poste Suisse, CarPostal Valais Romand
    Haut-Léman
Lagonico Carmela, Cully
Les Fils de Charles Favre SA, Sion
Les Fils de Charles Favre SA, Sion
Les Fils de Serge Moret S.A., Charrat
Lonfat Raymond et Amely, Sion
Luy Hannelore, Martigny
Maillefer Michel, La Conversion
Marchesseau Daniel, Paris, France
Martin Nicole, Lyon, France
Mex-Martinoli Silvia et Roland, Crans-Montana
Michel Luyet et Fils SA, Martigny
Mintra Trade Inv. Co., Chistian Fioretti, Genève
Morand Mireille-Louise, Martigny
Moret Corinne et Xavier, Martigny
Municipalité de Salvan
Murisier-Joris Pierre-André, Martigny
Nestlé SA, Vevey
Neubourg Hélène, Pully
Odier Patrick, Lombard Odier & Cie, Genève
Oltramare Yves, Vandœuvres
Pahud-Montfort Jean-Jacques, Monthey
Papilloud Jean-Daniel, St-Séverin
Pharmacie de Clarens, Alain Piquerez, Clarens
P. M., Martigny
Polli et Cie SA, Martigny
Pot Philippe, Lausanne
Pour-Cent Culturel Migros
Pour-Cent Culturel Migros
Pour-Cent Culturel Migros
Primat Bérengère, Crans-Montana
Produit Michel, Martigny
Restaurant «Le Loup Blanc», Maria et Fred
    Faibella, Martigny
Restaurant «L'Olivier», Hôtel du Forum,
    Martigny
Rhôneole SA, Vernayaz
Rhôneole SA, Vernayaz
Rigips SA, Granges
Roduit Bernard, Fully
Rossa Jean-Michel, Martigny

Salamin Electricité, Martigny

Sanval SA, Jean-Pierre Bringhen, Martigny

Saudan les Boutiques, Martigny

de Ségur Isabelle, Crans-Montana

Seiler Hotels Zermatt AG, Christian Seiler, Zermatt

Seydoux & Associés Fine Art SA, Thomas Seydoux, Genève

Starjet, Nicolas Ducommun, Sion

Steak House, Fabrice Grognuz, Martigny

Theytaz Jean, Vevey

Thierry Solange, Bruxelles, Belgique

Ulivi Construction Sàrl, Alain Ulivi, Martigny

Vannay Stéphane, Martigny

Vocat Olivier, Martigny

Wehrli Dorothea, Villars-sur-Glâne

XL Services Switzerland Ltd, Peter Meili, Zürich

Zurcher-Michellod Madeleine et Jean-Marc, Martigny

Stèle d'argent à Fr. 500.-

Accoyer Bernard, Président de l'Assemblée Nationale, Veyrier-du-Lac, France

Ambassade de la Principauté de Monaco, Berne

Amon Claudie, Lausanne

Anonyme, Blonay

Antinori Ilaria, Bluche-Randogne

Arcusi Jacques, Vacqueyras, France

Association du Personnel Enseignant Primaire et Enfantine de Martigny (APEM)

Bachmann Roger, Cheseaux-Noréaz

Bailey Jacqueline, Verbier

Balet Chantal, Sion

Barbier-Mueller Marie, Genève

Barbier-Mueller Thierry, Genève

Barreau Namhee, Blonay

Baudry Gérard, Grand-Lancy

Beck Marie-France, Cortaillod

Bender Emmanuel, Martigny

Berg-Andersen Bente et Per, Crans

Bestazzoni Umberto, Martigny

Bloch Robert-Philippe, Sorens

Bolomey Marianne, La Tour-de-Peilz

Borrini Colette, Bâle

Bory Gérald et Caroline, Nyon

Bossy Jacqueline, Sion

Boucheron Alain, Zermatt

Bourban Narcisse, Haute-Nendaz

Bourban Pierre-Olivier, Haute-Nendaz

Bourgeoisie de Martigny

Brechtbühl - Vannotti Maria-Nilla, Bedigliora

Bruchez Jean-Louis, Martigny

Bruellan SA, Crans-Montana

Bruellan SA, Jean-François Beth, Verbier

Brun Jean-François, Riddes

Brunner Vreny, Caux

Buhler-Zurcher Dominique et Jean-Pierre, Martigny

Café Moccador SA, Martigny

Café-Restaurant Le Rustique, Emmanuelle et Claude Risch, Martigny

Café-Restaurant de Plan-Cerisier, Martigny-Croix

Carron Annie et Michel, Riddes

Casella Gérard, Celigny

Cave Gérard Raymond, Saillon

Cavé Jacques, Martigny

Chaudet Marianne, Chexbres

Chavaz Denis, Sion

Claivaz Willy, Haute-Nendaz

Conforti Monique, Martigny

Couchepin Denise, Lausanne

Couchepin Olivier, Martigny

Couchepin-Raggenbass Florence et René, Martigny

Crand Jean-François, Savigny-sur-Orge, France

Créa'Chapes, Christian Dorsaz, St-Maurice

Crêperie La Romaine, Emmanuelle et Claude Risch, Martigny

Cronos Finance SA, Sergio Diaz, Val-d'Illiez

Cuennet Marina, Pailly

CVS Confort & Cie S.A., Martigny

Darbellay Marie-Laurence, Liddes

Dayde Latham Béatrix, Lausanne

Debons Architecture SA, Armand Debons, Martigny

Debons Pierre-Alain, Sion

Delaloye Gaby & Fils SA, Ardon

De Pierre Gilbert, Ried-Brig

Dubois-Kerdel Saskia, Villars-sur-Ollon

Ducrey Guy, Martigny

Ducrot Michel, Martigny

Dutoit Michel, Ovronnaz

Entreprise Dénériaz SA, génie civil, béton armé, charpentes, Sion

Farine Françoise, Thônex

Farnier Jean-Pierre, Crans-Montana

Fiduciaire Duc-Sarrasin & Cie SA, Martigny

Fiduciaire Yearling Company SA, Joël Le Rouge, Bulle

Fischer Lucienne, Rolle

Fischer Pierre-Edouard, Prangins

Fondation du Grand-Théâtre de Genève, Guy Demole, Genève

Fondazione Paola Angela Ruminelli, Antonio Pagani, Domodossola, Italie

Frossard Dominique, Le Mont-sur-Lausanne

Gianadda Gilberte, Martigny

Giovanola Claude, Monthey

Giroud Frédéric, Martigny

Giroud Lucienne, Martigny

Givel Fuchs Anne-Claire, Morges

Goldschmidt Léo et Anne-Marie, Val-d'Illiez

Gollut Fabienne, Vevey

Grand Chantal, Martigny

Grand Emmanuel, Martigny

Gretillat Monique, Neuchâtel

Guerry Nicole et André, Cossonay

Guex-Mencia Carmen, Martigny

Gunzinger Annamaria, Binningen

Gurtner Gisèle, Chamby

Haas & Company AG, Peter Haas, Zurich

Heine Holger, Oberwil

Hoebreck Liliane et Jean-Paul, Montreux

Hoirie Edouard Vallet, Confignon

Holinger SA, Martigny

Hopkins Waring, Paris, France

Hôtel-Club Sunways, Stéphanie et Laurent Lesdos, Champex

Howald Pierre, Prilly

IDIAP, Institut de recherche, Martigny

Imwinkelried Christine, Martigny

Inoxa Perolo et Cie, Conthey

J.W.Y Nyffeler, Jackie Nyffeler, Genève

Jacquérioz Alexis, Martigny

Jaques Paul-André et Madeleine, Haute-Nendaz

Jarrett Stéphanie, Mont-sur-Rolle

Jucker Christine et Thomas, Leuk Stadt

de Kalbermatten Bruno, Jouxtens-Mézery

Kessler Didier, La Rippe

Köhli Josette, Grand-Saconnex

Koller Auktionen AG, Fabio Sidler, Zurich

Lagger Elisabeth, Sion

Lavomatic, Pierre Martin, Monthey

Les Fils de Charles Favre SA, Sion

Leuzinger Claudia et Patrick, Thônex

Levy Evelyn, Jouxtens-Mézery

Liuzzi Monique, Küsnacht

Lüscher Monique, Clarens

Lux Frédéric, Genève
Maillard Alain, Lausanne
Mairie de Chamonix
Malard Brigitte et Raoul, Fully
Malingue SA, Daniel Malingue, Paris, France
Martinetti Raphy et Madeleine, Martigny
Maus Bertrand, Bellevue-Genève
Meditec SA, Christophe Dubuis, Bercher
Meierhofer Françoise, Mellingen
Mellen Annie et William, Haute-Nendaz
Métrailler Serge, Grimisuat
MG Finances SA, Lausanne
Micarana SA, Courtepin
Michel Thierry, Chambésy
Michellod Lise et Jean-François, Verbier
Möbel-Transport AG, Zürich
Monney-Campeanu Gilbert et May, Vétroz
Morard Jacques, Fribourg
Moret Frères SA, Frédéric Moret, Martigny
Mullié Michèle, Quiberon, France
Noetzli Rodolphe, Payerne
Nordmann Serge et Annick, Wollerau
Oesch Christine et Kurt, Lausanne
Orsinger Yves, Martigny
Pain Josiane et Alfred, Londres
Parvex Claude, Chermignon
Paternot-Lindgren Monica, Le Châble
Perrig Antoine, Sion
Perruchoud Pascal, Sion
Peter Hans-Ulrich, Sion
Peyraud Carmen et Roger, Genève
Pfister Paul, Bülach
Piasenta Pierre-Angel, Les Marécottes
Pignolo-Engel René et Käthi, Berne
Pomari Alessandra, Minusio (Tessin)
Pouget Romaine, Martigny
Pradervand Daniel, Martigny
Pradervand Mooser Michèle,
    La Croix-sur-Lutry
Primatrust SA, Philippe Reiser, Genève
Probst Elena, Zurich
Protect étanchéité Sarl, Muhamed Useini,
    Conthey
Proz Liliane et Marcel, Sion
Rabaey Gérard, Blonay
Ramoni Raymond, Cossonay
Restaurant «Le Bourg-Ville», Claudia et
    Ludovic Tornare-Schmucki, Martigny
Restaurant «Le Catogne», Sylviane Favez,
    Orsières

Restaurant «Lion d'Or», Gennaro et
    Tonino La Corte, Martigny
Restorex Cuisine Professionnelles SA,
    Conthey
Ribet Huguette, Verbier
Ribordy Guido, Martigny
Riesco José, Martigny-Bourg
Righini Charles et Robert, Martigny
Roccabois Exploitation SA, Pierre-Maurice
    Roccaro, Charrat
Rodolphe Haller S.A., Christian Aegerter,
    Carouge
Roduit Bernard, Fully
Rotary Club Martigny
de Roten Pierre-Christian, Sion
Rouiller Mathieu, Martigny
Roux Roland, Pully
Rudaz-Rudaz Architectes, Sion
de Ruiter Ruud, Euseigne
Rybicki-Varga Susan, Grimisuat, à la mémoire
    de Jean-Noël
Schatzmann Tobias, Schlieren
Schober Bruno, Ascona
Seppey Narcisse, Hérémence
Séris Geneviève et Jean-François, Ayse,
    France
Severis Denis, Genève
Société de développement de Finhaut
Société des Cafetiers de la Ville de Martigny
Société des Vieux-Stelliens, Pierre Maurer,
    Lutry
SOS Surveillance, Glassey SA, Vernayaz
Sprung Eliane et Ascher, Crans-Montana
Stefanini Giuliana et Giorgio, Wilen b. Wollerau
Stettler Martine, Chemin
Stucky de Quay Jacqueline, Verbier
Surbeck Christiane, Le Mont Pèlerin
Tadros Michel-Charles, Ottawa, Canada
Taugwalder Elisabeth, Sion
Taverne de la Tour, Martigny
Taylor Schwander Amarillys, Leytron
Thétaz Anne-Marie et Pierre-Marie, Orsières
Thiébaud Monique, Vollèges
Thompson Géraldine et Ken, Martigny
Tissières Chantal et Pascal, Martigny
Toscani Claudia et Jacopo, Milan, Italie
Trèves Martine, Coppet
Tschopp-Hahnloser Sabine et Andreas,
    Spiegel
Valmaggia Rose-May et François, Sierre

Van der Maat Guido, Les Haudères
Vêtement Monsieur, Martigny
Vocat Colette, Martigny
Von Ro, Daniel Cerdeira, Charrat
Vouga Anne-Françoise, Cormondrèche
Vouilloz Liliane et Raymond, Fully
Vouilloz-Couchepin Anne-Laure et Gonzague,
    Martigny
Voutaz SA, Claude Voutaz, Martigny
Wacyba Ltd, Blaise Yerly, Bulle
Weil Suzanne, Genève
Zambaz Jan, Corpataux
Zufferey Gilles, Martigny
Zurcher Jean-Marie et Danièle, Martigny
Zurich Assurances, Enrique Caballero,
    Monthey

Colonne de bronze à Fr. 250.-
AAGS At All Global Services SA, Martigny
Abbet Jean-Marie, Vollèges
Abrifeu SA, Anne-Brigitte Balet Nicolas,
    Riddes
Adler Antoine, Quinta do Conde, Portugal
Aebi Jean-Marc, Savigny
Aepli & Fils SA, François Aepli, Dorénaz
Aghroum Christian, St-Sulpice
Airnace SA, Francis Richard, Evionnaz
Al-Rahal Angela, Genève
Albertini Sylvette, Verbier
Alksnis Karlis, Rolle
Allegro-Grand Béatrice, Grône
Allisson Jean-Jacques, Yverdon-les-Bains
Alméras Jean, St-Prex
Alter Max, Martigny
Ambrosetti Molinari, Mme et M., Savone, Italie
Amedeo Giovanna, Luxembourg
Amgwerd Marlyse, Echallens
Andenmatten Arthur, Genève
Andenmatten Roland, Martigny
Anderson Pia, Verbier
Anderssen Pal, Martigny
Andjelkovic Jasna, Nidau
Andrey Olivier, Fribourg
Andrivet Jacqueline et Jean-Pierre, Draillant,
    France
Anonyme, Barcelone, Espagne
Anonyme, Bex
Anonyme, Genthod
Anonyme, Lausanne
Anonyme, Martigny

Antonioli Claude-A., Vandoeuvres

Apelbaum Alexandre, Crans-Montana

Applitec Omron, Jean-Daniel Schaltegger, Crissier

Aquasec Sàrl & Roulnet SA, Suisse Romande

Arcald Sàrl, Thierry Baconnier, Territet

d'Arcis Yves, Pomy

Arlettaz Anne-Marie et Albert, en leurs mémoires

Arlettaz Daniel, Martigny

Arnaud Claude, Pully

Arnodin Antoine, Montrouge, France

Arnold Annika, Gilly

Arnold René-Pierre, Lully

Assémat-Tessandier Diane et Joseph, Verbier

Association Doxilog, Vevey

Association Musique et Vin, Jacques Mayencourt, Bains de Saillon

Atelier d'Architecture, John Chabbey, Martigny

Atelier du cadre Sàrl, Charly Perrin, Martigny

Aubailly Serge, Orléans, France

Aubaret-Schumacher Charlotte, Genève

Aubert Pascal, Tramelan

Aullen Monique, Saillon

Ausländer Alexandra, Lausanne

Auto-Electricité, Missiliez SA, Monthey

Bachmann Jean-Pierre, Réchy

Badoux Jean-René, Martigny

Baggaley Rachel, Les Marécottes

Bagutti Sport Sàrl, Isabelle Bagutti, Martigny

Balma Fabienne, Crans-Montana

Balma Guillaume, Crans-Montana

Balma Manuela et Marc-Henri, Chancey

Bandelier Denis, Vésenaz

Barbey Marlyse et Roger, Corsier

Bariseau Léa et Thierry, Lens

Barnéoud Elisabeth et Yvan, Argentière, France

Baron Jean-Marie, Champéry

Barradi Robert, Martigny

Barth-Maus Martine, Genève

Bartoli Anne Marie, Evian-les-Bains, France

Baruh Micheline, Chêne-Bougeries

Baseggio Olivier, Saint-Maurice

Basin Catherine, Paris, France

Batschelet-Breda Jacqueline, Versoix

Baud Bernard, Haute-Nendaz

Baud Marie-Pierre, Haute-Nendaz

Baudoux Pascal, Lutry

Bauer-Pellouchoud Marie-José, Martigny

Baur Martine et François, Rillieux, France

Be Bop, Laurent Torrione, Sion

Beaumont Hélène, Carpentras, France

Bédard Nicole et Robert, Genève

Bedoret Edith, Crans-Montana

Beeckmans Caroline, Sion

Beer Elisabeth et Heinz, Solothurn

Béguin Frédérique, Genève

Beiger Xavier, Martigny

Belgrand Jacques, Belmont

Bellicoso Oxana et Antonio, Martigny-Croix

Belvallette Isabelle, Crans-Montana

Belzeaux Patrice, Perpignan, France

Benjelloun-Oscare Simone, Monaco

Béraud Sylvestre, Rillieux-La-Pape, France

Berclaz Simone, Martigny

Berdoz Gérald, Vouvry

Berguerand Marc, Nyon

Berguerand-Thurre Anne-Patricia, Martigny

Berkovits Maria et Joost, Hoofddorp, Pays-Bas

Berlie Jacques, Miex

Bernasconi Giancarlo, Massagno

Bernasconi Giorgio, Collombey

Bernasconi Sylvie, Troinex

Berrut Jacques, Monthey

Berthon Emile, Grilly, France

Bertrand Catherine, Genève

Besse Jean-Marc, St-Maurice

Besson Immobilier SA, Verbier

Besson Mireille et Pascal, Pully

Bestenheider Eliane, Crans-Montana

Betschart Auguste, Levron

Biaggi André, Martigny

Bille Geneviève et René Pierre, Les Mosses

Bircher Carole, Verbier

Birkigt Françoise, Vouzon, France

Bise Krystin, Clarens

Bitschnau Veltman Ruth Maria, Chandonne

Black Findlay, Verbier

Blanc Jacky, Monthey

Blanc-Benon Jean, Lyon, France

Blaser Heinz Paul, Sion

Bloechliger-Gray Sally et Antoine, La Tour-de-Peilz

Boada José, Genthod

Bochatay André, Lausanne

Bochatay Georgette, Martigny

Bocion Antonia, Martigny

Boiseaux Christian, Challesles Eaux, France

Boismorand Pascale et Pierre, Martigny

Boissier Marie-Françoise, Verbier

Boissonnas Jacques et Sonia, Thônex

Bolay Violaine, Begnins

Bollin Catherine et Daniel, Fully

Bollmann Jürg, Villars-sur-Glâne

Bolze Maurice, St-Peray, France

Bonfanti Claire-Lise et Jean-Yves, Léchelles

Bonhomme Brigitte, Grenoble, France

Bonnet Thierry, Icogne

Bonvin Antiquités, Nicolas Barras, Sion

Bonvin Gérard, Crans-Montana

Bonvin Louis, Crans-Montana

Bonvin Roger, Martigny

Bonvin Rosemary, Monthey

Bonvin Venance, Lens

Bordier Isabelle, Bourg-Saint-Pierre

Borel Nicole et Patrick, Asnières sur Seine, France

Borgeat Françoise, Crans-Montana

Borstcher Emma, Champex-Lac

Bottaro Françoise, Martigny

Bouchardy Maria, Meyrin

Boucherie Traiteur 3 Petits Cochons, Léo Vouilloz, Fully

Boulangerie Michellod SA, Gérard et Didier Michellod, Verbier

Bourger Dominique, Lausanne

Bourgoin Micheline, Orléans, France

Bouthéon Pascale, Vernier

Bouvet Elisabeth, Chambéry, France

Braconi Andréa, Ecublens VD

Brechbühler Roland, Corgémont

Bretz Carlo et Roberta, Martigny

Brichard Jean-Michel, Bar-le-Duc, France

Bridel Frank, Blonay

Briguet Florian, Saillon

Brodbeck Pierre, Fenalet-sur-Bex

Bruchez Pierre-Yves, Martigny

Brun Francis, Lyon, France

Brun-Ney Jacqueline et Philippe, Vienne, France

Brünisholz-Moyal Lynda, Champéry

Bucher-Simond Jean et Dominique, Ayent

Buchs Jean-Gérard, Haute-Nendaz

Buchser-Theler Agnès et Hans-K., Ausserberg

Bugnon Alain, Pully

Bullman Anthony, Verbier

Bumann-Hoogendam Annemieke, Saas-Fee

Bundgaard Catherine, Gryon

Bünzli Jean-Claude, Romanel-sur-Lausanne

Bureau Technique Hugo Zanfagna, Martigny

Burgener Jean-François, Martigny

Burri-Dumrauf Irma, Croix-de-Rozon

Buser Niklaus et Michelle, Le Bry

Buthey Pascal, Arbaz

Bütikofer Vincent Christiane, Bex

C. J., Lyon, France

Cabinet d'ergothérapie,
    Edith Béatrix Kelemen, Aigle

Cabinet Médical Raphaël Guanella Sàrl,
    Raphaël Guanella, Martigny

Café-Restaurant Relais des Neiges,
    Anne-Marie Blanchard, Verbier

Caillat Béatrice, Corsier GE

Caille Suzanne, Prangins

Calvez Philippe, Quimper, France

Campanini Claude, Bevaix

Campion Patricia et Jean-Claude, Savièse

Camus-Cadot Marie-Elisabeth, Publier, France

Cand Jean-François, Yverdon-les-Bains

Candaux Rosemary, Yverdon-les-Bains

Capidex, Eric Lejosne, Bellignat, France

Carenini Plinio, Bellinzone

Carpentier Avocats, Jean-Philippe Carpentier,
    Paris, France

Carron Josiane, Fully

Carrupt Roland, Martigny

Cartier Jacqueline, Vésenaz

Cartier Marie-Anne et Jean, Crans-Montana

Caruso Chantal, Clarens

Cassaz Béatrice, Martigny

Castella Eliette, Saint-Pierre-de-Clages

Cavallero Yolande, Choulex

Cavalli Fausta, Verscio

Cavé Olivier et Aris d'Ambrogio, Moutier

Cave de Bovanche, Anne et Pierre-Gérard
    Jacquier-Delaloye, Savièse

Caveau des Ursulines, Gérard Dorsaz,
    Martigny-Bourg

Cavin Micheline et Albert, Martigny

CDM Hôtels et Restaurants SA, Lausanne

Ceffa-Payne Gilbert, Veyrier

Cefima SA, Leytron

Celaia Serge, Martigny

Cellier du Manoir, vinothèque, Martigny

Chalier Jean-Pierre, Genève

Chalvignac Philippe, Paris, France

Chapon Jean, Triors, France

Chappaz Marie-Thérèse, Fully

Chappaz Renée, Martigny

Chappaz Seng Aurélie, Martigny

Chappuis Robert, Fribourg

Charalabidis Catherine et Konstantinos,
    Bry-sur-Marne, France

Charlet Thomas et Famille, Zug

Charpentier Laurent, Annecy, France

Chassot Canisia, Ollon

Chaussures Alpina SA, Danielle Henriot,
    Martigny

Chevalley Michel, Tatroz

Chevillard Véronique, Villegaudin, France

Chevrier Emmanuel, Sion

Clark Janet, Leysin

Claude Philippe, Villars-sur-Ollon

de Clerck Christine, Crans-Montana

Clivaz Marlyse, Chermignon

Clivaz Paul-Albert, Crans-Montana

Closuit Léonard, Martigny

Closuit Marie-Paule, Martigny

Collège de Bagnes, Le Châble

Collet Verena et Georges, Thun

Colomb Geneviève et Gérard, Bex

Commune de Martigny-Combe

Commune de Savièse

Commune de Vouvry

Comte Genevieve et Hervé,
    Pharmacie de la Gare, Martigny

Comte Philippe, Genève

Comutic SA, Martigny

Constantin Mariana, Lausanne

Coppey Charles-Albert et Christian, Martigny

Copt Marius-Pascal, Martigny

Copt Simone, Martigny

Corbaz Yvonne, Montreux

Corm Serge, Rolle

Cossi A. + G. Sagl, Attilio Cossi, Ascona

Cottet Nicole, Villarvolard

Couchepin François, Lausanne

Courcelle-Gruz Christiane, Saint-Cergues,
    France

Courtière Sophie, Arbaz

Covo Maurice, Neuilly-sur-Seine, France

Crans-Montana Tourisme, Bruno Huggler,
    Crans-Montana

Crausaz Auguste, Ollon

Cresp Renée, Gollion | VD

Crestani Christine et Roberto, Martigny

Crettaz Arsène, Martigny

Crettaz Fernand, Martigny

Crettaz Monique, Sion

Crettaz Pierre-André, Diolly

Crettenand Dominique, Riddes

Crettenand Gérald, Sierre

Crettenand Narcisse, Isérables

Crettenand Simon, Riddes

Crettex Anny, Martigny

Cretton Marie-Céline, Monthey

Crommelynck Landa et Berbig Carine, Paris,
    France

Crot Eric, Yverdon-les-Bains

Cusani Josy, Martigny

Cuypers Marc, Martigny

Daeninck Anne-Marie et Géry, Verbier

Dallenbach Monique et Reynald, Chemin

Dallèves Anaïs, Salins

Dapples-Chable Françoise, Verbier

Darbellay Architectes et Associés Sàrl, Martigny

Darbellay Carrosserie - Camping Car Valais SA,
    Martigny

Darbellay Gilbert, Martigny

Darbellay Madeleine et Arthur, Martigny-Croix

Darbellay-Rebord Béatrice et Willy, Martigny

Davidis Fabienne, Arveyes

Davoine Christine et Didier, Verbier

Dayer Gerrie et Jean-Jacques, Conthey

De Bay Pierre-Edouard, Genève

De Christen Catherine et Lionel, Pully

De la Grandière Arthur, Chesières

De La Guerra Csilla et Luis, Martigny

De Lavallaz Jacques, Sion

De Montalembert Laura, Champéry

De Villèle Maud, Verbier

De Weck Jean-Baptiste, Fribourg

Dean John, Verbier

Defago Daniel, Veyras

Deillon Marchand Monique, Onex

Delafontaine Jacques, Chexbres

Delaloye Eric, Sion

Delaloye Lise, Ardon

Delamuraz-Reymond Catherine, Lausanne

Délèze Marie-Marguerite, Sion

Della Torre Carla, Mendrisio

Deller Maurice, Mollie-Margot

Dély Isabelle et Olivier, Martigny

Derron Bernard, Môtier-Vully

Deruaz Anne, Vésenaz

Desmond Corcoran, Londres

Diacon Philippe, La Tour-de-Peilz

Diethelm Roger, Martigny

Dini Liliane, Savièse

Dirac Georges-Albert, Martigny

Ditesheim & Maffei Fine Art,
François Ditesheim, Neuchâtel

Donette Levillayer Monique, Orléans, France

Dorsaz François, Martigny

Dorsaz Léonard, Fully

Dousselin, Jérôme Levy,
Couzon-au-Mont-d'Or, France

Dovat Viviane, Val-d'Illiez

Driancourt Catherine, Hermance

Droguerie-Herboristerie L'Alchimiste, Martigny

Drony Simone, Passy, France

Duboule-Claivaz Stéphanie, Martigny

Duché Bernard, Courlon/Yonne, France

Duclos Anne et Michel, Chambésy

Ducreux Marie et Philippe, Evian-Les-Bains,
France

Ducrey Jacques, Martigny

Ducrey Nicolas, Sion

Ducrey Olivier, Pully

Ducry Danièle et Hubert, Martigny

Dumas Françoise et Jacques,
Annecy-le-vieux, France

Duperrier Philippe F., Aire-la-Ville

Duplirex, L'Espace Bureautique SA, Martigny

Dupont Jean-Marc, Saxon

Durand-Ruel Denyse, Rueil Malmaison, France

Durandin Marie-Gabrielle, Monthey

Duriaux André, Genève

Dutoit Bernard, Lausanne

Echaudemaison Max, Maisons-Alfort, France

Ehrbar Ernest, Lausanne

Ehrensperger André, Salvan

Electricité d'Emosson SA, Martigny

Emery Marie-Thérèse, Martigny

Emonet Marie-Paule, Martigny

Emonet Philippe, Martigny

Enselme Martine, Genolier

Etoile Immobilier, Danni Hammer, Verbier

Etude Ribordy & Wenger, Olivier Ribordy,
Martigny

Falbriard Jean-Guy, Champéry

Faller Bernard, Colmar, France

Famé Charles, Corseaux

Fanelli Serge, Martigny

Fardel Gabriel, Martigny

Fauquex Arlette, Coppet

Faure Isabelle, Minusio

Faust Helga, Veigy-Foncenex, France

Fauvel Aude, Le Mont-sur-Lausanne

Favorol SA, Stores, Treyvaux

Favre Jacqueline et Marius, Anières

Favre Marie-Thé et Henri, Auvernier

Favre Murielle, Commugny

Favre Myriam, Genève

Favre Roland R., Stallikon

Favre-Crettaz Luciana, Riddes

Favre-Emonet Michelle, Sion

Favre-Renaud Delphine, Crans-Montana

Febex SA, Bex

Fédération des Entreprises Romandes Valais,
Sion

Feiereisen Josette, Martigny

Felberbaum Florence et Claude, La Tzoumaz

Félix Sylvie, Epalinges

Fellay Alain, Nendaz

Fellay Françoise, Martigny

Fellay Tina, Martigny

Fellay-Pellouchoud Michèle, Martigny

Fellay-Sports, Monique Fellay, Verbier

Ferrari Paolo, La Tour

Ferrari Pierre, Grandvaux

Ferrauto Fabienne, Le Mont-Pèlerin

Feurer Gabrielle, Cologny

Fidaval SA, Jean-Michel Coupy, Sierre

Fiduciaire Rhodannienne SA, Sion

Fillet Jean, pasteur, Thônex

Filliez Bernard, Martigny

Firmann Denise, Le Pâquier

Fischer Brigitte et Mollard André, Cointrin

Fischer Christiane et Jan, Zollikon

Fischer Hans-Jürgen, Delémont

Fivaz Dominique, Lausanne

Flipo Jérôme, New York, Etats-Unis

Floris Michel, Tournai, Belgique

Foire du Valais, Martigny

Fortini Christiane, Villars-sur-Ollon

Fournier Jean-Marie, Salvan

Fournier-Bise Nicole et Michel, Levron

Frachebourg Jean-Louis, Sion

Franc-Rosenthal Eve, Martigny

Francey Mireille, Grandson

Franz Claudine, Chêne-Bougeries

Franzetti Fabrice, Martigny

Franzetti-Bollin Elisabeth, Martigny

Frass Antoine, Sion

Frehner & Fils SA, Martigny

Friedli Anne et Catherine Koeppel, Fully

Frigerio-Merenda Silvia, Cadro

Frykman Anne, Anzère

Fumex Bernard, Neuvecelle, France

Gadda Conti Piero Ettore, Bâle

Gagneux Eliane, Bâle

Gailland Monique et Paul, Montagnier

Gaillard Benoît, Martigny

Gaillard Fabienne et Yves, Martigny

Gaillard Jean-Christophe, Martigny

Gaillard Philippe, Martigny

Gaillard-Ceravolo Anne-Marie et Fabien
Gaillard, Genève

Gaille Claude, Prilly

Galerie Bleue, Adrienne Buron, Duby-Mendel
Louis, Marie-Gina Louis, Clélie Neltidor,
Jean-Jerguens Polynie, Port-au-Prince, Haïti

Galerie du Bourg, Jean-Michel Guex, Martigny

Galerie Mareterra Artes, Eeklo, Belgique

Galerie Patrick Cramer, Genève

Galland Christiane, Orbe

Garage Check-point, Martigny

Garage Olympic, Paul Antille, Martigny

Gardaz Jacques, Chatel-Saint-Denis

Gasser Marianne, Vouvry

Gauchat Marc-Henri, Uvrier

Gault John, Orsières

Gautier Jacques, Genève

Gay Dave, Bovernier

Gay des Combes Fabienne Marie, Martigny

Gay Frédéric, Les Valettes

Gay-Balmaz Nicole, Martigny

Gay-Crosier François, Le Châble

Gay-Crosier Marinette, Martigny

Gay-Crosier Philippe, Ravoire

Gebhard Charles, Küsnacht

Geissbuhler Frédéric, Auvernier

Gemünd Danièle, Castelveccana/Varese, Italie

Genetti SA, Riddes

Genoud Gisèle, Sierre

Genoud Marie-Thérèse, Martigny

Georges André, Chêne-Bougeries

Gérance Service SA, Villars-sur-Ollon

Gerber René, Bâle

Gertsch Denise, Le Châble

Gertsch Jean-Claude, Neuchâtel

Gexist, Daniel Gex, Martigny

Gharzaryan Anzhela, Lausanne

Gianadda Laurent, Martigny

Gilbert Luc-Régis, Pantin, France

Gilgen Door Systems, Sion

Gilliard Jeannine, Saint-Sulpice

Gilliéron Maurice, Aigle

Giovanola Denise et Alain, Martigny

Girod Dominique, Genève

Glauser-Beaulien Eudoxia et Pierre, Neuchâtel

Golay François, La Tour-de-Peilz

Golaz Edmond, Bernex – Genève

Goldstein A. et S., Collombey

Golf Hôtel René Capt SA,
  Mireille Purslow-Capt, Montreux

Gonvers Serge, Vétroz

Gorgemans André, Martigny

Gottraux Caroline, Bavois

Grasso Carlo, Peintre, Calizzano, Italie

Gremion Hélène, Pringy

Grisoni Michel, Vevey

Groppi J.P. Mario, Veyras

Gross Philippe, Gland

Gudefin Marie-Andrée, Verbier

Guédon François, Lausanne

Guelat Laurent, Fully

Guérini Pierre et Nicole, Bernex

Guex-Crosier Jean-Pierre, Martigny

Guigoz Françoise, Sion

Guinnard Fabienne, Martigny

Guyaz Laubscher Claudine et Jimmy, Lausanne

Haldimann Blaise, Sierre

Halle Maria et Mark, Givrins

de Haller Emmanuel B., Neftenbach

Hanier Bernard et Jacqueline Peier,
  Crans-Montana

Hannart Marie et Emmanuel, Lutry

Harsch Henri HH SA, Carouge-Genève

Heimendinger Yaël, Icogne

Held Michèle et Roland, La Tour-de-Peilz

Helfenberger Monique, Crans Montana

Helvetia Assurances, Olga Britschgi, Genève

Henchoz Michel, Aïre

Henry Gabrielle, Lausanne

Héritier & Cie, bâtiments et travaux publics, Sion

Héritier Françoise et Michel, Martigny

Héritier Michel, Savièse

Hermann Roger, Mont-sur-Rolle

Herrli-Bener Walter, Arlesheim

Hinden Werner, Cureglia

Hintermeister James, Lutry

Hirt Sylvana, Bernex

Hochuli Sylvia, Chêne-Bougeries

Hoffstetter Maurice, Blonay

Hofmann David, Le Mont-Pèlerin

Hoog-Fortis Janine, Thônex

Hopf Studio, Tami Hopf, Vevey

Hôtel du Rhône, Otto Kuonen, Martigny

Hôtel Mont-Rouge, Jean-Jacques Lathion,
  Haute-Nendaz

Hottelier Denis, Martigny

Hottelier Jacqueline, Plan-les-Ouates

Hottelier Patricia et Michel, Genève

Houdard Henri, Nice, France

Huber Théo, Petit-Lancy

Hubert Patrick, Pully

Hugon Michaël, Martigny

Huguenin Suzanne, St-Légier-La-Chiésaz

Hurni Bettina S., Genève

Iller Rolf, Haute-Nendaz

Imhof Anton, La Tour-de-Peilz

Implenia Suisse SA, Martigny

Imprimerie Schmid SA, Sion

Ingesco SA, Genève

Invernizzi Fausto, Quartino

Iori Ressorts SA, Charrat

Iseli Bruno-François, Effretikon

Island Colours Sàrl, Danny Touw, Champéry

Isler Brigitte, Pully

IZ Wealth Management SA, Sion

Jaccard Francis, Fully

Jaccaud-Napi Anne-Lise, Vevey

Jalby Marie-Christine et Philippe,
  Crans-Montana

Jan Gloria, Lutry

Jaquenoud Christine, Bottmingen

Jaunin Isabelle et André, St-Légier

Jawlensky Angelica, Mergoscia

Jayet Monique, Sembrancher

John Marlène, Sierre

Joliat Jérôme, Genève

Jolly Irma, Vevey

Joseph Carron SA, Sébastien Carron, Saxon

Jotterand Michèle, Vessy

Juillerat Françoise, Haute-Nendaz

Jules Rey SA, Crans

Kadry Buran, Vétroz

Kaeser Daniel, Epesses

de Kalbermatten Anne-Marie, Veytaux

de Kalbermatten Anne-Marie et Jean-Pierre,
  Sion

Kaplanski Georges, Marseille, France

Karbe-Lauener Kerstin, Ayent

Kaufmann Peter G., Lausanne

Kayser Charles, Vevey

Kegel Sabine, Genève

Keller Bossert Verena et Martin, Berne

Kern Laurence, Le Bouveret

Kesselring Bertrand et Maggie, Founex

Kings William, Wuppertal, Allemagne

Kirchhof Sylvia et Pascal, Genève

Krafft-Rivier Loraine et Pierre, Lutry

Kresse Fabienne et Philippe, Genève

Krichane Edith et Faïçal, Chardonne

Krieger-Allemann Roger et Arlette,
  Saint-Légier

Kugler Alain et Michèle, Genève

Kuun d'Osdola Anne-Marie et Etienne, Martigny

Labruyère Françoise, Auxerre, France

Lacombe François, Grenoble, France

Laeuffer Bruno, Annecy-le-Vieux, France

Lagger Peter, Brig-Glis

Lagrange Claudine, Villars

Langraf Madeleine, Zurich

Lanni Lorenzo, Martigny

Lanzani Paolo, Martigny

Lathion Voyages, Jacques Lathion, Sion

Latour Claude, La Conversion

Laub Jacques, Founex

Lauber Joseph, Martigny

Laubscher Ariane, Croy

Laurant Marie-Christine et Marc, Fully

Laverrière-Joye Marie-Christine et Constant,
  Genève

Laydevant Roger, Genève

Le Bifrare SA, Muraz-Collombey

Ledin Michel, Conches

Le Floch-Rohr Josette et Michel, Confignon

Leglise Véronique et Dominique,
  La Chapelle-d'Abondance, France

Legros Christian, Verbier

Le Joncour Jean-Jacques, Chippis

Lemaitre Andrée, Lausanne

Lendi Beat, Prilly

Leonard Gary, Sion

Leprado Catherine, Crans-Montana

Le Roux de Chanteloup Danièle et
  Jean-Jacques, Champéry

Leuthold Marianne et Jean-Pierre, Lutry

Lévy Guy, Fribourg

Lewis-Einhorn Rose N., Begnins

Lexqi Conseil, Hélène Trink, Crans-Montana

Liaci Elena, Martigny

Liardet Rose-Marie, Font

Lieber Anne et Yves, Saint-Sulpice

Limacher Florence et Richard Stern, Eysins
Lindstrand Kai, Monthey
Livera Léonardo, Collombey
Livio Jean-Jacques, Corcelles-le-Jorat
Logean Sophie et Christian, Meyrin
Lonfat Juliane, Martigny
Los Elisabeth, Rennaz
Louviot Jacqueline, Villars-Burquin
Lubrano Annie, Fribourg
Lucchesi Fabienne, Carouge
Lucchesi Serenella, Monaco
Lucciarini Bernard, Martigny
Luce Fabrice, Galmiz
Lugon Brigitte, Martigny
Lugon Moulin Jacqueline, Saillon
Luisier Adeline, Mase
Lukomski Michal, Genève
Lustenberger Anne-Lise, Lucerne
Maget Vincent, Martigny
Maire Julien, Aix-les-Bains
Malard Valérie, Fully
Mamon Delia, Verbier
Manche-Ernest Jocelyne, Martigny
Mandosse Marie-France, Verbier
Marberie Nouvelle, Patrick Althaus, Martigny
Maréchal Silvana, Chexbres
Mariaux Richard, Martigny
Marin Bernard, Martigny
Marin Yvan, Chandonne
Martin Michèle, Saillon
Masson André, Martigny
Massot Dominique, Genève
Mathieu Erich, Binningen
Matthey Pierre, Genève
Maumet-Verrot Evelyne, Lyon, France
Maupin Hervé, Crans-Montana
Maurer Marcel, Sion
Maurer Willy, Riehen
Mausoli-Eberle Jacqueline, Saillon
May Claudine, Saillon
Méga SA, traitement de béton et sols sans
    joints, Martigny
Melis Werner, Vienne, Autriche
Melly Christian, Vissoie
Melly Jacques, Granges
Mendes de Leon Luis, Champéry
Menétrey-Henchoz Jacques et Christiane, Porsel
Menuz Bernard et Chantal, Satigny
Merlo Arrigo, Crans-Montana
Merotto Veronica, Aigle

Messner Tamara, Martigny
Mestdjian Marie Amahid, Genève
Métrailler Pierre-Emile, Sierre
Métrailler Sonia, Savièse
Metzler Hélène, Saint-Légier-La Chiésaz
Meunier Jean-Claude, Martigny
Meunier Jérôme, Saint-Symphorien, Belgique
Meyer Daniel, La Tour-de-Peilz
Meyer Meret, Berne
Miallier Franck, Chamonix, France
Miallier Raymond, Clermont-Ferrand, France
Miauton Marie-Hélène, Grandvaux
Miauton Pierre-Alex, Bassins
Michaud Claude, St-Légier
Michaud Edith et Francis, Martigny
Michelet Freddy, Sion
Michellod Christian, Martigny
Michellod Guy, Martigny
Michellod Thierry, Monthey
Miescher Laurence, Saint Genis Pouilly, France
Migliaccio Massimo, Martigny
Miglioli-Chenevard Magali, Pully
Miremad Bahman, Grimisuat
Mittaz Germain, Dietikon
Mittelheisser Marguerite, Illfurth, France
Mock Hélène et Elmar, Salvan
Moillen Marcel, Martigny
Moillen Monique, Martigny
Monnard Gabrielle, Martigny
Monnet Bernard, Martigny
Montfort Evelyne, Hauterive
Morard Hubert, Lyon, France
Mordasini Michel, Aproz
Moret Claude, Martigny-Croix
Moretti Anne, Pully
Morin-Stampfli Alain, Chateauroux, France
Moser Jean-Pierre, Lutry
Mottet Brigitte, Evionnaz
Mottet Marianne, Evionnaz
Mottet Xavier, Torgon
Moulin Raphaël, Charrat
Moulin-Michellod Sandra, Martigny
Mouthon Anne-Marie, Marin-Epagnier
Müller Christophe et Anne-Rose, Berne
Nahon Philippe, Courbevoie, France
Nanchen Jacqueline, Sion
Nançoz Roger et Marie-Jo, Sierre
Nantas-Massimi Yves, St-Etienne, France
Neidecker Tom, Oro Valley, Etats-Unis
Neuberger Wolfgang, Bregenz, Autriche

Nicod Patricia, Lausanne
Nicolas France, Baulmes
Nicolazzi René, Genève
Nicolet Olivier, Guéret, France
Nicollerat Louis, Martigny
Noir Dominique, Ollon
Nordmann Alain, St-Sulpice
Nosetti Orlando, Gudo
Nouchi Frédéric, Martigny
Obrist Reto, Sierre
OCMI Société Fiduciaire SA, Genève
Oertli Barbara, Bernex
Oetterli Anita, Aetingen
OLF SA, Patrice Fehnmann, Fribourg
OV Color Sàrl, Martigny
Paccolat Fabienne, Martigny
Pages Didier, Brenles
Pages Franck, Crans-Montana
Paley Nicole et Olivier, Chexbres
Papaux SA, Fenêtres, Sion
Papilloud Gaël, Créactif, Martigny
Papilloud Jean-Claude, Créactif, Martigny
Pascal Jean-Yves, Sainte Foy Lès Lyon,
    France
Pasche Laurence et François, Lausanne
Pasqualini Claudine, Veyrier
Pasquier Bernadette et Jean, Lens
Pastor Lionel, Genève
Patrigot Nicolas, Chamonix, France
Pauly Christian, Bex
Pellaud Charly, St-Maurice
Pellaud Fernande, Martigny
Pellaud Michel, Saillon
Pellouchoud Janine, Martigny
Peny Claude, Lausanne
Perraudin Georges, Martigny
Perraudin Maria, Martigny
Perret Alain, Vercorin
Perret Eliane, Montreux
Perrier Laurent, Fully
Perrin Catherine, Montreux
Perrin Sarra et Julien, Lausanne
Perroud Jean-Claude, Sion
Petite Jacques, Martigny
Petroff Michel et Claire, Bellevue
Pfefferlé Marie-Jeanine, Sion
Pfefferlé Raphaële, Sion
Pfister-Curchod Madeleine et Richard, Pully
Pharmacie de l'Orangerie, Antoine Wildhaber,
    Neuchâtel

Pharmacies de la Gare, du Léman, Centrale, Lauber, Werlen et Zurcher, Martigny

Philippe Francine, Paris, France

Philippin Chantal et Bernard, Martigny

Phillips Monique, Lausanne

Piatti Jeannine, Sion

Picard Jean, Muraz (Collombey)

Picard Valérie, Vessy

Pignat Bernard, Vouvry

Pignat Daniel, d'Alfred, Plan-Cerisier

Pignat Daniel et Sylviane, Martigny-Croix

Pignat David et Laetitia, Martigny

Pignat Marc, Martigny

Pijls Henri M., Salvan-Les Granges

Pillet Jacques, Martigny

Pillonel André, Genève

Piscines et Accessoires SA, Sébastien Pellissier, Martigny

Pitteloud Anne-Lise, Sion

Pitteloud Janine, Sion

Pitteloud Paul-Romain B., Bramois

Pittier Claude, Ollon

Piubellini Gérard, Lausanne

Polgar Eric, Gryon

Pommery Philippe, Verbier

Poncioni Françoise, Martigny

Potterat Debétaz Paule, Pully

Pouvesle Patrice, Burcin, France

Pralong Thérèse, Martigny

Privaswiss Management SA, Michel Horgnies, Martigny

Puippe Janine, Ostermundigen

Puippe Pierre-Louis, Martigny

Puippe Raymonde et Janine Chattron, Martigny

Puy Henri, Martigny

Raboud Bénédicte, Aigle

Raboud Hugues, Genthod

Raboud Jean-Joseph, Monthey

Radja Chantal, Martigny

de Rambures Francis, Verbier

Ramel Daniel, Jouxtens-Mézery

Ramseyer Jean-Pierre, Montreux

Ratano Abraham, Yverdon-les-Bains

Rausing Birgit, Territet

Reber Guy et Edith, Collonge-Bellerive

Rebord Mario, Martigny

Rebord Philippe, Fully

Rebstein Gioia et François, La Conversion

Regazzoni Mauro, Tegna

Regueiro Joaquin, Milladoiro, Espagne

Rémondeulaz David, Saillon

Résidence Arts et Vie, Samoëns, France

Restaurant «Le Belvédère», Sandrine et André Vallotton, Chemin

Réthoré Elisabeth et Alain, Marcilly-en-Gault, France

Reusser Francis, Bex

Revaz Bénédicte et Cédric, Finhaut

Revel Mergène, Lutry

Rey Sylvaine, Ecoteaux

Rey-Günther Anita, Port

Reynard Marie-Noëlle, Savièse

Richard Hélène et Hubert, Paris, France

Rieder Systems SA, Puidoux

Riethmann Chantal, Verbier

Rijneveld Robert, Randogne

Ritrovato Angelo, Monthey

Rivier Françoise, Aïre

Roccarino Fabienne, Peseux

Rochat Elisabeth et Marcel, Les Charbonnières

Roduit Albert, Martigny

Rollason Michèle, Genthod

Rondi-Schnydrig Marie-Thérèse, Pfäffikon

Ronnerström Selma Iris, Veytaux

Rossati Eva et Ernesto, Verbier

Rossetti Claudio, Martigny

Roth René, Ovronnaz

Rothen Marlyse et Charly, Mayens-de-Chamoson

Rouiller Bernard, Finhaut

Rouiller Jean-Marie, Martigny

Rouiller Yolande, Martigny

Roulet Marie-Noëlle, Onex

Roulier Jacqueline, Lonay

Rouvinez Geneviève, Ayent-Saxonne

Roux Françoise, Leysin

Rovelli Paolo, Lugano

Rubin Christiane F., Blonay

Ruchat René Armand Louis, Versoix

Rufenacht Antoine, Le Havre, France

Rusca Eric et Gisèle, Le Landeron

Russo Ned, Lens

Ruzicka-Rossier Monique, Martigny

Saillet Bertrand, Ballaison, France

Saint-Denis Marc, Vandœuvre-les-Nancy, France

Salamin André, Le Châble

Salomon Svend, Crans-Montana

Sandona Marthe, Genève

Sandri Gian, Huémoz

Sarrasin Monique, Bovernier

Sarrasin Olivier, Saint-Maurice

Sarrasin Pascal, Martigny

Sarrasin Roseline, Martigny

Saudan Xavier, Martigny

Sauret Huguette, Tassin, France

Sauthier Marie-Claude, Riddes

Sauthier Monique, Martigny

Sauvain Elisabeth et Pierre-Alain, Chêne-Bourg

SB Ingénierie Sàrl, Serge Berrut, Troistorrents

Schaller-Herzig Harry, Martigny

Schatzmann Beat H., Clarens

Scheidegger Alice et Didier, Zurich

Schelker Markus, Oberwil

Schippers Jacob, Vouvry

Schlup Juliette et Hansrudolf, Môtier

Schlup Martine et François, Courrendlin

Schmid Anne-Catherine, Saillon

Schmid Bernard, Charrat

Schmid Jean-Louis, Martigny

Schmid Monique, Saconnex-d'Arve

Schmidly Sonia et Armand, Chamoson

Schmidt Expert Immobilier, Grégoire Schmidt, Martigny

Schmidt Pierre-Michel, Epalinges

Scholer Urs, Corseaux

Schreve Frank, Verbier

Schwieger Ian, Zug

Schwob Lotti, Saillon

Sébastien Hélène, Sion

Seidl-Geuthner Arlette et Frédéric, Cully

Seigle Marie-Paule, Martigny

Serey Régine, Crans-Montana

Sermier Irma et Armand, Sion

Sévegrand Anne-Marie, Lausanne

Severi Farquet Annelise et Roberto, Veyrier

Siamer Sabrina, Pully

Sicosa SA, Jean-Jacques Chavannes, Lausanne

Siegenthaler Marie-Claude, Tavannes

Siegrist Micheline, Martigny

Siggen Remy, Chalais

Simon Miranda, Lausanne

Simonin Josiane, Cernier

Skarbek-Borowski Irène et Andrew, Verbier

Sleator Donald, Lonay

Smadja Alain, Pully

Smith Thérèse et Hector, Montreux

Soldini Sandrine, Pompaples

Sottas Bernard, Bulle
Soulas Marc, Valreas, France
Soulier Alain, Crans-Montana
Sousi Gérard, Président d'Art et Droit, Lyon, France
Spinelli Irina, Oberrohrdorf
Spinner Madelon, Bellwald
Stahli Georges, Collonge-Bellerive
Stähli Regula, Nidau
Stalder Mireille, Meyrin
Stalé Ariane, Zurich
Stanczyk Mariusz, Bramois
Steiner Eric, Grand-Saconnex
Stelling Nicolas, Estavayer-le-Lac
Stenbolt Zohren et Gustav, Genève
Stephan SA, Givisiez
Storno François, Genève
Strübin Peter, Allschwil
Studer Myriam et Roland, Veyras
Suter Ernest, Staufen
Suter Madeleine, Grand-Saconnex
Suter Viandes SA, Pascal Pittet, Villeneuve
Sven Göran et Viviane, Ronnerström-Schweizer, Veytaux
SwissLegal Rouiller & Associés Avocats SA Colette Lasserre Rouiller, Lausanne
Tacchini Carlos, Savièse
Taeymans de Beer Bernadette et Dominique, Brent
Tanner Jeanne, Lavey-Village
Taramarcaz Christa, Martigny-Croix
Taramarcaz José, Martigny-Croix
Tatti Brunella, Arzier
Tavel-Cerf Solange, Chesières
Taverney Bernard et Janine Egger, Cully
Thauloz Gérald, Villeneuve
Theumann Jacques, Saint-Sulpice
Thomas Roger, Pully
Thomas Valérie, Fully
Thomson Ronald, Ravoire
Timochenko Andreï, Martigny
Tissières Magdalena, Martigny
Tixier Wiriath Marie-France, St-Sulpice
Tonon Corinne, Etoile sur Rhône, France
Tonossi Louis-Fred, Venthône
Tonossi Michel, Sierre
Tornay Charles-Albert, Martigny
Toureille Béatrice et Jacques, Paris, France
Touzet Dominique, Le Châble
Traiteur Terre et Mer, Dominique Blin, Martigny

Troillet Jacques, Martigny
Troillet Raphaël, Martigny
Turpin Charles, Paris, France
Turrettini Jacqueline, Vésenaz
Turro Corinne et Guy, Vollèges
Udriot Blaise, Martigny
Uebelhart Daniel, Sierre
Uldry Pierre-Yves, Martigny
Umiglia-Marena Monique, Renens
Valla Christine, Maisons-Lafitte, France
Vallotton Electricité, Philippe Vallotton, Martigny
van der Peijl Govert, Terneuzen, Pays-Bas
van der Tempel Gerhardus, Roosdaal, Belgique
van Dommelen Kristof et Yaelle, Mollens
van Lippe Irène, Champéry
van Rijn Bernhard, Salvan
van Schelle Charles, Haute-Nendaz
Vanderheyden Dirk, Savièse
Vanhulle Sabine, Luc (Ayent)
Vannay Jacqueline, Martigny
Varone Benjamin, Savièse
Varone Christian, Dône
Varone SA, vitrerie, Martigny
Vasserot Lucienne, Pully
Vaucher Stéphane, Saillon
Vauthey Claude, Moudon
Vautravers Alec et Blanka, Genève
Vecchioli Nicole, Crans-Montana
Vegezzi Aleksandra, Genthod
Verbaet & Cie, Bernard Verbaet, Vésenaz
Verbierchalet Sàrl, Anne-Lyse Mac Manus, Verbier
Verstraete Adriana, Pully
Viard-Burin Cathy et Jean, Genève
Viatte Gérard et Janine, Verbier
Victor Carole et François, Fully
Victor Nicole et Jacques, Artannes sur Thouet, France
Vigolo David, Monthey
Vigolo Rose-Marie, Leytron
Vigreux Georges, Lyon, France
Vilchien Ingrid, Genève
Vireton Didier, Genève
Vité Laurent, Bernex
Vittoz Monique et Eric, Cernier
Vogel Pierre et Liline, Saint-Légier
de Vogüé Béatrice, Crans-Montana
Volland Marc, Grand-Saconnex
Vollenweider Ursula, Nyon
Volluz Nadia et Christian, Martigny

von Allmen Elfie, Verbier
von Arx Konrad-Michel, Clarens
von Bachmann Charlotte, Verbier
von Campe – Boisseau Frédérique et Gord, Chernex
von der Lahr Joachim et Evelyne, Villeneuve
von Droste Vera, Martigny
von Moos Geneviève, Sion
von Muralt Peter, Erlenbach
Vouilloz Catherine et Werder Laurent, Martigny
Vouilloz Claude, Martigny
Vouilloz François, Uvrier
Vouilloz Philippe, Martigny
Vuignier Claire et Jacques, Martigny
Wachsmuth Anne-Marie, Genève
Waddell Dominique, Morgins
Wahl Francis, Cologny
Waldvogel Guy, Genève
Walewski Alexandre, Verbier
Walewski-Colonna Marguerite, Verbier
Weber Eveline M., Zurich
Werlen Françoise, Martigny
Whitehead Judith, Martigny
Widmer Chantal, Grandvaux
Widmer Karl, Killwangen
Wirz Christiane et Peter, Aigle
Wohlwend Chantal, Grand-Lancy
Wuersch Méline, Chernex
Wurfbain Elisabeth, Haute-Nendaz
Yerly bijouterie-optique SA, Bernard Yerly, Martigny
Zaccagnini Kathleen, Meyrin
Zanetti-Minikus Eleonore, Liestal
Zappelli Paquerette et Pierre, Pully
Zehnder Margrit, Beat et David, Hinterkappelen
Zen Ruffinen Yves et Véronique, Susten/Leuk
Zermatten Agnès, Sion
ZI Artist, Pascale Guttmann, Vufflens-le-Château
Ziegler André et Yolande, Aigle
Zilio Anne-Lise, Monthey
Zufferey Gabriel, Sierre
Zufferey Marguerite, Sierre
Zumstein Monique, Aigle
Zurawski Stéphanie, Paris, France
Zürcher Manfred, Hilterfingen
Zwerver Claire, Verbier
Zwingli Martin, Colombier

Édités et coédités par la Fondation Pierre Gianadda

Paul Klee, 1980, par André Kuenzi (épuisé)

Picasso, estampes 1904-1972, 1981, par André Kuenzi (épuisé)

L'Art japonais dans les collections suisses, 1982, par Jean-Michel Gard et Eiko Kondo (épuisé)

Goya dans les collections suisses, 1982, par Pierre Gassier (épuisé)

Manguin parmi les Fauves, 1983, par Pierre Gassier (épuisé)

La Fondation Pierre Gianadda, 1983, par C. de Ceballos et F. Wiblé

Ferdinand Hodler, élève de Ferdinand Sommer, 1983, par Jura Brüschweiler (épuisé)

Rodin, 1984, par Pierre Gassier

Bernard Cathelin, 1985, par Sylvio Acatos (épuisé)

Paul Klee, 1985, par André Kuenzi

Isabelle Tabin-Darbellay, 1985 (épuisé)

Gaston Chaissac, 1986, par Christian Heck et Erwin Treu (épuisé)

Alberto Giacometti, 1986, par André Kuenzi

Alberto Giacometti, 1986, photos Marcel Imsand, texte Pierre Schneider (épuisé)

Egon Schiele, 1986, par Serge Sabarsky (épuisé)

Gustav Klimt, 1986, par Serge Sabarsky (épuisé)

Serge Poliakoff, 1987, par Dora Vallier (épuisé)

André Tommasini, 1987, par Silvio Acatos (épuisé)

Toulouse-Lautrec, 1987, par Pierre Gassier

Paul Delvaux, 1987

Trésors du Musée de São Paulo, 1988 :
    Ire partie : *de Raphaël à Corot*, par Ettore Camesasca
    IIe partie : *de Manet à Picasso*, par Ettore Camesasca

Picasso linograveur, 1988, par Danièle Giraudy (épuisé)

Le Musée de l'automobile de la Fondation Pierre Gianadda, 1988, par Ernest Schmid (épuisé)

Le Peintre et l'affiche, 1989, par Jean-Louis Capitaine (épuisé)

Jules Bissier, 1989, par André Kuenzi

Hans Erni. Vie et Mythologie, 1989, par Claude Richoz

Henry Moore, 1989, par David Mitchinson

Louis Soutter, 1990, par André Kuenzi et Annette Ferrari (épuisé)

Fernando Botero, 1990, par Solange Auzias de Turenne

Modigliani, 1990, par Daniel Marchesseau

Camille Claudel, 1990, par Nicole Barbier (épuisé)

Chagall en Russie, 1991, par Christina Burrus

Ferdinand Hodler, peintre de l'histoire suisse, 1991, par Jura Brüschweiler

Sculpture suisse en plein air 1960-1991, 1991, par André Kuenzi, Annette Ferrari et Marcel Joray

Mizette Putallaz, 1991

Calima, Colombie précolombienne, 1991, par Marie-Claude Morand (épuisé)

Franco Franchi, 1991, par Roberto Sanesi (épuisé)

De Goya à Matisse, estampes du Fonds Jacques Doucet, 1992, par Pierre Gassier

Georges Braque, 1992, par Jean-Louis Prat

Ben Nicholson, 1992, par Jeremy Lewison

Georges Borgeaud, 1993

Jean Dubuffet, 1993, par Daniel Marchesseau

Edgar Degas, 1993, par Ronald Pickvance

Marie Laurencin, 1993, par Daniel Marchesseau

Rodin, dessins et aquarelles, 1994, par Claudie Judrin

De Matisse à Picasso, Collection Jacques et Natasha Gelman (The Metropolitan Museum of Art,

New York), 1994

Albert Chavaz, 1994, par Marie-Claude Morand (épuisé)

Egon Schiele, 1995, par Serge Sabarsky

Nicolas de Staël, 1995, par Jean-Louis Prat

Larionov – Gontcharova, 1995, par Jessica Boissel

Suzanne Valadon, 1996, par Daniel Marchesseau

Édouard Manet, 1996, par Ronald Pickvance

Michel Favre, 1996

Les Amusés de l'Automobile, 1996, par Pef

Raoul Dufy, 1997, par Didier Schulmann

Joan Miró, 1997, par Jean-Louis Prat

Icônes russes. Galerie nationale Tretiakov, Moscou, 1997, par Ekaterina L. Selezneva

Diego Rivera - Frida Kahlo, 1998, par Christina Burrus

Collection Louis et Evelyn Franck, 1998

Paul Gauguin, 1998, par Ronald Pickvance

Hans Erni, rétrospective, 1998, par Andres Furger

Turner et les Alpes, 1999, par David Blayney Brown

Pierre Bonnard, 1999, par Jean-Louis Prat

Sam Szafran, 1999, par Jean Clair

Kandinsky et la Russie, 2000, par Lidia Romachkova

Bicentenaire du passage des Alpes par Bonaparte 1800-2000, par Frédéric Künzi (épuisé)

Vincent van Gogh, 2000, par Ronald Pickvance

Icônes russes. Les Saints. Galerie nationale Tretiakov, Moscou, 2000, par Lidia I. Iovleva

Picasso. Sous le soleil de Mithra, 2001, par Jean Clair

Marius Borgeaud, 2001, par Jacques Dominique Rouiller

Les Coups de cœur de Léonard Gianadda, 2001 (CD Universal et Philips), vol. 1

Kees Van Dongen, 2002, par Daniel Marchesseau

Léonard de Vinci - L'Inventeur, 2002, par Otto Letze

Berthe Morisot, 2002, par Hugues Wilhelm et Sylvie Patry (épuisé)

Jean Lecoultre, 2002, par Michel Thévoz

De Picasso à Barceló. Les artistes espagnols, 2003, par Maria Antonia de Castro

Paul Signac, 2003, par Françoise Cachin et Marina Ferretti Bocquillon

Les Coups de cœur de Léonard Gianadda, 2003 (CD Universal et Philips), vol. 2

Albert Anker, 2003, par Thérèse Bhattacharya-Stettler (épuisé)

Le Musée de l'automobile de la Fondation Pierre Gianadda, 2004, par Ernest Schmid

Chefs-d'œuvre de la Phillips Collection, Washington, 2004, par Jay Gates

Luigi le Berger, 2004, de Marcel Imsand

Trésors du monastère Sainte-Catherine, mont Sinaï, Égypte, 2004, par Helen C. Evans

Jean Fautrier, 2004, par Daniel Marchesseau

La Cour Chagall, 2004, par Daniel Marchesseau

Félix Vallotton, les couchers de soleil, 2005, par Rudolf Koella

Musée Pouchkine, Moscou. La peinture française, 2005, par Irina Antonova

Henri Cartier-Bresson, Collection Sam, Lilette et Sébastien Szafran, 2005, par Daniel Marchesseau

Claudel et Rodin. La rencontre de deux destins, 2006, par A. Le Normand-Romain et Y. Lacasse

The Metropolitan Museum of Art, New York. Chefs-d'œuvre de la peinture européenne, 2006, par Katharine Baetjer

Le Pavillon Szafran, 2006, par Daniel Marchesseau

Édouard Vallet, l'art d'un regard, 2006, par Jacques Dominique Rouiller

Picasso et le cirque, 2007, par Maria Teresa Ocaña et Dominique Dupuis-Labbé

Marc Chagall, entre ciel et terre, 2007, par Ekaterina L. Selezneva

Albert Chavaz. La couleur au cœur, 100ᵉ anniversaire, 2007, par Jacques Dominique Rouiller
Offrandes aux dieux d'Égypte, 2008, par Marsha Hill
Léonard Gianadda, la Sculpture et la Fondation, 2008, par Daniel Marchesseau
Léonard Gianadda, d'une image à l'autre, 2008, par Jean-Henry Papilloud
Balthus, 100ᵉ anniversaire, 2008, par Jean Clair et Dominique Radrizzani
Martigny-la-Romaine, 2008, par François Wiblé
Olivier Saudan, 2008, par Nicolas Raboud
Hans Erni, 100ᵉ anniversaire, 2008, par Jacques Dominique Rouiller
Rodin érotique, 2009, par Dominique Viéville
Les Gravures du Grand-Saint-Bernard et sa région, 2009, par Frédéric Künzi
Musée Pouchkine, Moscou. De Courbet à Picasso, 2009, par Irina Antonova
Moscou 1957, photographies de Léonard Gianadda, 2009, par Jean-Henry Papilloud
Gottfried Tritten, 2009, par Nicolas Raboud
Images saintes. Maître Denis, Roublev et les autres. Galerie nationale Tretiakov, 2009,
par Nadejda Bekeneva
Moscou 1957, photographies de Léonard Gianadda, 2010, par Jean-Henry Papilloud
(2ᵉ édition, version russe pour le Musée Pouchkine)
Nicolas de Staël 1945-1955, 2010, par Jean-Louis Prat
Suzanne Auber, 2010, par Nicolas Raboud
De Renoir à Sam Szafran. Parcours d'un collectionneur, 2010, par Marina Ferretti Bocquillon
Erni, de Martigny à Etroubles, 2011, par Frédéric Künzi
Maurice Béjart, photographies de Marcel Imsand, 2011, par Jean-Henry Papilloud
Monet au Musée Marmottan et dans les Collections suisses, 2011, par Daniel Marchesseau
Francine Simonin, 2011, par Nicolas Raboud
Ernest Biéler, 2011, par Matthias Frehner et Ethel Mathier
Mécènes, les bâtisseurs du patrimoine, 2011, par Philippe Turrel
Portraits-Rencontres, photographies des années 50 de Léonard Gianadda, 2012,
par Jean-Henry Papilloud et Sophia Cantinotti
Portraits. Collections du Centre Pompidou, 2012, par Jean-Michel Bouhours
Van Gogh, Picasso, Kandinsky... Collection Merzbacher. Le mythe de la couleur, 2012,
par Jean-Louis Prat
André Raboud, 2012, par Nicolas Raboud
Pierre Zufferey, 2012, par Nicolas Raboud
Marcel Imsand et la Fondation, 2012, par Jean-Henry Papilloud et Sophia Cantinotti
Sam Szafran, 2013, par Daniel Marchesseau
Modigliani et l'École de Paris, en collaboration avec le Centre Pompidou et les Collections suisses,
2013, par Catherine Grenier
Emilienne Farny, 2013, par Nicolas Raboud
Méditerranée, photographies de Léonard Gianadda (1952-1960), 2013,
par Jean-Henry Papilloud et Sophia Cantinotti
La Beauté du corps dans l'Antiquité grecque, en collaboration avec le British Museum de Londres,
2014, par Ian Jenkins
Sculptures en lumière, photographies de Michel Darbellay, 2014, par Jean-Henry Papilloud
et Sophia Cantinotti
Renoir, 2014, par Daniel Marchesseau
Les Vitraux des chapelles de Martigny, 2014, par Jean-Henry Papilloud et Sophia Cantinotti
Jean-Claude Hesselbarth, 2014, par Nicolas Raboud
Anker, Hodler, Vallotton... Chefs-d'œuvre de la Fondation pour l'art, la culture et l'histoire,
en collaboration avec le Kunstmuseum de Berne, 2014, par Matthias Frehner
Matisse en son temps, en collaboration avec le Centre Pompidou, 2015, par Cécile Debray

Moscou 1957, photographies de Léonard Gianadda, 2015 (3ᵉ édition), par Jean-Henry Papilloud et Sophia Cantinotti

Léonard Gianadda, 80 ans d'histoires à partager, 2015, par Jean-Henry Papilloud et Sophia Cantinotti

Zao Wou-Ki, 2015, par Daniel Marchesseau

Picasso. L'œuvre ultime. Hommage à Jacqueline, 2016, par Jean-Louis Prat

Hodler, Monet, Munch. Peindre l'impossible, 2017, par Philippe Dagen

Cézanne. Le chant de la terre, 2017, par Daniel Marchesseau

Artistes valaisans, 100ᵉᵐᵉ anniversaire de la BCVs, 2017, par Christoph Flubacher et Martha Degiacomi

Toulouse-Lautrec à la Belle Époque, French Cancans, une collection privée, 2017, par Daniel Marchesseau

Soulages. Une rétrospective, en collaboration avec le Centre Pompidou, Paris, 2018, par Bernard Blistène et Camille Morando

Les coulisses de la Fondation, l'album de Georges-André Cretton, 2018, par Jean-Henry Papilloud et Sophia Cantinotti

Trésors impressionnistes. La Collection Ordrupgaard. Degas, Cézanne, Monet, Renoir, Gauguin, Matisse, 2019, par Anne-Birgitte Fonsmark

Rodin – Giacometti, 2019, par Catherine Chevillot et Catherine Grenier

Chefs-d'œuvre Suisses, Collection Christoph Blocher, 2019, par Matthias Frehner

À paraître

Les Vitraux de Vaison-la-Romaine, 2020, Philippe Turrel

Mes repères, 2020, par Léonard Gianadda

Les Giratoires de Martigny, 2020, par Matthias Frehner

Gustave Caillebotte, Impressionniste et moderne 2020, par Daniel Marchesseau

Jean Dubuffet, rétrospective, 2020, par Sophie Duplaix

De Bacon à Picasso. Un corps inattendu, 2021, par Jean-Louis Prat

Anker et l'enfance, 2021, par Matthias Frehner

Collections Fondation Pierre Gianadda, 2021, par Martha Degiacomi

Filmographie en relation avec la Fondation Pierre Gianadda

La Cour Chagall, par Antoine Cretton, 2004, 10 minutes

Stella : Renaissance d'une étoile, par Antoine Cretton, 2006, 26 minutes

Sam Szafran : Escalier, par Antoine Cretton, 2006, 26 minutes

Musée et Chiens du Saint-Bernard, par Antoine Cretton, 2006, 15 minutes

Hans Erni, une vie d'artiste, par Antoine Cretton, 2008, 30 minutes

Léonard Gianadda, interlocuteur Jean-Henry Papilloud, Plans-Fixes, 2008, 50 minutes

Les 30 ans de la Fondation Pierre Gianadda, par Antoine Cretton, 2008, 26 minutes

La choucroute, par Antoine Cretton, 2008, 10 minutes

Martigny gallo-romaine, par Antoine Cretton, 2009, 10 minutes

Adèle Ducrey-Gianadda, par Antoine Cretton, 2010, 20 minutes

La mémoire du cœur, par Antoine Cretton, 2011, 25 minutes

Le tepidarium, par Antoine Cretton, 2011, 23 minutes

Le visionnaire, par Antoine Cretton, 2012, 20 minutes

Annette, par Antoine Cretton, 2012, 73 minutes

Sam Szafran : Ni Dieu ni maître, par Antoine Cretton, 2013, 45 minutes

Repères, par Antoine Cretton, 2014, 14 minutes

Faire de sa vie quelque chose de grand, par Antoine Cretton, 2015, 90 minutes

Toute une vie, entretien avec Romaine Jean, RTS, 2018, 50 minutes

L'art dans la cité, par Antoine Cretton , 2018, 30 minutes

Table des matières | Inhalt

Crédits photographiques
Reproduktionsvorlagen

Toutes les photographies ainsi que les photographies d'œuvres reproduites dans ce catalogue proviennent de la Collection Christoph Blocher
© photo SIK-ISEA, Zurich (Philipp Hitz)

À l'exception des photographies suivantes :

© Droits réservés : page 6
© Matthias Frehner : page 7
© Photos / Fotos Sabine Haehlen : page 12, 14, 15, 20, 21, 25, 26, 27, 29
© Archive Christoph Blocher : page 16
© Keystone ATS : page 43
© Adolf Dietrich Stiftung : pages 232, 235, 237, 238, 239, 240, 241, 242, 243, 245, 247, 249, 250
© Daniel Thalmann, Aarau, Suisse : page 260, 261

© Tous droits réservés également pour les photographies qui ne seraient pas citées dans la présente liste.

Commissaire de l'exposition

Matthias Frehner

Organisation de l'exposition

Léonard Gianadda
Matthias Frehner
Anouck Darioli

Catalogue

Matthias Frehner

Contributions

Matthias Frehner
Monika Brunner
Therese Battacharya-Stettler
Martha Degiacomi

Traduction

Abacus Translations
Bisang Irène
Mattle Marie-Christine
Nicol Monique
Viaud Nicole

Contribution éditoriale

Anne-Marie Valet

Éditeur :   Fondation Pierre Gianadda, Martigny, Suisse
                        Tél. +41 (0)27 722 39 78
                        Fax +41 (0)27 722 31 63
                        http://www.gianadda.ch
                        e-mail : info@gianadda.ch

Maquette :   Véronique Melis, Musumeci

Composition,
photolito et
impression :   Musumeci S.p.A., Quart, 2019
                        sur papier BVS gr. 150

Couverture :   **Ferdinand Hodler**
                        Le lac Léman vu de Chexbres | *Der Genfersee von Chexbres aus*
                        vers | um 1904, Huile sur toile | Öl auf Leinwand, 81 × 100 cm